ALLONS EN FRANCE 2

For Second and Examination Years

SECOND EDITION

LENNART REICHENBACH

My-etest
Test yourself on a FREE website www.my-etest.com
Check out how well you score!
Just register once, keep your email as your password, and
come back to test yourself regularly.
Packed full of extra questions, my-etest.com lets you revise
– at your own pace – when you want – where you want.

Specimen Copy
With the compliments of
Peter O'Keeffe
Contact no: 086 2437750
www.gillmacmillan.ie

GIL

Allons en France

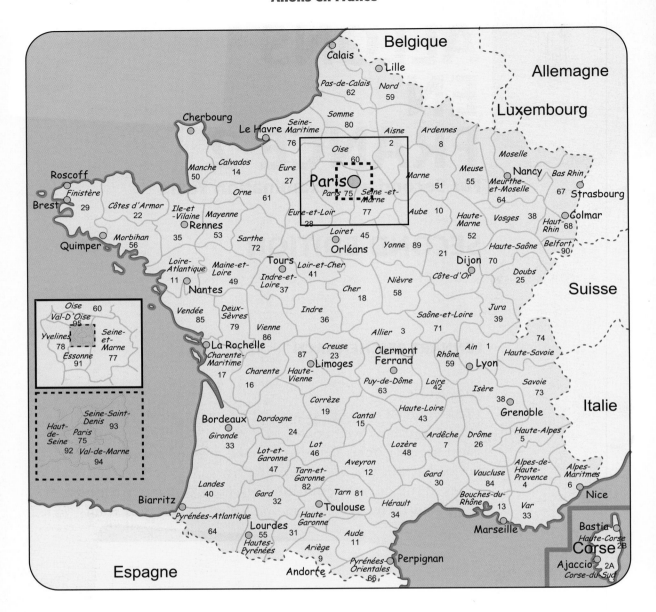

Belgique
Allemagne
Luxembourg
Suisse
Italie
Espagne
Andorre

Calais
Lille
Pas-de-Calais 62
Nord 59
Somme 80
Aisne 2
Ardennes 8
Cherbourg
Le Havre
Seine-Maritime 76
Oise 60
Paris
Paris 75
Seine-et-Marne 77
Marne 51
Meuse 55
Moselle
Nancy
Meurthe-et-Moselle 54
Bas Rhin 67
Strasbourg
Manche 50
Calvados 14
Eure 27
Eure-et-Loir 28
Aube 10
Haute-Marne 52
Vosges 38
Haut-Rhin 68
Colmar
Roscoff
Finistère 29
Brest
Côtes d'Armor 22
Ile-et-Vilaine
Mayenne 53
Orne 61
Loiret 45
Yonne 89
Haute-Saône
Belfort 90
Quimper
Morbihan 56
Rennes 35
Sarthe 72
Tours
Indre-et-Loire 37
Loir-et-Cher 41
Orléans
Côte-d'Or 21
Dijon 70
Doubs 25
Loire-Atlantique 11
Maine-et-Loire 49
Nantes
Cher 18
Nièvre 58
Saône-et-Loire 71
Jura 39
Vendée 85
Deux-Sèvres 79
Indre 36
Allier 3
Ain 1
Haute-Savoie 74
La Rochelle
Vienne 86
Creuse 23
Clermont Ferrand
Rhône 69
Lyon
Charente-Maritime 17
Charente 16
Haute-Vienne 87
Limoges
Puy-de-Dôme 63
Loire 42
Isère 38
Savoie 73
Grenoble
Corrèze 19
Cantal 15
Haute-Loire 43
Drôme 26
Ardèche 7
Hautes-Alpes 5
Bordeaux
Gironde 33
Dordogne 24
Lozère 48
Alpes-de-Haute-Provence 4
Alpes-Maritmes 6
Nice
Lot-et-Garonne 47
Lot 46
Aveyron 12
Gard 30
Vaucluse 84
Bouches-du-Rhône 13
Var 83
Bastia
Landes 40
Gard 32
Tarn-et-Garonne 82
Tarn 81
Hérault 34
Marseille
Haute-Corse 2B
Corse
Biarritz
Pyrénées-Atlantique 64
Haute-Garonne 31
Toulouse
Aude 11
Ajaccio 2A
Corse-du-Sud
Lourdes 55
Hautes-Pyrénées
Ariège 9
Pyrénées-Orientales 66
Perpignan

Oise 60
Val-D'Oise 95
Yvelines 78
Seine-et-Marne 77
Essonne 91

Haut-de-Seine 92
Seine-Saint-Denis 93
Paris 75
Val-de-Marne 94

Allons en France

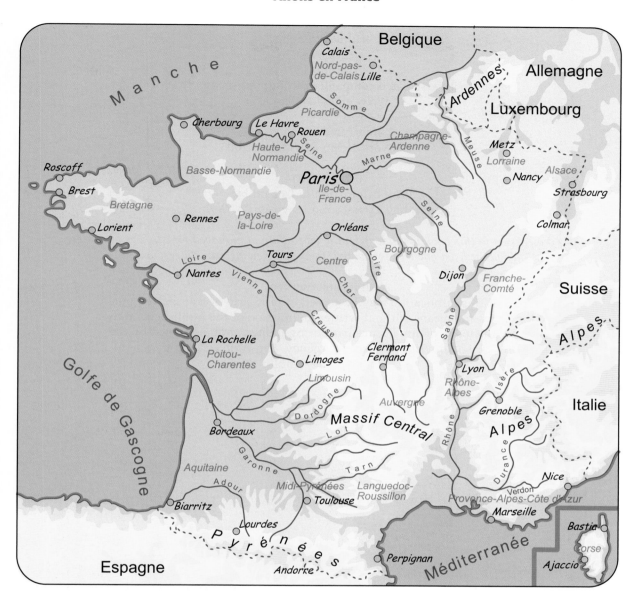

Gill & Macmillan Ltd
Hume Avenue
Park West
Dublin 12
with associated companies throughout the world
www.gillmacmillan.ie

0 7171 35144
Print origination in Ireland by
Carrigboy Typesetting Services, Co. Cork

The paper used in this book is made from the wood pulp of managed forests. For every tree felled, at least one tree is planted, thereby renewing natural resources.

Contents

Contents

Pronunciation:	— optional liaisons
Culture:	— fashion in France

Communication:	— making plans — saying what you intend to do — asking for information about hotels — booking a hotel room
Grammar:	— *futur simple* — the pronoun *y*
Pronunciation:	— oral vowels
Culture:	— holiday destinations in France

Communication:	— giving instructions — asking for and giving directions — describing a visit to a town
Grammar:	— imperative
Pronunciation:	— *'tion'*
Culture:	— Paris

Communication:	— describing what you eat and drink — ordering food and drink — talking about your health — buying medicine — leaving a note
Grammar:	— the pronoun *en* — interrogative forms
Pronunciation:	— intonation (questions)

Contents

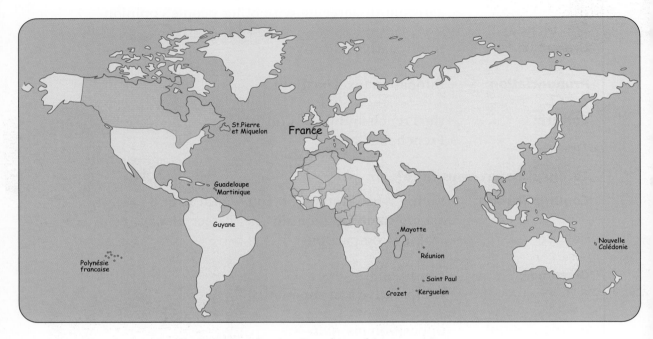

La Francophonie – French-speaking countries

1

Les correspondant(e)s francophones

Les objectifs:

Communication:
– describing someone's
pearance and personality

Grammar:
evision (personal pronouns,
rbs, nouns, determiners)

adjectives in the singular

Pronunciation:
– opposition s/z

Culture:
French-speaking countries
– French cartoons

Regardez!

Locate each of the following places on the map of the world on the page opposite. What is the one thing the people living in the following places have in common?

Baleine dans le Golfe du Saint-Laurent, au Québec

La fusée européenne Ariane au centre spatial de Kourou, en Guyane

Barrière de corail, en Nouvelle-Calédonie

Le Palais du Roi à Bruxelles

La Grande Mosquée d'Alger

Des zébus à Madagascar,
dans l'Océan Indien

Vignoble de Vevey, près du
Lac Léman, en Suisse

La traversée du Sahara durant
le rallye Paris-Dakar

Écoutez!

1.1

Je m'appelle Jean-Marie. J'ai quatorze ans. J'habite à Nouméa, en Nouvelle-Calédonie.

Je suis plutôt grand. J'ai les cheveux noirs. Je suis sportif: je joue au foot dans le club local et je fais de la natation. Je n'aime pas aller à l'école et je déteste faire mes devoirs: je suis paresseux!

J'adore les gâteaux, les tartes et le chocolat: je suis gourmand!

Je suis plutôt amusant.

1.2

Je m'appelle Laurence. J'habite à Cayenne, en Guyane Française. C'est en Amérique du Sud. Je suis blonde. Je suis assez grande. Je porte des lunettes. Je suis sympathique et sportive. Je suis plutôt paresseuse! À la maison et à l'école, je parle beaucoup: je suis bavarde!

Ma mère est ingénieur et mon père est informaticien. Ils travaillent au centre spatial de Kourou.

1.3

Je m'appelle Djamila. J'habite à Oran, en Algérie. Je suis plutôt petite. J'ai les cheveux noirs. Je suis intelligente et ambitieuse. J'aime lire et écouter de la musique. Je collectionne les timbres. Je suis un peu gourmande!

Ma meilleure amie s'appelle Leïla. Elle a quatorze ans. Elle est sympa et très bavarde!

1. Les correspondant(e)s francophones

1.4

Je m'appelle Marcel. J'habite à Charleroi, en Belgique. J'ai les cheveux bruns. Je suis assez petit. Je suis sympathique, ambitieux et bavard! J'adore la natation et les B.D. (les bandes dessinées). Je joue du piano.

   Mon meilleur ami s'appelle Richard. Il est très sportif. Richard et moi, nous adorons les boums.

Compréhension

1. Match each person with the appropriate picture.
2. Who loves to go swimming?
3. Who loves reading?
4. Who plays an instrument?
5. Who likes to listen to music?
6. Who collects stamps?
7. Who doesn't like to go to school?
8. Who is small?
9. Who is tall?
10. Who has a sweet tooth?
11. Who is lazy?
12. Who is ambitious?
13. Who is talkative?
14. Who loves going to parties?
15. Who is Leïla?

A

B

C

D

Découvrez les règles!

Révision

1. Personal pronouns

   a. What are personal pronouns? Read over the above passages and find five different personal pronouns.

   b. Fill in the grid and learn the pronouns by heart.

1st person singular	Je	I
2nd person singular		
3rd person masculine/singular		
3rd person feminine/singular		
1st person plural		
2nd person plural		
3rd person masculine/plural		
3rd person feminine/plural		

2. *Present tense of regular verbs*
   a. What is a verb?
   b. What is an infinitive?
   c. Conjugate aimer, finir *and* descendre *in the present tense.*

3. *Present tense of irregular verbs*
   a. Conjugate être, avoir, aller *and* faire *in the present tense.*
   b. Do these irregular verbs have any consistent pattern?

4. *Nouns*
   a. What is a noun?
   b. Read the above passages again and find two masculine singular nouns, two feminine singular nouns and three plural nouns.

5. *Determiners*
   a. What are definite articles? Give examples.
   b. What are indefinite articles? Give examples.
   c. What are possessive adjectives? Give examples.

Adjectives (singular)

1. *What is an adjective? Give examples of adjectives in English. Then give the definition of an adjective.*

1. Les correspondant(e)s francophones

2. *Look at the following adjectives. Read the above passages again and find out if these adjectives can be spelled differently. Give an explanation.*

> petit
>
> grand
>
> bavard

Complete the following rule and learn it off by heart:

> An adjective agrees in gender with the _____ or pronoun it describes.

3. *Read again over the passages and find the feminine form of the following adjectives:*

> sportif
>
> ambitieux
>
> sympathique

Now complete the following rules:

> In most cases, to make an adjective feminine, add _____ to the masculine form.
>
> Adjectives ending in _____ (sportif) form their feminine in -ve (sportive).
>
> Adjectives ending in -x (ambitieux) form their feminine in _____ (ambitieuse).
>
> Adjectives ending in _____ (sympathique) don't change in the feminine (sympathique).

À vous!

1.5 **Écoutez et remplissez la grille!**

Quatre jeunes se présentent.

	Age	**Hair**	**Eyes**	**Personality**
Pierre				
Claudine				
Diane				
Thierry				

Décrivez-vous!

1. *Look at the following list of adjectives. Which ones describe you best?*
   Make sentences. If you are a girl, don't forget to put the adjectives into the feminine.

Exemple: Je suis grand(e). Je suis amusant(e) . . .

grand	intelligent	ambitieux	timide
amusant	patient	studieux	romantique
gourmand	paresseux	généreux	sportif
bavard	sérieux	sympathique	
petit	courageux	calme	

2. *Now find the feminine form of all these adjectives.*

Exemple: grand – **grande**

1.6 **Écoutez!**

1. *Écoutez et répétez!*

    a. Il est bavard. Elle est bavarde.
    b. Il est grand. Elle est grande.
    c. Il est petit. Elle est petite.
    d. Il est paresseux. Elle est paresseuse.
    e. Il est sportif. Elle est sportive.
    f. Il est timide. Elle est timide.

1. Les correspondant(e)s francophones

2. *You will hear a list of sixteen adjectives. Listen carefully and say whether the adjective being read out is masculine or feminine.*

a. _____   e. _____   i. _____   m. _____
b. _____   f. _____   j. _____   n. _____
c. _____   g. _____   k. _____   o. _____
d. _____   h. _____   l. _____   p. _____

3. *Now pick two friends (one boy and one girl) and describe each of them. Start as follows:*
   a. Il est . . .
   b. Elle est . . .

Masculin ou féminin?

Find out whether a boy or a girl is speaking.

Exemple: Je suis irlandais. **(masculine)**

1. Je suis grand.   _____
2. Je suis français.   _____
3. Je suis petite.   _____
4. Je suis timide.   _____
5. Je suis irlandaise.   _____
6. Je suis amusante.   _____
7. Je suis blond.   _____
8. Je suis intelligente. _____
9. Je suis courageux.   _____
10. Je suis sportive.   _____

Reconstituez les mots!

1. *Find the correct adjectives and say whether they are masculine or feminine.*

Exemple: a. bavard **(masculine)**

a. ba   gent
b. pa   tif
c. géné   tieux
d. intelli   vard
e. sympa   reuse
f. tolé   rante
g. spor   tient
h. pares   dant
i. ti   rieuse
j. opti   seux
k. ambi   thique
l. indépen   miste
m. sé   mide

2. Now say whether these adjectives apply to you or not.

Exemple: Je suis bavard(e). *or* Je ne suis pas bavard(e).

Trouvez l'adjectif!

1. J'adore le chocolat et les desserts: je suis ___*gourmand*___ .
2. Elle a beaucoup d'ambition: elle est _____ .
3. Tu aimes beaucoup le football et le ski: tu es _____ .
4. J'aime dormir et je déteste travailler: je suis _____ .
5. En classe, elle parle beaucoup: elle est _____ .
6. Ils font beaucoup d'effort à l'école: ils sont _____ .
7. Il est de nationalité irlandaise: il est _____ .
8. Elle est de nationalité française: elle est _____ .

1.7 🔊 **Prononcez bien! Opposition s/z**

1. Écoutez et répétez!

dessert	desert
poisson	poison
coussin	cousin
basse	base
douce	douze
cesse	seize

2. Listen carefully and say which sentence you hear.

A	B
ils sont	ils ont
nous savons	nous avons
deux sœurs	deux heures
six sœurs	six heures
ils s'appellent	ils appellent
C'est un coussin.	C'est un cousin.
C'est du poisson.	C'est du poison.
Elles sont douces.	Elles sont douze.

1. Les correspondant(e)s francophones

 1.8 **Dictée: écoutez et écrivez!**

Complétez avec le verbe 'être'!

1. Tu _____ grande.
2. Il _____ irlandais.
3. Nous _____ en vacances.
4. Elles _____ sportives.
5. Je _____ paresseux.
6. Elle _____ paresseuse.
7. Vous _____ français?
8. Je ne _____ pas de Dublin.
9. On _____ d'Arklow.
10. Tu n'_____ pas très sportif!

Complétez avec le verbe 'avoir'!

1. Elles _____ quinze ans.
2. J'_____ un frère et deux sœurs.
3. Nous _____ faim!
4. Tu _____ soif?
5. Il _____ les yeux bleus.
6. On _____ beaucoup de devoirs.
7. Elle _____ les cheveux blonds.
8. Vous _____ quel âge?
9. Je n'_____ pas de frères.
10. Ils _____ un chat à la maison.

'Être' ou 'avoir'?

1. Tu _____ quel âge?
2. Tu _____ irlandais?
3. Tu _____ un animal chez toi?
4. Tu _____ des frères et des sœurs?
5. Tu _____ paresseux?
6. Tu _____ les yeux verts?
7. Tu _____ sportive?
8. Tu _____ un vélo?
9. Tu _____ faim?
10. Tu _____ grand?

Complétez avec 'aller' ou 'faire'!

1. Nous _____ à la plage.
2. Je _____ la vaisselle.
3. Il _____ la grasse matinée.
4. On _____ danser?
5. Tu _____ bien?
6. Elles _____ du karaté.
7. Ils _____ à l'école.
8. Elle _____ de la natation.
9. Est-ce que vous _____ de l'équitation?
10. Je ne _____ pas très bien.

Complétez avec un pronom personnel!

1. _____ êtes en quelle classe?
2. _____ ai seize ans.
3. _____ faisons la vaisselle.
4. _____ avez des frères?
5. _____ sont très sportifs.
6. _____ a quel âge?
7. _____ avons un prof sympa.
8. Est-ce que _____ es irlandais?
9. _____ fais le ménage chez toi?
10. _____ vais chez le dentiste.

Reliez!

1. Il   est grande.
2. Je   fait le ménage.
3. Vous   ont quel âge?
4. J'   suis sportif.
5. Nous   avez des frères ou des sœurs?
6. Elle   es sportive?
7. Marc, tu   ai deux frères.
8. Elles   sont paresseux.
9. Ils   sommes en classe de Junior Cert.
10. Zoë, tu   vas où?

Écrivez au présent!

1. Il _____ (jouer) au foot.
2. Tu _____ (manger) à la cantine?
3. Je _____ (regarder) un film.
4. Vous _____ (habiter) ici?
5. Elles _____ (adorer) la musique.
6. Nous _____ (parler) français.
7. Je _____ (s'appeler) Mary.
8. Elle _____ (se coucher) tôt.
9. Je _____ (se reposer) un peu.
10. Tu _____ (se baigner)?

11. Tu _____ (obéir) à tes parents?
12. Il _____ (rougir).
13. Je _____ (choisir) cet anorak.
14. Vous _____ (réfléchir)?
15. Ils n'_____ (obéir) pas.
16. Les cours _____ (finir) tard.
17. Nous _____ (grossir).
18. Elles _____ (grandir) beaucoup!
19. Elle _____ (choisir) un dessert.
20. Je _____ (finir) mes devoirs.

21. Je _____ (descendre) à la plage.
22. Tu _____ (entendre) le train?
23. Il _____ (vendre) son vélo.
24. Le PSG _____ (perdre) le match.

1. Les correspondant(e)s francophones

25. Je _____ (répondre) au téléphone.
26. Elle _____ (rendre) la monnaie.
27. J' _____ (entendre) la sonnerie!
28. Vous _____ (attendre) le bus?
29. Ils _____ (vendre) des vêtements.
30. Nous _____ (descendre) ici.

Masculin ou féminin?

Determine whether the following nouns are masculine or feminine. Then give their definite and their indefinite article.

Exemple: école – **(feminine)**; l'école; une école

1. maison _____
2. père _____
3. cahier _____
4. plage _____
5. mère _____
6. anniversaire _____
7. lettre _____
8. sœur _____
9. frère _____
10. voiture _____
11. livre _____
12. élève _____

Écrivez au pluriel!

1. un bus _____
2. un correspondant _____
3. la classe _____
4. mon correspondant _____
5. la correspondante _____
6. une règle _____
7. le professeur _____
8. ma sœur _____
9. une amie _____
10. la piscine _____
11. son copain _____
12. une maison _____

Les bandes dessinées

En France, les B.D. sont très populaires. Découvrez les personnages préférés des jeunes français!

Les aventures de Tintin

Tintin reporter et son chien Milou aiment l'aventure.

La Castafiore, une amie de Tintin, adore chanter.

Le Capitaine Haddock, un ami de Tintin, est en colère!

Le professeur Tournesol aime inventer des machines.

Les détectives Dupont et Dupond

Irma est la servante de la Castafiore.

1. Les correspondant(e)s francophones

Décrivez ces personnages!

Work with your partner. Look at the following adjectives and use them to describe each of the above characters.

Exemple: Tintin est assez petit. Il est mince. Il a les cheveux courts et blonds. Tintin a les yeux marron. Il est sympathique, intelligent et courageux.

Then compare your descriptions with those of the other class members.

Poids
gros (grosse)
mince

Yeux
noirs
marron
noisette
verts
bleus

Cheveux
longs
courts
frisés
raides
noirs
bruns
châtains
roux
blonds

Particularités
beau (belle)
laid(e)
élégant(e)
porter des lunettes
porter une moustache
être moustachu
porter une barbe
être barbu
être chauve

Taille
très grand(e)
grand(e)
assez grand(e)
petit(e)

Personnalité

amusant(e)	calme
gourmand(e)	sympathique
sportif (sportive)	timide
intelligent(e)	coléreux (coléreuse)
paresseux (paresseuse)	antipathique
sérieux (sérieuse)	bavard(e)
stupide	triste
ambitieux (ambitieuse)	romantique
studieux (studieuse)	courageux (courageuse)

Les correspondants et correspondantes

Describe each person in the pictures as best as you can. Guess their age, where they live, their likes and dislikes and their temperament.

Joseph

Pascal

Suzanne

Emilie

Nadia

  Écoutez et complétez!

	Country/Town	**Age**	**Hobbies**	**Personality**
Nadia				
Emilie				
Joseph				
Pascal				
Suzanne				

1. Les correspondant(e)s francophones

Lisez!

Fiche d'échange scolaire

Nom: Paulet
Prénom: Sarah
Adresse: 8, rue du Cerfeuil,
   44000 Nantes
Numéro de téléphone:
   05.75.12.02.98
Âge: 14 ans (19 août)
Description: 1,75 m, yeux marron, cheveux
   roux
Nombre de frères et sœurs: 1 frère
   (17 ans) et 2 sœurs (14 et 12 ans)
Personnalité: ouverte, indépendante
Aime: danser, les sorties, le sport, la lecture,
   le cinéma
N'aime pas: le chou

Fiche d'échange scolaire

Nom: Ricou
Prénom: Didier
Adresse: 5, bd de la Krutnau,
   67000 Strasbourg
Numéro de téléphone:
   03.88.36.59.01
Âge: 15 ans (3 mars)
Description: 1,67 m, yeux bleus, cheveux
   blonds
Nombre de frères et sœurs: 1 sœur (10 ans)
Personnalité: sportif, bavard
Aime: l'aviron, le football, les bandes
   dessinées, les randonnées
N'aime pas: les films romantiques, les
   maths, la pluie

Fiche d'échange scolaire

Nom: Vartan
Prénom: Valérie
Adresse: 107, rue Lacanal,
   80000 Amiens
Numéro de téléphone:
   03.44.31.55.53
Âge: 16 ans (28 octobre)
Description: 1,75 m, yeux noirs, cheveux
   noirs
Nombre de frères et sœurs: –
Personnalité: optimiste, sociable
Aime: le basket, la lecture, le piano, la nature
N'aime pas: faire le ménage, le foot, les
   sciences physiques

Fiche d'échange scolaire

Nom: Picard
Prénom: Jean
Adresse: 34, rue Pasteur,
   06000 Nice
Numéro de téléphone:
   04.21.64.57.71
Âge: 16 ans (7 mai)
Description: 1,78 m, yeux verts, cheveux
   bruns
Nombre de frères et sœurs: 2 sœurs
   (10 ans et 8 ans)
Personnalité: ouvert, bavard
Aime: la natation, le football, collectionner les
   timbres, chanter
N'aime pas: le rugby, les chiens

Compréhension

1. C'est quand, l'anniversaire de Sarah?
2. Est-ce que Sarah est grande ou petite?
3. Elle a les yeux de quelle couleur?

4. Elle a combien de frères et de sœurs?
5. Didier a les cheveux de quelle couleur?
6. Il habite où?
7. Quel est son numéro de téléphone?
8. Est-ce que Valérie a des frères ou des sœurs?
9. Quel est son caractère?
10. Est-ce qu'elle aime la musique?
11. Qu'est-ce qu'elle n'aime pas?
12. Est-ce que Didier aime se promener?
13. Est-ce que Sarah aime lire?
14. Jean aime-t-il les animaux?
15. Qui habite dans le nord de la France?

Choisissez votre correspondant(e)!

Choose a penpal from the above and write a short description of him/her. Then give a presentation of your penpal to the class. Start as follows:

Il/elle s'appelle _____ .
Il/elle a _____ ans.
Il/elle habite à _____ .

 **Vrai ou faux?**

Listen to four teenagers describing themselves. Say whether the following sentences are right or wrong.

	Vrai	Faux
1. Joseph		
a. Il a 15 ans.	☐	☐
b. Il a les cheveux roux.	☐	☐
c. Il est timide.	☐	☐
d. Il joue de l'accordéon.	☐	☐
e. Il adore les maths.	☐	☐
2. Catherine		
a. Elle a les yeux bleus.	☐	☐
b. Elle a les cheveux blonds.	☐	☐
c. Elle est sportive.	☐	☐
d. Elle adore aller au cinéma.	☐	☐
e. Elle déteste la choucroute.	☐	☐

1. Les correspondant(e)s francophones

3. Stéphanie
   a. Elle est française. ☐ ☐
   b. Elle est romantique. ☐ ☐
   c. Elle est gourmande. ☐ ☐
   d. Elle est studieuse. ☐ ☐
   e. Elle adore le sport. ☐ ☐

4. Antoine
   a. Il a 13 ans. ☐ ☐
   b. Il est amusant. ☐ ☐
   c. Il a 2 frères. ☐ ☐
   d. Il adore la nature. ☐ ☐
   e. Il déteste faire la vaisselle. ☐ ☐

Parlez!

Fill in the following card (look up the vocabulaire thématique *if necessary), then answer your partner's questions.*

Fiche d'échange scolaire

Nom: _____
Prénom: _____
Âge: _____
Adresse: _____
Numéro de téléphone: _____
Taille: _____
Couleur des cheveux: _____
Couleur des yeux: _____
Personnalité: _____
Frères ou soeurs: _____
Profession des parents: _____
Animaux: _____
Aime: _____
N'aime pas: _____

1. Comment tu t'appelles?
2. Tu habites où?
3. Quel est ton numéro de téléphone?
4. Tu as quel âge?
5. Quelle est la date de ton anniversaire?
6. Tu as des frères ou des sœurs?
7. Tu fais du sport?
8. Qu'est-ce que tu aimes faire?
9. Qu'est-ce que tu n'aimes pas?
10. Tu as un animal domestique?

Le jeu des mille questions

Write down six sentences describing one person in the class. Among these six sentences, one has to be incorrect. Read out your description. The class has to guess who it is.

Exemple:
1. Elle joue du piano.
2. Elle est bavarde.
3. Elle est studieuse.
4. Elle est mince.
5. Elle adore les chats.
6. Elle est timide.

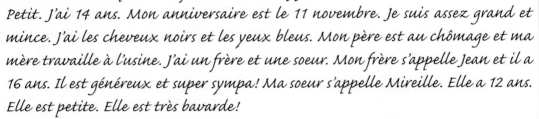

  Correspondance

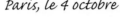

Paris, le 4 octobre

Chère Mairead,

Je suis ton correspondant français. Je m'appelle Etienne Petit. J'ai 14 ans. Mon anniversaire est le 11 novembre. Je suis assez grand et mince. J'ai les cheveux noirs et les yeux bleus. Mon père est au chômage et ma mère travaille à l'usine. J'ai un frère et une soeur. Mon frère s'appelle Jean et il a 16 ans. Il est généreux et super sympa! Ma soeur s'appelle Mireille. Elle a 12 ans. Elle est petite. Elle est très bavarde!

Moi, je suis sportif: je joue au foot, je fais de la natation et de l'athlétisme. J'aime aussi regarder le foot à la télévision. En hiver, j'adore faire du ski. Je descends les pistes à toute vitesse! L'été, quand il fait beau, je vais sur la côte d'Azur. Je me baigne dans la mer.

Le week-end, je lis des B.D. (surtout Tintin et Milou) ou je sors avec mes amis. Nous allons au cinéma ou à la piscine. Je suis optimiste et généreux.

À l'école, je suis un peu bavard! Ma matière préférée, c'est l'histoire. C'est une matière intéressante et le prof est sympa. Je déteste les maths. C'est très difficile!

Voilà! Écris-moi vite et dis-moi tout!

À bientôt!
Etienne

Before answering the questions, list all the adjectives contained in the letter and give the nouns or pronouns to which they refer.

Exemple:

Adjective	Noun/Pronoun
français	**correspondant**

1. Les correspondant(e)s francophones

Compréhension

1. Where does Etienne live?
2. How old is he?
3. When is his birthday?
4. Give a physical description of Etienne.
5. What do his parents do?
6. Describe Etienne's brother and sister.
7. What are Etienne's hobbies?
8. Where does he go in winter and in summer?
9. What does he do at weekends?
10. What is his favourite subject? Why?
11. What subject does he not like? Why?
12. Give a detailed description of Etienne's personality.

Écrivez!

Using the following information, write Mairead's letter of reply to Etienne.

Fiche d'échange scolaire

Nom: Mairead
Prénom: Phillips
Âge: 14 ans
Adresse: Ballina, Co. Mayo
Taille: petite
Poids: assez mince
Cheveux: bruns
Yeux: bleus
Famille: un frère et une sœur
Caractère: amusante, bavarde, sportive
Passe-temps: camogie, cinéma, musique, lecture
Adore: le violon, Brad Pitt
Déteste: les maths

Ballina, le _____

Cher Etienne,

Les petites annonces

Jean Valpré, Orléans (15 ans). Je cherche une correspondante irlandaise ou allemande, 14–16 ans. Je suis sportif. J'aime le cinéma et la musique. J'ai les cheveux bruns et les yeux verts. Je suis assez grand. Je suis plutôt sympa.

Caroline Lapérouse, Nantes (14 ans). Je cherche un correspondant écossais ou irlandais. J'aime les animaux et je collectionne les timbres. Je suis plutôt grande et mince. J'ai les cheveux blonds et les yeux bleus. Je suis assez paresseuse.

Sophie Dupont, Lille (14 ans). Je cherche un correspondant ou une correspondante de mon âge. J'ai les cheveux et les yeux noirs. Je suis sincère, sympa et sportive. J'aime le basket. Je joue du piano.

Pascal Renan, Strasbourg (16 ans). Je cherche un(e) correspondant(e) irlandais(e) de mon âge. Je suis un peu timide. J'ai les cheveux roux et les yeux marron. J'adore la musique (tous les types). J'aime faire des promenades à la campagne avec mon chien. J'ai aussi un cheval. Je n'aime pas le foot.

1. Compréhension

a. Who is rather lazy?
b. Who likes animals?
c. Who likes cinema?
d. Who has a dog and a horse?
e. Who has blond hair?
f. Who doesn't like football?
g. Who has black hair?
h. Who collects stamps?
i. Who has brown eyes?
j. Who likes to go for walks?

2. Reply to one of the ads. Model your letter on that of Etienne on page 18.

 I.12 **Écoutez et lisez!**

La Francophonie

La Francophonie est le nom donné à l'ensemble des peuples qui utilisent habituellement le français pour communiquer. D'après les dernières statistiques, environ 220 millions de personnes parlent le français à travers le monde. Ce sont des francophones. Le français est leur langue maternelle ou leur langue seconde.

On les trouve au quatre coins de la planète, dans plus de quarante pays différents. En Europe, bien sûr, mais aussi en Afrique, au Liban, en Inde, au Cambodge, au Vietnam, en Nouvelle-Calédonie, dans les îles de l'Océan Pacifique, en Amérique du Sud, en Louisiane ou encore, au Canada.

Festival acadien à Lafayette, en Louisiane

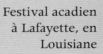

1. Les correspondant(e)s francophones

La langue la plus parlée au monde est le chinois, avec un milliard de personnes. Viennent ensuite l'anglais (770 millions de locuteurs), le hindi, le russe, l'espagnol, le français, le portugais, l'arabe, le bengali, le malais, le japonais et l'allemand (100 millions de locuteurs).

En Europe, il y a six pays franco-phones. La France, bien sûr, avec presque 57 millions d'habitants. En Belgique, on parle trois langues: le français (wallon) dans le Sud, le néerlandais (flamand) dans le Nord et l'Ouest et l'allemand dans l'Est. Le wallon est un peu différent du français que l'on parle en France. Par exemple, les belges francophones disent 'septante, octante, nonante' au lieu de 'soixante-dix, quatre-vingts, quatre-vingt-dix'. Le français est également une langue officielle au Luxembourg. On y parle aussi l'allemand et le dialecte luxembourgeois.

Marché à Abidjan, en Côte d'Ivoire

La reconstruction de Beyrouth

En Suisse, il y a trois langues officielles: l'allemand, le français et l'italien. Le français est parlé par plus d'un million d'habitants sur les six millions que comptent la Confédération helvétique. Le romanche, une langue minoritaire, est parlé par 1% de la population.

Rizière au Cambodge

À Monaco, une principauté d'environ deux km^2 qui est située sur la côte d'Azur, le français a le statut de langue officielle. Dans la principauté d'Andorre, la langue officielle est le catalan mais on y parle également le français et l'espagnol. Andorre est située dans les Pyrénées, entre l'Espagne et la France. Le Président de la République française et l'évêque d'Urgel en Espagne sont les deux co-princes d'Andorre.

Le Lac Léman à Genève

Compréhension

1. What is the *francophonie*?
2. How many people speak French across the world?
3. What is the most widely spoken language on the planet?
4. Name the French-speaking states of Europe.
5. In which French-speaking state is French not the official language?

6. Find one example of how the French spoken in Belgium differs from the French spoken in France.
7. What is the population of Switzerland?
8. Which French-speaking state is situated on the French Riviera?
9. What does the French president have in common with the bishop of Urgel in Spain?
10. In which French-speaking state is Italian an official language?

 **Écoutez!**

Poésie

Le Coucou
Coucou des bois et des jardins,
J'ai le coeur joyeux, j'ai le cœur tranquille.
Coucou fleuri, coucou malin,
Je viendrai te cueillir demain.
J'ai le coeur joyeux, j'ai le cœur tranquille,
De bon matin.

Robert Desnos

Avant d'aller plus loin . . . ?

Before moving on to Unit 2, make sure you can:
— *describe yourself and others*
— *talk about your leisure activities*
— *talk about your likes and dislikes*
— *form the present tense of regular verbs*
— *conjugate some irregular verbs in the present tense*
— *use appropriate articles and nouns*
— *use adjectives*
— *talk about French-speaking countries.*

Now test yourself at www.my-etest.com

2

Mon animal préféré

Les objectifs:

Communication:
– talking about pets
- naming farm animals
iving your opinion about certain animals
– saying what certain animals eat

Grammar:
adjectives (singular and plural)

Pronunciation:
– mute final letters

Culture:
- the French and pets

Écoutez!

Frédéric: Tu as un animal chez toi?
Carole: Oui, j'ai un chat. Il s'appelle Fripoune.
Frédéric: Il a quel âge?
Carole: Il a trois ans.
Frédéric: Il est de quelle couleur?
Carole: Il est tigré. Il est adorable! Et toi, tu as des animaux chez toi?
Frédéric: Non, je n'en ai pas. Mes parents n'aiment pas les animaux à la maison.

Marc: Tu as un animal à la maison?
Anne: Oui, j'ai un chien. Il s'appelle Vatan.
Marc: Il est comment?

Anne: Il est assez petit. Il est blanc et marron. Il est amusant et intelligent. Et toi, tu as des animaux?

Marc: Oui, j'ai une souris blanche et une perruche. Ma souris s'appelle Speedy Gonzales. Elle est amusante.

Anne: Et ta perruche, elle est comment?

Marc: Ma perruche, elle est verte. Elle est très bavarde!

2.3 Quel est ton animal préféré?

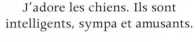

J'adore les poissons rouges. Ils sont calmes et un peu timides.

J'aime beaucoup les chats. Ils sont paresseux et ils aiment jouer.

J'adore les chiens. Ils sont intelligents, sympa et amusants.

J'adore les souris blanches. Elles sont petites et très gourmandes: elles adorent le fromage!

Moi, j'aime les oiseaux, surtout les perroquets. Ils sont bavards et amusants!

J'aime les perruches. Elles sont bavardes et amusantes!

Moi, j'aime les hamsters. Ils sont gentils et sportifs!

J'adore les tortues. Elles sont timides, paresseuses et très gentilles.

Découvrez les règles!

Adjectives

1. *What is an adjective? Give a definition and some examples.*
2. *Write the eight sentences of Section 2.3 in your copy. Underline all the adjectives and circle the nouns or pronouns they refer to.*

Exemple: J'adore (les chiens.) (Ils) sont <u>intelligents</u>, <u>sympa</u> et <u>amusants</u>.

3. *Translate the following sentences into French:*

He is funny. (2.2) _____

She is funny. (2.2) _____

The dogs are funny. (2.3) _____

The budgies are funny. (2.3) _____

Why, in your opinion, are there four different ways of spelling an adjective in French?

4. *Complete the following rules and learn them by heart:*

An adjective agrees in _____ and number with the noun or _____ it describes.

As a general rule, these are the endings of adjectives:

	Singular	**Plural**
Masculine	–	_____
Feminine	-e	_____

 Écoutez et complétez!

Quatre jeunes Français parlent de leurs animaux.

	Animal	**Age**	**Colour**	**Character**
Jean-Marie				
Christine				
Benoît				
Carole				

Reliez!

L'éléphant	Il mange les souris.
Le lapin	Elle est bavarde.
La girafe	Il habite dans un aquarium.
La souris	Il est le gardien de la maison.
Le perroquet	Il est très grand et habite en Afrique.
La perruche	Il adore les carottes.
Le chat	Il est bavard.
La tortue	Elle déteste les chats!
Le chien	Elle est très très grande!
Le poisson rouge	Elle se déplace lentement.

Choisissez!

Pick the appropriate adjective(s) and write the whole sentence in your copy.

Exemple: Mon chien est gentil.

1. Mon chien est	bavard	vert	bleu	gentil
2. J'ai un lapin	blanche	intelligente	timide	blancs
3. Ma tortue est	vert	rouge	bleu	verte
4. J'ai un chat	jaune	tigrée	gentille	tigré

2. Mon animal préféré

5. Mes chiens sont	noir	noires	noire	noirs
6. J'ai une souris	blanches	gris	verte	blanche
7. J'aime les poissons	roux	rouge	rouges	rousses
8. J'aime les chats	tigrée	tigré	tigrés	tigrées

2.5 **Prononcez bien! Mute final letters**

1. Listen carefully and cross out the final letters that aren't being pronounced!

a. J'habite	i. Je déteste	q. sportif
b. Nous sommes	j. grande	r. avec
c. Elle adore	k. petite	s. donc
d. Tu habites	l. petit	t. trop
e. Ils aiment	m. grand	u. actifs
f. Je suis	n. assez	v. riz
g. Elle parle	o. animal	w. animaux
h. J'aime	p. départ	x. bavard

*2. Which of the following letters are being pronounced at the end of a word?
Which ones aren't? State a rule.*

> – e
> – d, p, s, t, x, z
> – c, f, l

*3. Read the following sentences and cross out the final letters that aren't being
pronounced. Then listen to the tape to see if you where right!*

a. Elle adore les chats.	f. Tu parles trop!
b. Il a les yeux bleus.	g. J'adore les animaux!
c. Marine est très sportive.	h. Tu as quel âge?
d. Je suis assez grand.	i. Je n'aime pas trop les chevaux.
e. Le correspondant de Marc est petit.	j. Christophe est vraiment bavard!

4. Écoutez et répétez!

a. Il est grand.	Ils sont grands.
Elle est grande.	Elles sont grandes.
b. Il est petit.	Ils sont petits.
Elle est petite.	Elles sont petites.
c. Il est courageux.	Ils sont courageux.
Elle est courageuse.	Elles sont courageuses.
d. Il est actif.	Ils sont actifs.
Elle est active.	Elle sont actives.

5. Follow the same pattern for each of the following adjectives and give their four possible forms. Then listen to the tape to see if you were right.

a. amusant   b. généreux   c. timide   d. sportif

Mon animal domestique

Pick one of the following animals and imagine it is yours. Write a few lines and present your pet to the class.

Exemple:

Animal: chien
Nom: Rex
Âge: 3 ans
Description: noir, gros
Caractère: gentil, intelligent

À la maison, j'ai un chien. Il s'appelle Rex. Il a 3 ans. Il est noir et gros. Rex est gentil et intelligent.

Animal: chat
Nom: Kat
Âge: 6 mois
Description: petit, tigré
Caractère: adorable

Animal: hamster
Nom: Tintin
Âge: 2 ans
Description: marron/blanc, gros
Caractère: amusant

Animal: lapin
Nom: Capitaine
Âge: 6 mois
Description: blanc, très petit
Caractère: gentil, gourmand
(adore les carottes)

Animal: souris blanche
Nom: Maggie
Âge: 2 ans
Description: yeux rouges, très petite
Caractère: gentille, gourmande
(adore le fromage)

Animal: chien
Nom: Sultan
Âge: 7 ans
Description: blanc/noir, grand, gros
Caractère: sympa, un peu timide, gourmand
(adore le chocolat)

2. Mon animal préféré

Décrivez!

Describe the following pets as precisely as you can. Imagine their name, age and character.

A

B

C

D

E

F

2.6 **Écoutez et remplissez la grille!**

Pierre and Suzanne parlent de leurs animaux.

	Pet	Name	Age	Colour	Character
Pierre					
Suzanne					

Jeux de rôles

1. A goes to the gendarmerie to report a missing dog. B is the gendarme on duty that day.

A says hello.
B says hello.
A says he/she has lost his/her dog.

B asks what colour it is.
A says it is black and white.
B asks if it is big.
A says no, it is small and a little shy.
B asks for the dog's age.
A says it is three years old.
B asks for the dog's name.
A says the dog is called Nat.
B says they will look for it (*nous allons chercher*). B asks for A's name and telephone number.
A replies. B writes it down.
A says thank you and goodbye.
B says goodbye.

2. A and B

A asks if B has any pets at home.
B has a cat.
A asks for the cat's name.
B says its name is Minou.
A asks for its age.
B says it is eight years old.
A asks B to describe the cat.
B says it is adorable. It is white and grey and fairly small.

3. A and B

A asks if B likes pets.
B likes pets. B loves cats and dogs. B loves dogs because they are intelligent and nice. B says he/she has a dog at home. Its name is Pluto.
A asks B to describe Pluto.
B says it is white, big, intelligent and nice.
B asks if A likes pets.
A loves pets, especially budgies because they are funny and talk a lot.
B asks if A has a budgie at home.
A has a budgie named Wanda which talks a lot and is very funny and greedy.

2. Mon animal préféré

Sondage

Carry out a survey in the class to find out what the most popular pets are. Before you start, read the instructions carefully and make sure you follow them step by step.

Step 1

Answer the following questions in your copy:
— Quel est ton animal préféré?
— Tu as un animal à la maison?

Step 2

Form groups of four and appoint one group leader.
a. *The group leader asks the group members individually:*
   — Quel est ton animal préféré?
   — Tu as un animal à la maison?

b. *A group member takes down the answers:*
   Animaux préférés: les chiens, les . . .
   Animaux à la maison: 2 chiens, 4 chats . . .

Step 3

Each group leader reports the results to the class.

Exemple:

Teacher: Dans ton groupe, quels sont les animaux préférés?
Group leader: Dans mon groupe, les animaux préférés sont . . .
Teacher: Dans ton groupe, qui a un animal à la maison?
Group leader: Dans mon groupe, il y a . . .

A student writes the overall results on the board.

Exemple:

	Animal préféré	Animal domestique
Chiens	++++ /	++++ ///
Hamsters	//	/
Lapins		
Chats		
Souris blanches		
Tortues		
Poissons		
Oiseaux		
Autres		

<u>Step 4</u>
Discuss the overall results.
— What is the most popular pet? Why?
— In your opinion, would the result be the same elsewhere in Ireland?
— Would the result be the same in France?

Les animaux domestiques en France

Petit basset vendéen

2.7 **Écoutez et répondez aux questions!**

1. Name the three European countries which have the biggest number of pets.
2. How many people live in France?
2. In France, there are about 42 million pets. True or false?
3. What is the favourite and most common pet in France?

4. Classify the following pets according to their popularity in France.

> cats – snakes – rabbits – turtles – birds – hamsters – goldfish – white mice

Décrivez!

1. Les chiens sont gros. Ils sont . . .

2. _____

3. _____

_____

5._____

_____

4._____

2.8 🎞️ **Écoutez!**

1. Listen to Florence describing herself and fill in the following card.

Nom: _____

Âge: _____

Anniversaire: _____

Adresse: _____

Yeux: _____

Cheveux: _____

Sports pratiqués: _____

Passe-temps préférés: _____

Matière préférée: _____

Frères et sœurs: _____

Animaux: _____

2. Now read the letter.

> Brest, le 11 novembre
>
> Cher Adrian,
>
> Je suis ta nouvelle correspondante française. Je m'appelle Florence. J'ai quatorze ans. Mon anniversaire est le 17 avril. J'habite à Brest, en Bretagne. J'ai les cheveux bruns et les yeux verts. Je suis assez grande. Je suis un peu timide. Et toi, tu es grand ou petit? Tu as les yeux et les cheveux de quelle couleur?
>
> Je suis très sportive: je fais de l'athlétisme et je joue au basket dans le club local. Tu aimes le sport?
>
> Comme passe-temps, j'aime lire et écouter de la musique. Le week-end, je sors avec mes amies. Nous allons au cinéma ou à la plage. Quels sont tes passe-temps?
>
> J'aime bien aller à l'école mais je déteste les maths. Je suis assez paresseuse! Ma matière préférée est l'anglais parce-que c'est intéressant et le prof est sympa. Et toi, quelle est ta matière préférée?
>
> Mes parents sont stricts mais généreux. Mon père est chômeur et ma mère travaille dans une usine. Je suis fille unique. Et toi, tu as des frères et des sœurs? Qu'est-ce qu'ils font, tes parents?
>
> Ma meilleure copine s'appelle Caroline, elle est super sympa! Elle est petite et mince. Elle a les cheveux bruns et les yeux bleus. Comment s'appelle ton meilleur copain? Il est comment?
>
> J'adore les animaux. À la maison, j'ai deux chiens, un chat et une perruche! Mes chiens s'appellent Pol et Nestor. Ils sont noirs et blancs. Ils sont très intelligents. Mon chat s'appelle Rouxy. Il est roux. Mon chat est très paresseux! Ma perruche s'appelle Parlotte: elle est bavarde! Et toi, tu as des animaux chez toi?
>
> Écris-moi vite!
>
> > À bientôt
> >
> > Salut
> >
> > Florence

2. Mon animal préféré

3. Find all the adjectives and give their gender and number.

Exemple: nouvelle (**feminine/singular**)

4. What questions does Florence ask?
5. Imagine Florence wrote to you. Write a letter of reply!

2.9 **Les animaux de la ferme**

Écoutez et répétez!

un mouton

une vache

un cochon

une poule

un cheval

une chèvre

un âne

Répondez!

Give your opinion on these animals using the phrases in the panel. Then describe them using as many adjectives as you can. Don't forget that an adjective agrees with the noun it refers to!

Exemple: – Est-ce que tu aimes les moutons?
  – **Oui, j'aime bien les moutons. Ils sont blancs et frisés. Ils sont adorables, gentils et calmes.**

1. Tu aimes les vaches?
2. Tu aimes les cochons?
3. Est-ce que tu aimes les chevaux?
4. Est-ce que tu aimes les poules?
5. Aimes-tu les chèvres?
6. Tu aimes les ânes?

j'adore	adorable, amusant, gentil/méchant
j'aime beaucoup	intelligent/stupide
j'aime bien	propre/sale
je n'aime pas	petit/grand, gros
je déteste	nerveux/calme, paresseux

Qu'est-ce qu'ils mangent?

Match one element of each column and make a sentence.

Exemple: Le chien mange de la viande et des os.

Le chien		du poisson.
Le chat		du lait.
Le cheval		de la viande.
Le hamster	mange	des légumes.
La souris blanche	boit	du foin.
La tortue		de l'herbe.
La vache		des graines.
La perruche		de la laitue.
Le dauphin		des os.

2. Mon animal préféré

Quel bruit font-ils?

Match each animal with the noise it makes in French. Compare it with English!

1. Le chien aboit.
2. L'âne brait.
3. La poule caquette.
4. La chèvre bêle.
5. Le mouton bêle.
6. L'abeille vrombit.
7. Le cheval hennit.
8. Le cochon grogne.
9. Le serpent siffle.
10. Le coq chante.
11. Le canard cancane.
12. Le chat miaule.
13. La vache meugle.

a. Elle fait cot-cot-codec.
b. Il fait cocorico.
c. Il fait miaou.
d. Il fait ouah-ouah.
e. Il fait sss.
f. Il fait bêêê.
g. Il fait groin-groin.
h. Il fait hi-han.
i. Il fait hiii.
j. Il fait coin-coin.
k. Elle fait meuh.
l. Elle fait bzzz.
m. Elle fait bêêê.

Petites annonces

Trouvé le 17/3 à Bougival chatte burmese (de type siamois). Porte collier marron. Tatouée oreille AH5151. Récompense. Urgent. Tel: 01.30.82.03.54.

Trouvé petit chiot noir à Vincennes. Collier rouge. Prendre contact au 01.40.05.95.33. Heure des repas.

À donner portée de huit chatons tigrés. Nés le 24/4. Pas de pédigré. Urgent. Banlieue de Nantes. Tel: 02.45.54.22.88.

À vendre chiot dalmatien. Pédigré certifié. Vaccinations effectuées. Prix à débattre. Tel: 01.42.66.95.12.

Qui a vu Mistigri? Petit chat noir et blanc tatoué OZ1238. Perdu le 22/3 secteur Bastille à Paris. Prendre contact au Café des Sports, rue Keller (XIᵉ). Tel: 01.42.25.97.52.

Trouvé chien type berger alle-mand dans la forêt domaniale de Fontainebleau. Prière de se manifester d'urgence au 01.60.77.91.91.

Garde chiens et chats (poissons, oiseaux . . .) pendant vacances. 10 euros par jour. Vaste jardin. Expérience des animaux. Tel: 01.60.52.64.66.

Compréhension

What number would you ring:

1. if you had found a black and white cat?
2. if you wanted to get a kitten?
3. if you had lost a cat?
4. if you had lost a black puppy?
5. if you wanted your pet to be cared for during the holidays?
6. if you wanted to buy a puppy?
7. if you had lost a German shepherd dog?

2.10 Poèmes

Listen to these poems by Robert Desnos.
Choose one and learn it off by heart.
You could also draw a picture!

La Girafe

La girafe et la girouette,
Vent du sud et vent de l'est,
Tendent leur cou vers l'alouette,
Vent du nord et vent de l'ouest.

L'Ours

Le grand ours est dans la cage,
Il s'y régale de miel.
La grande ourse est dans le ciel,
Au pays bleu des orages.

Le Coucou

Voici venir le mois d'avril,
Ne te découvre pas d'un fil.
Écoute chanter le coucou!

Voici venir la Saint-Martin,
Adieu misère, adieu chagrin,
Je n'écoute plus le coucou.

Avant d'aller plus loin . . . ?

Before moving on to Unit 3, make sure you can:
– ask about pets
– describe pets and common farm animals
– say you like/dislike certain animals
– say what certain animals eat
– use adjectives in both singular and plural.

Now test yourself at www.my-etest.com

3

Qu'est-ce que tu as fait?

Écoutez!

3.1

Salut! Je m'appelle Sylvie. J'ai 13 ans. J'habite à Deauville, en Normandie. C'est au bord de la mer. Le week-end, je fais beaucoup de choses! Je fais la grasse matinée puis je prends mon petit déjeuner. Je mange des tartines et je bois du chocolat. Quand il fait beau, je travaille dans le jardin. Je tonds la pelouse. L'après-midi, je nage dans la mer ou je joue au tennis avec mes amis (je perds souvent!).

Quand il pleut, je reste à la maison ou je rends visite à des amis. Nous allons au cinéma ou à la bibliothèque. Le soir, je lis des livres, je regarde la télé, et bien sûr, je finis mes devoirs.

3.2

Stéphanie: Salut, Paul!
Paul: Salut, Stéphanie! Comment vas-tu?
Stéphanie: Bien, merci. Qu'est-ce que tu as fait pendant le week-end?

Paul: Hier, j'ai fait la grasse matinée puis j'ai pris mon petit déjeuner avec ma famille. Ensuite, j'ai travaillé dans le jardin et j'ai tondu la pelouse.

Stéphanie: Et après?

Paul: Après, j'ai rendu visite à Pierre. Nous avons joué aux cartes. J'ai perdu! Nous avons aussi nagé dans la mer. À midi, j'ai déjeuné chez Pierre. J'ai mangé du poulet à la normande et j'ai bu de la limonade. C'était délicieux! L'après-midi, j'ai lu une B.D. Le soir, j'ai préparé le dîner, j'ai fini mes devoirs et j'ai regardé la télé. Voilà mon week-end!

Stéphanie: Tu as vu le match?

Paul: Non, j'ai regardé le film.

Découvrez les règles!

Passé composé with 'avoir'

1. How is the passé composé *formed?*

    a. Read over Sections 3.1 and 3.2. Find the present tense and passé composé *of the following infinitives.*

Infinitif	Présent	Passé composé
faire	je fais	j'ai fait
prendre	je prends	j'ai pris
manger		
boire		
travailler		
tondre		
rendre		
jouer		
perdre		
nager		
déjeuner		
regarder		
préparer		
finir		
lire		

3. Qu'est-ce que tu as fait?

b. 'The passé composé *is made up of two parts.' True or false? Explain your choice.*

c. *Conjugate the following verbs in the* passé composé:

manger			faire		
j'	ai	mangé	j'	_____	fait
tu	as	mangé	tu	_____	_____
il/elle	a	_____	il/elle	_____	fait
nous	_____	_____	nous	_____	fait
vous	avez	mangé	vous	_____	_____
ils/elles	_____	mangé	ils/elles	ont	_____

d. Complete this rule:

Passé composé = present tense of _____ + past participle

2. *How are past participles formed?*

a. *Read again over Section 3.2 and find the past participles of the following verbs:*

manger: _____

préparer: _____

regarder: _____

finir: _____

rendre: _____

perdre: _____

tondre: _____

b. Complete this rule and learn it off by heart:

> To make the past participle of regular verbs, take the infinitive, drop the –er/–ir/–re, and
>
> add _____ for the past participle of –er verbs
>
> add _____ for the past participle of –ir verbs
>
> add _____ for the past participle of –re verbs.

c. The following verbs have irregular past participles which have to be learned off by heart.

avoir: ___eu___   écrire: ___écrit___

boire: _____   faire: _____

voir: _____   prendre: _____

lire: _____

À vous!

3.3 Qu'est-ce qu'ils ont fait?

1. Trois jeunes racontent leur week-end. Écoutez et notez la bonne réponse!

3. Qu'est-ce que tu as fait?

	Laurence	Paul	Pascale
a. J'ai fait la grasse matinée.			
b. J'ai joué au basket.			
c. J'ai joué au football.			
d. J'ai fait du vélo.			
e. J'ai rendu visite à des amis.			
f. J'ai nagé.			
g. J'ai lu.			
h. J'ai préparé le dîner.			
i. J'ai regardé la télévision.			
j. J'ai vu le match.			
k. J'ai fini mes devoirs.			

2. *Et toi, qu'est-ce que tu as fait, le week-end dernier?*
   Mention four activities your enjoyed during the weekend. Then ask your partner what he/she did.

Reliez!

Match a personal pronoun with the appropriate verb.

J'	avons joué	au foot.
Tu	a mangé	du poulet?
Il	ai chanté	une chanson.
Elle	ont dansé	une valse.
Nous	a fait	la vaisselle?
Vous	ont lu	un bon livre.
Ils	avez vu	le match?
Elles	as regardé	la télé.

Terminez la phrase!

Match one element of each column and finish the sentence.

Hier soir	elles	ai	joué	. . .
Hier après-midi	il	avez	fait	. . .
Le week-end dernier	nous	a	lu	. . .
Jeudi dernier	j'	avons	regardé	. . .
Mercredi	vous	as	mangé	. . .
Ce matin	tu	ont	gagné	. . .

Écrivez!

In each of the following sentences:
1. underline the verb in the present tense
2. find the infinitive and past participle of the verb
3. rewrite the sentence in passé composé and underline the verb.

Exemple: 1. Pierre <u>joue</u> au foot.
            2. Infinitif: **jouer**   Participe passé: **joué**
            3. Pierre <u>a joué</u> au foot.

a. Pierre joue au foot.
b. Je prépare le dîner.
c. Elle lave la voiture.
d. Nous mangeons des escargots de Bourgogne.
e. Elles rangent la maison.
f. Je finis mes devoirs.
g. Qu'est-ce que vous faites?
h. Elle dort.
i. Je mange une mandarine.
j. Il choisit un gâteau.
k. Nous dînons au restaurant.

l. Tu joues au foot?
m. J'adore ce film.
o. Ils aiment les films d'aventure.
p. Vous réparez les vélos.
q. Qu'est-ce que tu fais?
r. Je rencontre des amis.
s. Tu ranges ta chambre?
t. Le PSG gagne le match.
u. Le comté de Wicklow perd le match.
v. Il écoute des cassettes.
w. Elle descend à la plage.

Complétez avec l'auxiliaire 'avoir'!

Je m'appelle Marie-Louise. J'habite en Savoie. Samedi après-midi, j'_____ (1) fait du ski. Le soir, j'_____ (2) préparé le dîner pour la famille. Nous _____ (3) mangé de la fondue savoyarde. Dimanche, j'_____ (4) rendu visite à Rémy. Nous _____ (5) joué aux cartes. Rémy _____ (6) gagné! Dimanche soir, mes parents _____ (7) regardé la télévision. Moi, j'_____ (8) lu et j'_____ (9) fini mes devoirs.

3. Qu'est-ce que tu as fait?

Compréhension

1. What is the girl's name?
2. Where does she live?
3. What did she do on Saturday afternoon?
4. What did the family have for dinner?
5. Who did she visit on Sunday?
6. What did they do? Who won?
7. What did her parents do on Sunday evening?
8. What did she do?

Complétez avec un participe passé!

Je m'appelle Pierre. J'habite à Saint-Tropez, sur la côte d'Azur. Samedi matin, j'ai _____ (faire; 1) la grasse matinée. L'après-midi, j'ai _____ (rencontrer; 2) Patrick.

Nous avons _____ (nager; 3) et nous avons _____ (jouer; 4) au volley sur la plage. J'ai _____ (gagner; 5)!

Samedi soir, après le dîner, j'ai _____ (faire; 6) la vaisselle et j'ai _____ (finir; 7) mes devoirs.

Ensuite, j'ai _____ (lire; 8) un chapitre de mon livre et j'ai _____ (écouter; 9) une cassette.

Compréhension

1. Comment il s'appelle?
2. Il habite où?
3. Qu'est-ce qu'il a fait samedi matin?
4. Samedi après-midi, il a rencontré qui?
5. Qu'est-ce qu'ils ont fait?
6. Qui a gagné?
7. Qu'est-ce qu'il a fait samedi soir?

Complétez avec les verbes suivants!

finir	lire
faire	préparer
regarder	manger
rendre visite	boire

Je m'appelle Sylvie. J'habite à Guéret, dans le Limousin.

Samedi, j' _____ _____ (1) le petit déjeuner. J' _____ _____ (2) des tartines et j'_____ _____ (3) du café au lait.

    L'après-midi, j'_____ _____ (4) à ma copine. Nous _____ _____ (5) du vélo. À sept heures, j'_____ _____ (6) mes devoirs. Ensuite, j'_____ _____ (7) un livre et j'_____ _____ (8) la télévision.

Compréhension

1. Elle s'appelle comment?
2. Elle habite où?
3. Qu'est-ce qu'elle a fait samedi matin?
4. Qu'est-ce qu'elle a mangé au petit déjeuner?
5. Qu'est-ce qu'elle a bu?
6. Qu'est-ce qu'elle a fait samedi après-midi?
7. Qu'est-ce qu'elles ont fait?
8. Qu'est-ce qu'elle a fait à sept heures?
9. Qu'est-ce qu'elle a fait samedi soir?

3.4 🖭 Écoutez et remplissez les blancs!

– Qu'est-ce que tu as _____ hier?
– J'ai _____ au tennis avec Laura.
– Tu _____ gagné ou tu as _____?
– J'_____ _____ ! Et toi, qu'est-ce que tu _____ _____ hier?

3. Qu'est-ce que tu as fait?

– J'_____ _____ dans le jardin. Hier soir, j'ai _____
_____ mes devoirs et j'_____ _____ la télévision.
– Tu _____ _____ le match?
– Non, j'_____ _____ un film.

Now practise the dialogue with your partner!

Dialoguez!

Put the verb in brackets in the passé composé. *Then read the dialogues with your partner.*

Exemple: – Qu'est-ce que tu as fait hier soir?
(faire mes devoirs)
– **J'ai fait mes devoirs.**

1. Qu'est-ce que tu as fait le week-end dernier?
(faire du tennis, gagner)

2. Qu'est-ce que tu as fait dimanche dernier?
(jouer au foot, perdre)

3. Qu'est-ce que tu as fait samedi matin?
(faire la grasse matinée)

4. Qu'est-ce que tu as fait le week-end dernier?
(faire une promenade, écouter de la musique)

5. Qu'est-ce que tu as fait vendredi soir?
(lire une bande dessinée)

6. Qu'est-ce que tu as fait samedi dernier?
(rendre visite à des amis)

7. Qu'est-ce que tu as fait samedi après-midi?
(visiter le Connemara)

8. Qu'est-ce que tu as fait à 8 heures?
(prendre le petit déjeuner)

9. Qu'est-ce que tu as mangé à midi?
   (manger un sandwich, boire du lait)

10. Tu as regardé la télé, hier soir?
    (oui, voir le film)

Regardez les images et répondez aux questions!

Exemple: – Qu'est-ce que tu as fait, samedi?
– **Samedi, j'ai nagé dans la piscine.**

1. Qu'est-ce qu'elles ont fait le week-end dernier?

2. Qu'est-ce qu'ils ont fait, dimanche?

3. Qu'est-ce que tu as fait hier soir?

4. Qu'est-ce que vous avez fait, samedi?

5. Qu'est-ce que vous avez fait, mercredi dernier?

3.5 **Prononcez bien! Opposition présent/passé composé**

1. Écoutez et répétez!

a. Elle mange.	Elle a mangé.	d. Il achète.	Il a acheté.
b. Tu écris.	Tu as écrit.	e. Je finis.	J'ai fini.
c. Je fais.	J'ai fait.		

2. Listen to the tape and underline the sentence that is being read out. The first exercise has been done as an example.

a. Je mange.	<u>J'ai mangé</u>.	
b. Je finis.	J'ai fini.	
c. Je joue.	J'ai joué.	
d. Je regarde.	J'ai regardé.	
e. Elle a écouté.	Il écoute.	Il a écouté.
f. Il danse.	Elle a dansé.	Elle danse.
g. Tu écris.	Tu as écrit.	Il a écrit.
h. J'ai lu.	Je lis.	J'ai vu.

Jeux de rôles

1. A and B

A asks B what he/she did yesterday.
B says he/she read a book and went cycling.
B asks A what he/she did yesterday.
A says he/she played football.

2. A and B

A asks B what he/she ate for lunch yesterday.
B says chicken with rice.
B asks A what he/she ate.
A says beef, potatoes and carrots.

3. A and B

A asks if B watched television last night.
B says yes, he/she watched television. B saw the film.

B asks A what he/she did during the weekend.
A says he/she played basketball and lost.

4. A and B

A asks B what he/she did during the weekend.
B visited a friend and read a book.
B asks A what he/she did during the weekend.
A worked in the garden, mowed the lawn and finished his/her homework.

Les petits boulots

Je m'appelle Claude. J'ai quatorze ans. J'habite à Fréjus, sur la côte d'Azur. Le week-end dernier, j'ai fait du baby-sitting pour les voisins. Le bébé a dormi tout de suite! J'ai fini mes devoirs. Ensuite, j'ai regardé la télé et j'ai bu un verre de limonade. J'ai gagné douze euros. J'ai économisé mon argent.

Je m'appelle Pascal. J'habite à Metz, dans l'est de la France. J'ai seize ans. Le week-end dernier, j'ai travaillé dans le jardin avec mes parents. J'ai tondu la pelouse, j'ai coupé les roses et j'ai cultivé des légumes. J'ai reçu sept euros d'argent de poche. Avec l'argent de poche, j'ai vu un film au cinéma et j'ai acheté des bonbons.

C

B

Je m'appelle Dominique. Je n'ai pas de petit boulot mais je travaille beaucoup! Le week-end dernier, j'ai aidé mes parents à la maison. J'ai fait la vaisselle, j'ai rangé les chambres et j'ai fait les courses. Mes parents me donnent dix euros d'argent de poche par semaine. Samedi dernier, j'ai acheté un livre.

Je m'appelle Renée. J'ai quinze ans. J'habite à Chambéry, dans les Alpes. Le week-end dernier, j'ai travaillé: j'ai pris mon vélo et j'ai distribué des journaux. J'ai gagné huit euros. Avec mon salaire, j'ai acheté un disque.

A

D

3. Qu'est-ce que tu as fait?

1. *Match each text with the appropriate picture.*
2. *Read the passages again and answer the following questions.*
   a. What did Claude do while babysitting?
   b. How did Dominique help her parents?
   c. Who went cycling during the weekend?
   d. List three jobs Pascal did in the garden.
   e. Who saved his/her money?
   f. Who received the most money?

3. *Rewrite Pascal's and Claude's passages using the third person. Start as follows:*
   − Il s'appelle Pascal. Il habite à Metz, dans l'est de la France. . . .
   − Elle s'appelle Claude. Elle a quatorze ans . . .

3.6 **Écoutez et remplissez la grille!**

Trois jeunes parlent de leur travail du week-end.

	Type of work	Money received	How it was spent
Isabelle			
Juliette			
Hervé			

Le week-end de Patricia

1. *Racontez le week-end de Patricia au passé composé à la première personne du singulier! You could work with your partner and share the work!*

Exemple: Vendredi soir, j'ai fait du baby-sitting pour les voisins. J'ai regardé un film à la télévision . . .

Vendredi

Soir: faire du baby-sitting pour les voisins − regarder un film à la télévision − lire un magazine − gagner 15 euros

Samedi

Matin: faire la grasse matinée – préparer le petit déjeuner – faire un jogging
Midi: manger du rôti de porc aux champignons – boire de l'eau
Après-midi: faire la sieste – acheter un jean – rendre visite à Sophie – discuter – jouer au ping-pong
Soir: faire mes devoirs – dîner – danser

Dimanche

Matin: aider mes parents dans la cuisine
Midi: déjeuner en famille
Après-midi: faire une promenade avec le chien – lire un livre – finir mes devoirs
Soir: regarder un film à la télé – lire un magazine – téléphoner à ma copine

2. *Écrivez le texte au passé composé à la 3ème personne du singulier!*

Exemple: Vendredi soir, elle a fait du baby-sitting pour les voisins et elle a regardé la télévision . . .

3.7 **Écoutez et remplissez la grille!**

Fabrice, Martine et Christophe racontent leur week-end.
You could work with your partner and share the work!

	Samedi matin	Samedi après-midi	Samedi soir	Dimanche matin	Dimanche après-midi	Dimanche soir
Fabrice						
Martine						
Christophe						

Qui a fait quoi?

Carry out a survey to find out what your classmates usually do at the weekend. Before starting, read the instructions carefully and make sure you follow them step by step.

3. Qu'est-ce que tu as fait?

Step 1

Answer the following questions in your copy. (The first four answers are given as examples.)

a. – Tu as fait la grasse matinée?　　　　– Non.
b. – Tu as fait tes devoirs?　　　　　　　– Oui, j'ai fait mes devoirs.
c. – Tu as travaillé à la maison?　　　　　– Oui, j'ai fait le ménage.
d. – Tu as travaillé dans le jardin?　　　　– Non.
e. – Tu as fait du baby-sitting?
f. – Tu as distribué des journaux?
g. – Tu as travaillé autrepart?
h. – Tu as regardé la télévision?
i. – Tu as vu un film au cinéma?
j. – Tu as lu?
k. – Tu as fait du sport? (préciser le type de sport)
l. – Tu as joué d'un instrument? (préciser le type d'instrument)
m. – Tu as fait une promenade?
n. – Tu as rendu visite à des amis?
o. – Tu as dansé?
p. – Tu as écouté de la musique?

Step 2

Form groups of four or five and appoint one group leader.
a. The group leader asks each group member the above questions.
b. One group member writes the answers in a grid.

Exemple:　– Tu as fait la grasse matinée?　　　/
　　　　　　　– Tu as fait tes devoirs?　　　　　/ / / /
　　　　　　　– Tu as travaillé à la maison?　　　/ /
　　　　　　　– Tu as travaillé dans le jardin?　　/

c. *The group then summarises the overall result. Each member takes down the results.*

Exemple:　Dans le groupe
　　　　　　　　– un élève a fait la grasse matinée
　　　　　　　　– quatre élèves ont fait leurs devoirs
　　　　　　　　– deux élèves ont travaillé à la maison
　　　　　　　　– un élève a travaillé dans le jardin.

Step 3

a. A group member reports the results to the class.

Exemple: Dans mon groupe
  — une personne a fait la grasse matinée
  — quatre personnes . . .

b. A student writes the overall results on the board. Each student writes the results in his/her copy.

Step 4

Discuss the overall results.

— What is the most common pastime?
— Do you read a lot?
— Is sport popular? What type of sports do you enjoy?
— What kind of work is most common?
— In your opinion, would the results be the same in France?

3.8 **Sondage: Le week-end des jeunes en France**

Nous avons posé la question suivante à des jeunes Français: 'Qu'est-ce que tu as fait le week-end dernier?'
Écoutez et écrivez les résultats en pourcentage.

%	Activité	%	Activité
_____	ont fait la grasse matinée.	_____	ont lu un livre, une B.D. ou un magazine.
_____	ont fait leurs devoirs.	_____	ont fait du sport.
_____	ont travaillé à la maison.	_____	ont joué d'un instrument.
_____	ont travaillé dans le jardin.	_____	ont fait une promenade.
_____	ont fait du baby-sitting.	_____	ont rendu visite à des amis.
_____	ont distribué des journaux.	_____	ont dansé.
_____	ont regardé la télévision.	_____	ont écouté de la musique.
_____	ont vu un film au cinéma.		

3. Qu'est-ce que tu as fait?

 **Chantez!**

Before listening to the song and singing it, find the infinitive of each of the following regular past participles. Then look up their meaning in the vocabulary section.

Exemple: allé   Infinitive: **aller – to go**

1. allé   _____
2. resté   _____
3. passé   _____
4. monté   _____
5. descendu   _____
6. entré   _____
7. sorti   _____
8. arrivé   _____
9. parti   _____

Il Court, le Furet

REFRAIN
Il court, il court, le furet, le furet du bois, Mesdames
Il court, il court, le furet, le furet du bois joli.

Il <u>est arrivé</u> par là, le furet du bois, Mesdames
Il <u>est passé</u> par ici, le furet du bois joli.

Il court, il court, le furet, le furet du bois, Mesdames
Il court, il court, le furet, le furet du bois joli.

Il <u>est entré</u> par ici, le furet du bois, Mesdames
Il <u>est sorti</u> par ici, le furet du bois joli.

Il court, il court, le furet, le furet du bois, Mesdames
Il court, il court, le furet, le furet du bois joli.

Il <u>est descendu</u> par là, le furet du bois, Mesdames
Il <u>est monté</u> par ici, le furet du bois joli.

Il court, il court, le furet, le furet du bois, Mesdames
Il court, il court, le furet, le furet du bois joli.

Il <u>est allé</u> par ici, le furet du bois, Mesdames
Il <u>est allé</u> par ici, le furet du bois joli.

Il court, il court, le furet, le furet du bois, Mesdames
Il court, il court, le furet, le furet du bois joli.

Avant d'aller plus loin . . . ?

Before moving on to Unit 4, make sure you can:
— say what you and other people did recently
— talk about weekend activities in France
— explain the formation of the passé composé
— explain the formation of a past participle.

Now test yourself at <u>www.my-etest.com</u>

4

Vacances en France

Les objectifs:

Communication:

- saying what you did or did not do recently

- describing what things were like

Grammar:

– *passé composé* with *être* and *avoir*

– the negative form in the *passé composé*

– introduction to the *imparfait*

Pronunciation:

– opposition *bord/beau*

Culture:

– holiday destinations in France

– the French and holidays

Écoutez!

4.1

Le lac de Vassivière est situé dans le département de la Creuse, dans le centre de la France. C'est à la campagne. On peut pêcher, nager, faire des promenades, faire de la voile, faire de l'équitation ou tout simplement découvrir la région qui est magnifique en été. On peut aussi visiter des châteaux, des abbayes ou des villages pittoresques.

4.2

La Vallée de Chamonix, dans les Alpes, est une destination de vacances idéale pour les adolescents qui aiment l'aventure. On peut faire du vtt dans la montagne, des randonnées, de l'escalade. On peut aussi nager dans les lacs, participer à des jeux et découvrir la région à pied ou en minibus.

4.3

Biarritz est situé dans le Pays Basque, à la frontière avec l'Espagne. En été, la plage est le rendez-vous des surfers. À Biarritz, on peut faire du surf, mais aussi de la voile ou de la planche à voile. On peut regarder des matchs de pelotes basques et visiter la région.

4.4

Nice est situé sur la côte d'Azur. C'est la région la plus touristique de France. On peut nager. On peut faire du ski nautique, de la planche à voile, de la plongée sous-marine. On peut aussi admirer le soleil couchant autour d'un feu de camp!

4.5

La Bretagne est le paradis des jeunes qui aiment la mer. On peut nager et jouer au volley sur la plage. On peut aussi faire de la voile et découvrir les mille paysages de la Bretagne: les villages pittoresques, les festivals, les châteaux et abbayes. On peut aussi manger des crêpes délicieuses!

Compréhension

1. Locate each place on the maps of France on pages ii and iii.
2. Which place is located
   - at the seaside?
   - in the mountains?
   - in the countryside?
3. What activities are on offer
   - in Creuse?
   - in Chamonix?
   - in Biarritz?
   - on the French Riviera?
   - in Brittany?
4. Imagine you spent last summer in one of the places mentioned above. Write a short passage in the *passé composé* describing what you did. Start as follows:
   Pendant les grandes vacances, j'ai visité . . .

4.6

Laura: Tu es allé où pendant les vacances?
Pierre: Je suis allé à Douarnenez, en Bretagne.
Laura: Tu es parti quand?

Pierre: Je suis parti le 5 juillet.
Laura: Tu es resté combien de temps?
Pierre: Je suis resté trois semaines.
Laura: Et qu'est-ce que tu as fait?
Pierre: J'ai fait de la voile, je suis allé à la plage et j'ai nagé.
Laura: C'était comment?
Pierre: C'était super!

4.7

Joseph: Pendant les grandes vacances, tu es allée où, Suzanne?
Suzanne: Je suis allée sur la côte d'Azur, à Nice. C'était génial!
Joseph: Tu es partie quand?
Suzanne: Je suis partie le premier août.
Joseph: Qu'est-ce que tu as fait?
Suzanne: Bien sûr, j'ai nagé dans la mer. Je suis descendue à la plage tous les jours. J'ai rencontré des amies très amusantes.
Joseph: C'était bien?
Suzanne: Oui, c'était chouette!
Joseph: Tu es restée combien de temps?
Suzanne: Je suis restée un mois.

4.8

Antoine: Tu es partie pendant les vacances?
Angèle: Non, je ne suis pas partie. Je suis restée ici, en Alsace.
Antoine: Tu as travaillé?
Angèle: Non, je n'ai pas travaillé. Je suis allée dans un centre aéré.
Antoine: C'était comment?
Angèle: C'était super! J'ai fait des randonnées en montagne, j'ai participé à des jeux et j'ai visité la région. J'ai rencontré beaucoup de copains et de copines. C'était chouette! Et toi, tu es parti?
Antoine: Non, je ne suis pas parti. J'ai travaillé à la ferme avec mon père.

Découvrez les règles!

Passé composé

1. *Auxiliary être*
    a. *How is the* passé composé *formed? State a rule and give examples.*
    b. *Read over Dialogue 4.6. Take down all the verbs that are in the* passé composé. *Can you find any verbs that do not follow the exact rule you have previously learnt?*
    c. *Complete this rule and learn it off by heart:*

> Passé composé = auxiliary (present tense of 'avoir' or _____)
> + past participle
>
> Use 'avoir' for most verbs.
>
> Use 'être' for 'the 14 verbs'.

2. *The 'rule of agreement' in the* passé composé
    a. *Read Sections 4.6 and 4.7.*
        – *How does Pierre say: 'I went'?*
        – *How does Suzanne say: 'I went'?*
        – *How do you explain the difference in spelling?*
    b. *Now look at the following two verbs. What do you notice about their past participles?*

manger			aller		
j'	ai	mangé	je	suis	allé(e)
tu	as	mangé	tu	es	allé(e)
il	a	mangé	il	est	allé
elle	a	mangé	elle	est	allée
nous	avons	mangé	nous	sommes	allé(e)s
vous	avez	mangé	vous	êtes	allé(e)(s)
ils	ont	mangé	ils	sont	allés
elles	ont	mangé	elles	sont	allées

    c. *Can you find out what past participles with* être *and adjectives have in common? Give examples.*

d. Complete the following rule and learn it off by heart:

In the passé composé with 'être', the past participle agrees with the _____ in gender and in number.

If the subject is masculine/singular, add _____ to the past participle.

If the subject is feminine/singular, add _____ to the past participle.

If the subject is masculine/plural, add _____ to the past participle.

If the subject is feminine/plural, add _____ to the past participle.

Negative form in the passé composé

1. How do you put a sentence into the negative form in the present tense? Translate into French:

I watch television. _____

I don't watch television. _____

I work. _____

I don't work. _____

2. How do you put a sentence into the negative form in the passé composé?
a. Read again over the three dialogues and translate into French:

I worked. _____

I didn't work. _____

I left. _____

I didn't leave. _____

b. Complete the rule and learn it by heart:

The negative form in the passé composé = subject + ne + auxiliary + _____ + _____

Imparfait

Rearrange the following expressions in a logical order:

C'était moyen!　　C'était super!　　C'était ennuyeux!

C'était génial!　　C'était bien!

À vous!

4.9 **Écoutez et complétez!**

Trois jeunes parlent de leurs vacances.

Name	Destination	Date of departure	Activities	Opinion given
1				
2				
3				

Vacances en Méditerranée

4.10 **Écoutez et remplissez les blancs!**

Je m'appelle Ludovic. J'ai _____ (1) ans.

J'habite à Paris. Pendant les grandes vacances, je

_____ (2) allé en Corse avec mes parents.

C'était bien! Nous _____ (3) partis le trois juillet. Il a fait beau. Nous sommes allés à la plage tous les jours. J'ai joué au volley. Nous _____ (4) mangé beaucoup de fromage de chèvre. C'était délicieux! Je suis rentré à Paris le vingt-huit _____ (5).

Complétez avec l'auxiliaire 'avoir' ou 'être'!

Je m'appelle Mélanie. J'ai treize ans. J'habite à Lille.

Pendant les vacances, je _____ (1) allée au Cap d'Agde, près de Sète. Je _____ (2) partie le trois août avec ma famille. C'était génial! Je _____ (3) descendue à la plage tous les jours et j' _____ (4) rencontré des jeunes sympa. Il _____ (5) fait chaud et beau. Je _____ _____ (6) allée voir un spectacle de joutes nautique. C'était fantastique! Nous _____ (7) rentrés à Lille le vingt-cinq août.

Complétez avec les mots suivants!

descendue – suis – beau –
douze – fait – sommes

Moi, je m'appelle Catherine. J'ai _____ (1) ans et j'habite à Lille. Pour les grandes vacances, je _____ (2) allée à Nice avec mon grand frère et mes parents. Nous sommes partis le premier juillet et nous _____ (3) revenus le trente juillet. Il a plu deux jours. Le reste du temps, il a fait très _____ (4). Bien sûr, je suis _____ (5) à la plage tous les jours. J'ai _____ _____ (6) de la plongée sous-marine avec mon frère. C'était super!

Compréhension

Read over the three passages and fill in the grid!

Name	Destination	Departure date	Return date	Activities	Weather	Opinion

 4.11 **Prononcez bien! Opposition 'bord'/'beau'**

1. Écoutez et répétez!

| bord   beau   •   nord   chocolat   •   Corse   Deauville |

2. Listen to the 'o' sound in the following words. Say whether it sounds like the 'o'
in bord *or in* beau.

	bord	beau		bord	beau
chose	☐	☐	photo	☐	☐
limonade	☐	☐	fromage	☐	☐
poste	☐	☐	Corse	☐	☐
école	☐	☐	vélo	☐	☐
gâteau	☐	☐	porc	☐	☐

 4.12 **Dictée: écoutez et écrivez!**

Dialoguez!

1. Répondez aux questions suivantes!

    a. Tu es allé(e) où pendant les vacances?
    b. Tu es resté(e) combien de temps?
    c. Tu es parti(e) quand?
    d. Tu es revenu(e) quand?
    e. Qu'est-ce que tu as fait?
    f. C'était comment?
    g. Il a fait beau?

2. *Now ask your partner the above questions and write his/her answers in your copy. Then report to the class.*

Exemple: Il/elle est allé(e) dans le comté de Kerry.

Il/elle est parti(e) le . . .

Réfléchissez!

Underline the verb in the passé composé *and give its infinitive and auxiliary.*

Exemple: Je <u>suis allée</u> à Marseille.

Infinitive: **aller**

Auxiliary: **être**

1. Elle est arrivée à Dublin hier soir.
2. Nous avons mangé du bœuf.
3. Il a joué au foot pendant le week-end.
4. Tu es sortie à quelle heure?
5. Je suis rentré chez moi.
6. Elle a fait du jardinage.
7. Ils sont arrivés en retard.
8. Vous êtes allés à Paris?
9. Vous êtes allé à Londres?
10. Je suis monté sur la Tour Eiffel.
11. Elle est partie à Londres.
12. Il est descendu à la plage.
13. Nous sommes restées trois semaines.
14. Elle a rendu visite à sa copine.

Écrivez les phrases au passé composé!

1. Je mange à la cantine.
2. Elle part en vacances.
3. Qu'est-ce que tu fais?
4. Elle descend à la plage.
5. Elle fait la grasse matinée.
6. Je vais à l'école.
7. Nous allons à une fête d'anniversaire.
8. Ils ne vont pas sur la côte d'Azur.
9. Elles écrivent des cartes postales.
10. Vous allez en ville?
11. Il reste en France.

Allons en France

Reliez un élément de chaque colonne puis terminez la phrase!

Hier	vous	suis	allé (+e, +s)	. . .
Jeudi dernier	je	es	arrivé (+e, +s)	. . .
Pendant les vacances	ils	est	parti (+e, +s)	. . .
À midi	elle	sommes	venu (+e, +s)	. . .
Mercredi	nous	sont	descendu (+e, +s)	. . .
	tu	êtes	rentré (+e, +s)	. . .

être ou avoir?

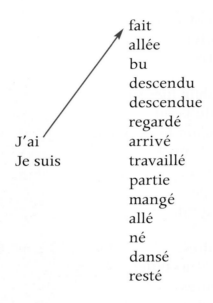

J'ai
Je suis

fait
allée
bu
descendu
descendue
regardé
arrivé
travaillé
partie
mangé
allé
né
dansé
resté

Faites des phrases!
You could work with your partner!

	est allé	à la piscine.
	suis descendu	la pelouse.
Je	ai rangé	la grasse matinée.
Ma sœur	est allée	ma chambre.
Mes copines	suis née	chez moi.
J'	ont écouté	en train.
Mes amis	avons tondu	au foot.
Tu	as regardé	en 1988.
Nous	sont allés	un disque.
Paul	sont parties	chez toi.
	as fait	en Belgique.
	suis allée	un film super.

4. Vacances en France

Make the past participle agree with its subject!

Exemple: Elle est **partie**.

1. Il est parti__ en bateau.
2. Elle a mangé__ un croissant aux amandes.
3. Ils sont arrivé__ à l'aéroport.
4. Caroline et Isabelle sont allé__ en Suisse.
5. Il est sorti__ avec ses copains.
6. Stéphanie et moi avons visité__ Rome.
7. Elle est resté__ à Metz.
8. Ils ont fait__ de l'escalade.
9. Elle est né__ en Allemagne.
10. Je suis allé__ à la montagne.

 Écoutez et complétez la grille!

Anne et Christian sont de bons amis. Anne habite à Brest. Christian habite à Strasbourg. Ils racontent leurs vacances au téléphone.

	Destination	Date of departure	Date of return	Activities	Weather	Opinion given
Christian						
Anne						

2. *Now imagine that you are Christian or Anne. Read over the completed grid and answer the following questions:*

   a. Tu es parti(e) en vacances?
   b. Tu es allé(e) où?
   c. Qu'est-ce que tu as fait?
   d. C'était bien?
   e. Tu es resté(e) combien de temps?
   f. Tu es parti(e) quand?
   g. Tu es revenu(e) quand?
   h. Il a fait quel temps?

 Écoutez!

Enquête: Les Français et les vacances

En France, les vacances d'été sont très importantes: 56% des Français partent en vacances chaque été. Beaucoup d'usines et de bureaux sont fermés en août parce que les employés partent en vacances.

Il y a d'énormes problèmes de circulation, surtout sur 'l'autoroute du Soleil' (l'autoroute qui va de Paris à Marseille).

Environ 90% des Français restent en France. Ils descendent dans le Midi. La destination favorite est la côte d'Azur parce que les Français aiment la plage, la mer et le soleil.

Le 'tourisme vert' (les vacances à la campagne ou à la montagne) se développe également. C'est une formule de vacances de plus en plus populaire car les vacanciers aiment le calme et la tranquillité de la nature.

bord de la mer ou à la campagne avec leurs parents pour quinze jours ou trois semaines. Beaucoup de jeunes Français passent aussi quelques semaines chez leurs grands-parents.

Il existe aussi d'autres formules de vacances pour les jeunes:
– les colonies de vacances: les jeunes partent dans un camp, au bord de la mer, en montagne ou à la campagne. Ils restent deux, trois semaines ou un mois. Ils participent à  des activités sportives et culturelles.

En France, les collégiens ont deux mois de vacances. Ils partent généralement au

– les séjours linguistiques: les jeunes visitent un autre pays. Ils parlent une autre langue et découvrent une autre culture. Les destinations favorites sont l'Angleterre, l'Irlande et l'Allemagne.
– les centres aérés: pour les jeunes qui ne partent pas, la mairie de la ville organise des activités tous les jours. Les jeunes font du sport. Ils font des excursions. Ils visitent la région. Ils font de la peinture. Ils écoutent de la musique. Ils assistent à des spectacles . . .

Compréhension

1. What percentage of French people
   – go on summer holidays?
   – spend their summer holidays in France?
2. Why do most factories and offices close in France during the month of August?
3. What is *l'autoroute du Soleil*?
4. What is the favourite summer destination of French people?
5. What is *le tourisme vert*?
6. Why is *le tourisme vert* becoming so popular?
7. How much holidays do French students have?
8. List three holiday options available to French teenagers.

4.15 **Écoutez et reliez!**

Quatre jeunes Français parlent de leurs dernières vacances.

Nom	Qu'est-ce que tu as fait?	Où?	Quand?	Combien de temps?
Vincent	séjour linguistique	à Saint-Tropez	en juillet	trois semaines
Pascale	centre aéré	à Sligo	en août	quinze jours
Chloé	colonie de vacances	à Paris	en août	un mois
André	vacances en famille	dans les Alpes	en juillet	quatre semaines

Écrivez!
Maryse part en Irlande

Maryse is on holidays in Ireland. Before she left, she wrote a list of things she intended to do while in Ireland. Say what she did or didn't do. Start as follows:

Pendant ses vacances en Irlande, Maryse a téléphoné à la maison. Elle a envoyé des cartes postales. Elle . . .

> – téléphoner à la maison ✔
> – envoyer des cartes postales ✔
> – écrire à Marie et André
> – descendre dans le Kerry
> – aller dans le Connemara ✔
> – acheter un pull irlandais ✔
> – acheter le dernier disque des Corrs
> – manger un plat traditionnel irlandais
> – danser dans un ceili ✔
> – écouter de la musique irlandaise ✔
> – voir un match de football gaélique ✔
> – visiter Dublin ✔
> – aller aux falaises de Moher

Lisez!
Cartes postales d'Irlande

A

Galway, le 12 août

Cher Clément!
Un petit mot pour te dire que tout va bien.
L'Irlande, c'est chouette! Je suis arrivée hier
à Galway. La famille est très sympa.
Aujourd'hui, nous sommes allés
dans le Connemara.
C'était magnifique! J'ai vu des moutons sur
la route et j'ai acheté un pull irlandais.
Il pleut beaucoup ici mais il ne fait pas froid.
   Je t'embrasse.
     Salut!
      Carole

Clément Roques
6, rue du Bac
30900 Nîmes
France

B

Dublin, le 15 août

Chère Marie!

L'Irlande est super! On s'amuse beaucoup. Hier soir, je suis allée à une soirée irlandaise (un ceili). J'ai rencontré un Irlandais très gentil. Nous avons beaucoup dansé! Aujourd'hui, nous avons visité Trinity College. C'était intéressant. Ce soir, il y a une boum. Génial! Dis bonjour à tout le monde.

Salut! À bientôt!

Sophie

Marie Pasquier

4, Avenue Kléber

75016 Paris

France

C

Ballina, le 14 août

Cher Henri,

Bonjour d'Irlande où je passe de bonnes vacances. Je suis arrivé mardi. Il a plu tous les jours. Exceptionnellement, il a fait beau aujourd'hui! Hier, je suis allé aux Ceide Fields, un site préhistorique dans le Mayo. C'était très intéressant. J'ai aussi visité Foxford. Aujourd'hui, nous visitons Sligo et les environs. Je parle anglais tout le temps. Les Irlandais parlent très vite! Je te souhaite de bonnes vacances.

À bientôt!

Philippe

Henri Perols

34, Bd Clémenceau

43000 Le Puy

France

4.16 Écoutez!

You will now hear four telephone conversations in which teenagers talk to their parents about their holidays. Read the postcards again and find out which teenager is speaking.

Dialogue 1: _____

Dialogue 2: _____

Dialogue 3: _____

Dialogue 4: _____

Lisez!
Les centres de vacances

A

LOISIRS EN CAMARGUE

Le centre propose de nombreuses activités pour les jeunes de 12 à 17 ans.

Activités sportives: équitation (randonnées à cheval), natation, plongée sous-marine, pêche en mer, voile, planche à voile, vtt

Activités artistiques: poterie, photographie, peinture, sculpture, musique

Activités culturelles: découverte de la Camargue, visite de musées et de bâtiments historiques

Le centre organise une 'boum' surveillée le vendredi soir, de 17h à 20h.

Le centre est situé en bord de mer.

Fermé l'hiver.

B

ROCHEFORT PLUS

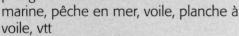

VACANCES À LA MONTAGNE

Lieu: Rochefort est une station de montagne située dans le Massif Central à 1200 mètres d'altitude. Le centre de vacances est ouvert du 3 juillet au 28 août. En hiver, le centre propose des stages de ski.

Les activités:	Les animations:
– canoë-cayak	– excursion
– piscine	– lecture
– football	– jeux
– volley	– télévision
– basket	
– randonnées pédestres	
– tennis	
– escalade	
– vélo tout terrain	

Compréhension

1. These brochures advertise
    - hotels?
    - travel agencies?
    - holiday centres?
    - youth clubs?
2. Which place is located
    - in town?
    - in the countryside?
    - in the mountains?
    - at the seaside?

C

CENTRE SPORTIF ET CULTUREL DE CHAMBON-SUR-LIGNON

Le centre sportif et culturel de Chambon-sur-Lignon est situé au cœur de l'Auvergne, dans le Collège International Cévenol. Le centre est à même de vous offrir un extraordinaire choix de loisirs (cinémas, piscine, tennis, vtt, équitation . . .).

Pour les jeunes qui aiment la mécanique, nous offrons:

- **stage mini-moto:** pour les 10-13 ans sur moto QR50 et PW80 ou Quad 80. Programme: deux heures par jour d'initiation à la mécanique, école de pilotage et randonnée du lundi au vendredi.
- **moto verte:** Vous conduirez deux heures par jour des motos 80 à 125 cc. Une randonnée ou un challenge conclura le stage. Casques et combinaisons fournis.
- **4X4:** (réservé au 14–17 ans): Santana 4X4, Lada Niva 4X4, découverte et apprentissage de la conduite sur pistes aménagées, initiation au trial, randonnées. Programme: deux heures de conduite par jour, initiation à la mécanique, entretien des véhicules.

Notre centre est fermé en hiver.

3. Which of the following activities are *not* listed above?
   - canoeing
   - pottery
   - windsurfing
   - mountain biking
   - jet-skiing
4. Which place is open
   - in summer?
   - in winter?
5. Which centre would you choose? Why?

Trouvez!

Guy, who is spending his holidays in one of the three holiday centres, wrote the following postcard to his friend Pascal. But he forgot to say where he was writing from . . . Can you find out?

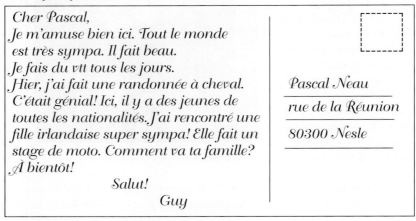

> Cher Pascal,
> Je m'amuse bien ici. Tout le monde
> est très sympa. Il fait beau.
> Je fais du vtt tous les jours.
> Hier, j'ai fait une randonnée à cheval.
> C'était génial! Ici, il y a des jeunes de
> toutes les nationalités. J'ai rencontré une
> fille irlandaise super sympa! Elle fait un
> stage de moto. Comment va ta famille?
> À bientôt!
>   Salut!
>   Guy

> Pascal Neau
> rue de la Réunion
> 80300 Nesle

Écrivez!

Imagine you are spending your holidays in France with your French penpal and his/her family. Write a postcard to either:
– your parents
– your penfriend in Luxembourg (Paul/Paule)
– your teacher.
Choose the appropriate formulation from below.

1. Name of place + date (Paris, le 23 juillet)

2. Chers Papa et Maman,
   Cher Monsieur . . . / Chère Madame . . .
   Cher Paul / Chère Paule,

3. Je suis bien arrivé(e) en France.
   La France, c'est super!
   Je passe d'excellentes vacances à . . .
   Un petit mot pour vous dire que tout va bien.

4. Les gens sont très sympa ici.
   On s'amuse bien.
   Je parle français tout le temps.

5. Ici, il fait beau/chaud.
    – il fait mauvais/froid.
    – il pleut.
    – il y a des nuages.

6. Hier/Hier soir/La semaine dernière,
    – j'ai visité . . .   – j'ai joué . . .
    – j'ai mangé . . .   – j'ai rencontré . . .
    – j'ai bu . . .   – je suis allé(e) à . . .
    – j'ai fait . . .

7. C'était . . .

8. Comment va . . . ?
   Je vous souhaite de bonnes vacances.
   J'espère que tu passes de bonnes vacances.

9. Salut! À bientôt!
   Grosses bises
   Je vous embrasse très fort
   Amicalement

10. Signature

4.17 🎧 **Écoutez puis chantez!**

Un kilomètre à pied, ça use, ça use
Un kilomètre à pied, ça use les souliers!
Deux kilomètres à pied, ça use, ça use
Deux kilomètres à pied, ça use les souliers!
Trois kilomètres à pied, ça use, ça use
Trois kilomètres à pied, ça use les souliers!

Lisez!
Notre époque

Match each picture with the appropriate caption.

A

B

C

D

E

F

G

H

I

J

4. Vacances en France

1. En 1966, Walt Disney est mort.
2. En 1969, l'Américain Neil Armstrong a marché sur la lune.
3. En 1972, Zinedine Zidane est né.
4. En 1973, l'Irlande est entrée dans la Communauté Européenne.
5. En 1979, le Pape Jean-Paul II a visité l'Irlande.
6. En 1982, un Français, Jean-Loup Chrétien, est allé dans l'espace avec des cosmonautes soviétiques.
7. En 1986, la centrale nucléaire de Tchernobyl a explosé.
8. En 1989, le mur de Berlin est tombé.
9. En 1989, la Tour Eiffel a fêté ses 100 ans.
10. En 1990, l'équipe de foot d'Irlande a participé à la Coupe du Monde de football pour la première fois.
11. En 1992, le parc Eurodisney a été inauguré, près de Paris.
12. En 1996, Seamus Heaney a reçu le Prix Nobel de littérature.
13. En 1998, les Bleus ont remporté la Coupe du Monde de football.
14. En 2002, le comté d'Armagh a remporté la finale de football gaélique.

Now think of events that happened in recent years and try to write a short caption in French (music, sports, arts, literature, fashion, environment, politics, science, technology, etc.).

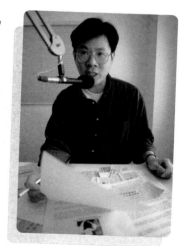

Les infos
For each of the following headings, find two words in the list below that are related.

Exemple: Météo - **nuages; soleil**

Météo	Sport	Sciences et technologie	Politique	Crime	Accident de la route	Incendie

ambulance	hold-up	président
Kourou	ministre	pompiers
évacuer	Stade de France	gangster
collision	nuages	satellite
championnat		soleil

Écoutez!

4.18

Now listen to the news bulletin on France Inter. You will hear seven news items.
Match each news item with one of the above headings.

1. Politique   4. _____   6. _____

2. _____   5. _____   7. _____

3. _____

Lisez!

Here is the script of the news bulletin you have just heard. The news items have
been mixed up. Rearrange them in the correct order.

La fusée européenne Ariane est partie de la base spatiale de Kourou, ce matin, à 6 heures 47 heure locale. Sa mission: mettre en orbite un satellite de télécommunication japonais.

Armel Le Ny, un dangereux gangster, a été arrêté par la police ce matin à la frontière allemande. Armel Le Ny avait dévalisé la Banque Nationale de Paris, hier, à Strasbourg.

Football, dans le championnat de France, Caen a battu le Paris-Saint-Germain deux buts à zéro, au Parc des Princes. Du jamais vu!

Le ministre irlandais des affaires étrangères est en visite à Paris. Il a été reçu au Palais de l'Elysée par le Président de la République. Ils ont parlé de la situation en Irlande du Nord.

Un incendie a éclaté hier soir dans un hôtel parisien. Trois personnes ont été bléssées dont une grièvement. Deux cents personnes ont dû être évacuées. Les pompiers sont arrivés très vite sur les lieux, mais l'hôtel a brûlé toute la nuit. Il a été totalement détruit.

La météo pour aujourd'hui. Soleil et nuages dans le nord et dans l'ouest. Pluie dans l'est et en Bourgogne. Il fera généralement beau dans le reste du pays. Dans le sud-ouest et autour de la Méditerranée, il fera très chaud.

Un accident de la route a eu lieu hier soir dans le centre ville de Metz. Une voiture est entrée en collision avec un bus. Le conducteur de la voiture a été légèrement bléssé. Il a été transporté à l'hôpital par ambulance.

Compréhension

1. a. Who did the Irish Minister for Foreign Affairs visit?
   b. What did he discuss?
2. a. Who is Armel Le Ny?
   b. Why was he arrested?

3. a. How many people were injured in the fire?
   b. How many people were evacuated?
4. a. What kind of vehicles were involved in the road accident?
   b. What happened to one of the drivers?
5. a. Where was the Ariane rocket launched from?
   b. What is its mission?
6. a. Name the team that won the soccer match.
   b. Where was the match played?
7. a. What is the weather forecast for the Côte d'Azur?
   b. Where is it going to rain?

Avant d'aller plus loin . . . ?

Before moving on to Unit 5, make sure you can:
– say what you and other people did or did not do recently
– give an opinion on what things were like
– explain the formation of the passé composé *with* être *and* avoir
– explain the formation of the negative form in the passé composé
– talk about some holiday destinations in France.

Now test yourself at www.my-etest.com

5

Bon voyage!

Les objectifs:

Communication:

– saying what time it is using the 24-hour clock

– buying a train ticket

– enquiring about departure times

Grammar:

– present tense of irregular verbs: *partir*

Pronunciation:

– opposition *heure/bleu*

Culture:

– the SNCF

– the TGV

– landscapes of France

Observez!

Look at the map of the French railway on the opposite page. Can you locate on the map where each picture was taken? Where do all the railway lines meet?

Le Col du Lautaret, dans les Alpes

Paysage du Jura, près de Besançon

Vignobles et champs de blé près de Reims, en Champagne

Collioure, dans le Languedoc-Roussillon, où ont habité Matisse et Picasso

5. Bon voyage!

Le réseau SNCF

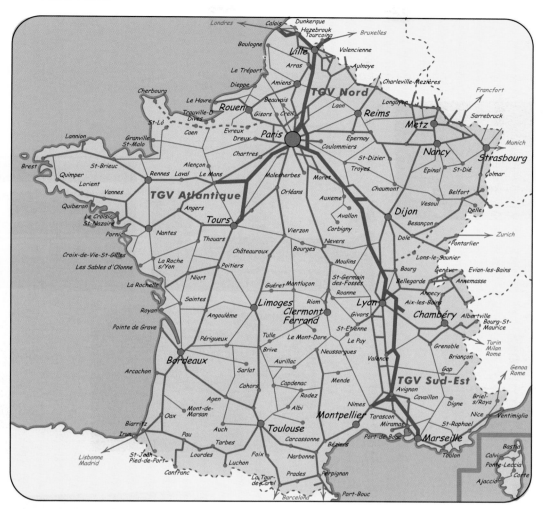

Le plateau de Valensole,
en Provence

La vallée de la Dordogne,
près de Sarlat

La côte d'Émeraude à
l'ouest de Saint-Malo

Écoutez!

 5.1

Listen to times being read out and match them with the appropriate pictures.

 **A**

 **B**

 **D**

 **C**

 **E**

5.2

– Bonjour! Vous désirez?
– Bonjour! Je voudrais un billet pour Brest, s'il vous plaît.
– Aller-simple ou aller-retour?
– Aller-retour.
– Première ou deuxième classe?
– Deuxième classe, s'il vous plaît.
– Ça fait 59 euros.
– Voilà . . . 59 euros.
– Merci et bon voyage!
– Merci, au revoir!

5.3

TARIFS SNCF		
Départ/Destination	2ᵉ classe	1ᵉʳᵉ classe
Paris–Marseille	63,10€	105,30€
Paris–Lyon	50,30€	89,60€
Paris–Strasbourg	35,50€	65,00€
Paris–Lille	32,90€	57,30€
Paris–Nantes	53,80€	82,30€
Paris–Bordeaux	56,10€	84,30€
Paris–Toulouse	70,40€	101,80€

— Bonjour! Vous désirez?

— Je voudrais un aller-simple pour Toulouse, s'il vous plaît. C'est combien?

— Première ou deuxième classe?

— Première classe, s'il vous plaît.

— Ça fait 101 euros et 80 centimes.

— Voilà . . . 102 euros. Le prochain train part à quelle heure?

— Il part à seize heures douze.

— Merci, au revoir!

— Bon voyage!

5.4

— Bonjour! Je voudrais un aller-retour, deuxième classe pour Le Havre, s'il vous plaît.

— Voilà, ça fait 25 euros 90, s'il vous plaît.

— Le prochain train part à quelle heure?

— Il part à quinze heures vingt-trois.

— Il part de quel quai?

TRAINS AU DÉPART		
Départ	Destination	Quai
15.01	Cherbourg	4
15.23	Le Havre	6
16.07	Rouen	1
16.25	Evreux	5
17.55	Caen	4

- Il part du quai numéro six.
- Il faut changer?
- Non, c'est direct.
- Merci, au revoir!
- Bon voyage!

Découvrez les règles!

Saying the time

1. *How many ways are there in French to say the time?*
   Give examples and find an explanation as to why time can be expressed in different ways.
2. *Give the two different ways of telling the time.*

	12-hour clock	24-hour clock
1.00 p.m.	une heure	treize heures
1.15 p.m.	une heure et quart	treize heures quinze
1.30 p.m.	_____	_____
1.45 p.m.	_____	_____
1.50 p.m.	_____	_____
2.00 p.m.	_____	_____
3.00 p.m.	_____	_____
4.00 p.m.	_____	_____
5.00 p.m.	_____	_____
6.00 p.m.	_____	_____
7.00 p.m.	_____	_____
8.00 p.m.	_____	_____
9.00 p.m.	_____	_____
10.00 p.m.	_____	_____
11.00 p.m.	_____	_____
12.00 p.m.	minuit	zéro heure

5. Bon voyage!

Taking the train

Read over the three dialogues again. What would you say in French if you wanted:

– to buy a ticket to . . . ?

_____

– to buy a one-way ticket?

_____

– to buy a return ticket?

_____

– to buy a second-class return ticket to . . . ?

_____

– to ask how much it costs?

_____

– to ask at what time the next train is leaving?

_____

– to ask which platform the train is leaving from?

_____

– to ask if you have to change trains?

_____

Present tense of irregular verbs: 'partir'

Conjugate partir *in the present tense and learn it by heart.*

partir	
je	pars
tu	_____
il/elle	_____
nous	partons
vous	_____
ils/elles	_____

La gare TGV d'Avignon

  Écoutez et cochez la bonne case!

	Single	Return	1st class	2nd class	Change trains	No change
1	✓			✓		✓
2						
3						
4						

5.6 **Écoutez les dialogues et remplissez la grille!**

	Destination	Prix	Heure de départ	Heure d'arrivée	Numéro de quai
1					
2					
3					

5.7 **Remettez les phrases dans l'ordre!**

Rearrange the sentences in these jumbled dialogues!
Then listen to the tape to see if you were right.

1. – Deuxième classe, s'il vous plaît.
   – Vous désirez?
   – Aller-retour.
   – Ça fait 30,90€.
   – Première ou deuxième classe?
   – Je voudrais un billet pour Cherbourg, s'il vous plaît.
   – Aller-simple ou aller-retour?

2. – Le prochain train part à quelle heure?
    – Ça fait 42,70€.
    – Il part du quai numéro trois.
    – Je voudrais un aller-simple pour Toulouse en première classe, s'il vous plaît. C'est combien?
    – Il part à zéro heure douze.
    – Il part de quel quai?

3. – Il part à dix-sept heures dix-sept.
    – Voilà, ça fait 192,70€.
    – Il faut changer?
    – Il part du quai numéro six.
    – Je voudrais un aller-retour, deuxième classe pour Munich, s'il vous plaît.
    – Le prochain train part à quelle heure?
    – Oui, il faut changer à Strasbourg.
    – Il part de quel quai?

Dites l'heure!

Exemple: 3:10 a.m.   **trois heures dix**
             3:10 p.m.   **treize heures dix**

1. 11:15 a.m. _____
2. 2:45 p.m.   _____
3. 6:32 p.m.   _____
4. 7:30 a.m.   _____
5. 11:40 p.m. _____
6. 4:20 p.m.   _____
7. 9:13 a.m.   _____
8. 8:25 p.m.   _____
9. 3:45 p.m.   _____
10. 5:05 p.m.   _____

Complétez!

Complétez les dialogues puis lisez-les avec votre partenaire!

– Bonjour, Monsieur, je voudrais un aller-simple en deuxième classe pour Cambrai, s'il vous plaît.
– (17,60€)
– Merci. Le prochain train part à quelle heure?
– (17h45)
– Et il arrive à Cambrai à quelle heure?
– (20h12)
– Il faut changer?

—   (changer Senlis)
—   Le train part de quel quai?
—   (n°3)
—   Merci, au revoir!
—   (. . .)

5.8 📼 Prononcez bien! Opposition 'heure'/'bleu'

1. Écoutez et répétez!

a. heure	jeune	fleur
b. bleu	jeu	cheveux

2. Listen to the 'eu' sound in the following words. Say whether it sounds like the 'eu' in heure *or in* bleu.

	heure	bleu
beurre	☐	☐
deux	☐	☐
sœur	☐	☐
des œufs	☐	☐
fumeur	☐	☐
heureux	☐	☐
il pleut	☐	☐
acteur	☐	☐

Jeux de rôles
1. A and B

A says hello.
B says hello and asks what A wants.
A wants a ticket to Orléans.
B asks if A wants to travel first or second class.
A wants to travel second class.
B asks if A wants a single or return ticket.

5. Bon voyage!

A wants a single ticket. A asks how much it costs.
B says it costs 28,60€.

2. A and B

A wants a second-class return ticket to Pau.
B hands out the ticket and says it costs 68,70€.
A says thank you and asks if he/she has to change trains.
B says that there is no change.
A asks at what time the next train leaves.
B says the next train leaves at 5.42 p.m.
A asks at what time the train will arrive in Pau.
B says the train will arrive at 1.34 a.m.
A thanks B and says goodbye.
B gives appropriate reply.

3. A and B

A wants a second-class single ticket to Lyon and asks how much it costs.
B says it costs 50,40 €.
A asks if he/she has to change trains.
B says there is no change.
A asks at what time the next train is leaving.
B says the next train is leaving at 1:23 p.m.
A asks at what time the train will arrive.
B says the train will arrive at 4:12 p.m.
A asks what platform the train is leaving from.
B says the train is leaving from platform 3.

 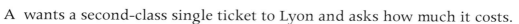 **Listen to the announcements and fill in the grid!**

	Destination	Départ	Arrivée	Quai
1	Nice	12.34		
2				
3				
4				
5				

Répondez à la question selon le modèle!

Exemple: – Vous partez à quelle heure? (13h25)
         – **Nous partons à 13h25.**

1. Le train part à quelle heure? (18h53)
2. Marie et Sophie partent quand? (8h)
3. Tu pars à quelle heure? (midi)
4. Pardon, Monsieur, vous partez à quelle heure? (12h45)
5. Solange et Christian partent à quelle heure, demain? (9h)
6. Michel et Corinne, vous partez à quelle heure? (16h20)
7. Pardon, Madame, le train pour Nîmes part à quelle heure? (22h35)

Lisez!

LES GARES DE PARIS

Le réseau SNCF est très centralisé. Toutes les lignes de chemins de fer partent de Paris. Six gares parisiennes desservent toutes les régions de France:

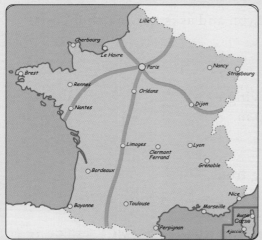

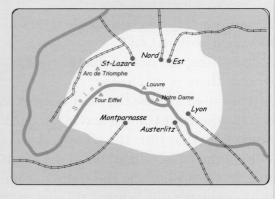

- la gare du Nord pour la région Nord
- la gare de l'Est pour la région Est
- la gare de Lyon pour la région Sud-Est
- la gare d'Austerlitz pour la région Sud-Ouest
- la gare Saint-Lazare et la gare Montparnasse pour la région Ouest.

Gare de Lyon

5. Bon voyage!

Imaginez!

Imagine you are in Paris. What station would you go to if you wanted to travel to the following places?

1. Bordeaux
2. Le Havre
3. Toulouse
4. Strasbourg
5. Marseille
6. Brest
7. Roscoff
8. Clermont-Ferrand
9. Lille
10. Nancy
11. Avignon
12. Londres

5.10 Écoutez!

Listen to three people buying a ticket and fill in the grid. Can you guess in which Paris train station each conversation is taking place?

	Destination	Departure time	Arrival time	Platform number	Name of station
1					
2					
3					

Lisez!
Guide des prix réduits

CARTE ENFANT +

La Carte Enfant + est destinée aux personnes qui voyagent avec un enfant de moins de 12 ans. Elle permet à l'enfant titulaire de la carte et à ses accompagnateurs (jusqu'à 4 adultes ou enfants) de bénéficier jusqu'à 50% de réduction sur un nombre de voyages illimité pendant un an. Son prix est de 55€. Cette carte vous convient si vous voyagez souvent.

CARTE 12–25

Si vous avez entre 12 à 25 ans et voyagez souvent, vous pouvez bénéficier de réductions allant jusqu'à 50% sur un nombre illimité de voyages en France. La carte 12–25 coûte 43€. Elle est valable pendant un an.

CARTE INTER RAIL

Avec Inter Rail, quel que soit votre âge, vous pouvez circuler librement en 2e classe dans 29 pays en Europe et en Afrique du Nord (à l'exception de votre pays de résidence). Les pays participant à l'offre Inter Rail sont regroupés en 8 zones:

Zone A: Grande-Bretagne, Irlande (Eire), Irlande du Nord
Zone B: Suède, Norvège, Finlande
Zone C: Danemark, Allemagne, Suisse, Autriche
Zone D: Pologne, République Tchèque, Hongrie, Croatie, Slovaquie
Zone E: France, Belgique, Pays-Bas, Luxembourg
Zone F: Espagne, Portugal, Maroc
Zone G: Italie, Slovénie, Grèce, Turquie
Zone H: Bulgarie, Roumanie, Yougoslavie, Macédoine

Vous pouvez choisir parmi les formules suivantes:

	Pour ceux qui ont moins de 26 ans	Pour ceux qui ont plus de 26 ans
Pass 1 zone – 22 jours	198€	282€
Pass 2 zones – 1 mois	264€	370€
Pass 3 zones – 1 mois	299€	420€
Pass global – 1 mois (4 à 8 zones)	351€	496€

5. Bon voyage!

Compréhension

1. Which card offers up to 50% discount to the cardholder and a person travelling with him/her?
2. Who can avail of the *Carte 12–25*? How much does it cost?
3. For how long is the Inter Rail Card valid?
4. If you wanted to travel to Italy and Spain, how much would you pay for the Inter Rail Card?
5. How much would the Inter Rail Card cost if you wanted to travel throughout France, Holland, Germany, Denmark, Switzerland and Austria?

Jeux de rôles

LES PRIX

	1ère classe	2ème classe
Paris–Strasbourg	65€	35,50€
Paris–Saverne	60,20€	34€
Paris–Sarrebourg	59€	33,60€

Paris ➡ Sarrebourg ➡ Saverne ➡ Strasbourg

N° du train		11711	1611	105	65	1903	1603	1905	1605	67	1807	1607	69	1909	109	263	261
				1ère classe / 2ème classe											1ère classe / 2ème classe		
Particularités		1															2
Paris-Est	D	0.05	0.17	6.52	7.51	8.06	9.01	12.56	13.17	13.45	15.22	15.56	17.19	17.56	18.48	19.43	22.30
Sarrebourg	A	4.25	5.08	10.15		12.05	12.51	16.26	17.25	a 17.25	b 19.40	c 19.40	20.45	21.21		23.08	
Saverne	A		5.31	10.35		12.26	13.11	16.45	17.43	a 17.43		d 20.13	21.06			23.27	
Strasbourg	A	5.17	5.57	11.03	11.43	12.51	13.38	17.11	18.12	17.45		19.56	21.32	22.05	22.53	23.52	3.32

Choose one of the following role plays with your partner. Write it out in your copy using the timetable and price list provided. Then enact it.

1. *A sells tickets at the Gare de l'Est. B is in a hurry to buy a ticket to Saverne. The time is 5.55 p.m.*

B wants a one-way ticket to Saverne.
A doesn't understand.

B repeats that he/she wants a one-way ticket to Saverne.
A asks if B wants first class or second class.
B says first class.
A hands over the ticket.
B asks how much it costs.
A looks at the price list and answers.
B asks at what time the next train is leaving.
A looks at the timetable and answers.
B asks which platform the train is leaving from.
A says the train is leaving from platform 3.
B says goodbye.
A replies.

2. *A sells tickets at the Gare de l'Est. B is travelling to Strasbourg. The time is 1.15 p.m.*

A says hello and asks what B wants.
B wants a ticket to Strasbourg.
A asks if B wants to travel first or second class.
B wants to travel second class.
A asks if B wants a single or return ticket.
B wants a single ticket. B asks how much it costs.
A looks at the price list and answers.
B asks at what time the next train is leaving.
A looks at the timetable and answers.
B asks if he/she will need to change trains.
A answers.
B asks which platform the train is leaving from.
A says the train is leaving from platform 6.
B asks at what time the train will arrive in Strasbourg.
A answers.
B thanks A and says goodbye.
A replies accordingly.

Lisez!

LES TRAINS À GRANDE VITESSE

Le TGV existe en France depuis 1981. C'est le train le plus rapide du monde. En 1990, un TGV a établi un record mondial de vitesse sur rail à 515,3 km/h!

La vitesse commerciale est de 300 kilomètres à l'heure. Chaque année, le TGV transporte environ cinquante millions de voyageurs. C'est un train extrêmement confortable. Il va de Paris à Marseille (800 kilomètres) en trois heures! Le voyage de Paris à Bruxelles prend moins de deux heures. Grâce au tunnel sous la Manche, le TGV peut faire le voyage Paris-Londres en trois heures.

Aux environs de 2015, l'Europe devrait avoir un réseau de liaisons à grandes vitesse de 19 000 kilomètres.

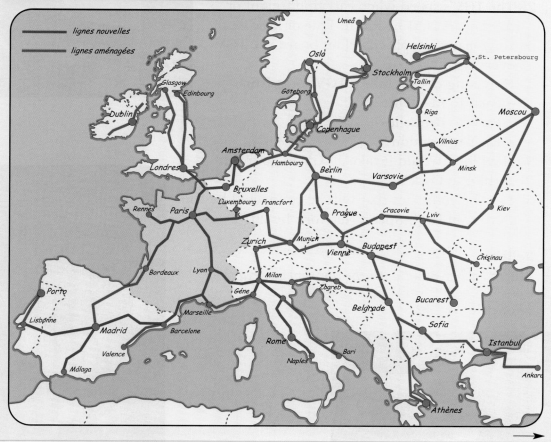

Le dernier train à grande vitesse de la SNCF s'appelle le TGV Duplex. Voici sa fiche technique:

- Vitesse commerciale: 300 km/h
- Capacité: 197 places en 1ère classe; 348 places en 2e classe
- Téléphone à bord
- La répartition des places sur 2 niveaux permet d'augmenter le confort des voyageurs.
- Espace pour handicapés et toilettes adaptées
- 30 rames en cours de construction

Compréhension

1. When was the TGV first launched?
2. The TGV's speed when carrying freight or passengers is 513,3 km/h. True or false?
3. How many people travel on board the TGV every year?
4. How long does it take a TGV to go from:
   – Paris to Marseille?
   – Paris to Bruxelles?
   – Paris to London?
5. How long would it take a TGV to go from Dublin to Cork?
6. List the countries that will be connected by the European High-Speed Network by 2015.

Reliez!

Match each symbol with the appropriate caption!

Exemple: A - 12

5. Bon voyage!

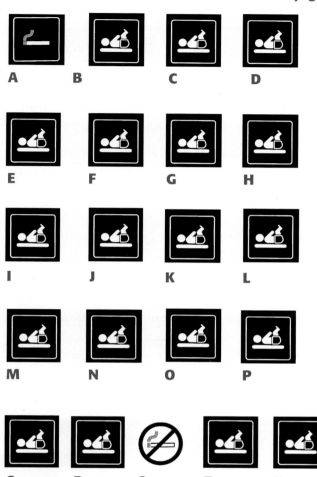

1. Salle d'attente
2. Informations/Réservations
3. Banque/Bureau de change
4. Poste
5. Bagages/Consignes manuelles
6. Consignes automatiques
7. Bar/Cafétéria
8. Bureau des objets trouvés
9. Buffet/Restaurant
10. Location de voiture
11. Douane
12. Fumeurs
13. Point Rencontre
14. Aéroport
15. Eau potable
16. Ascenseur
17. Contrôle automatique des billets
18. Téléphone public
19. Non-fumeurs
20. Toilettes
21. Nurserie

Reliez!

Find the correct location for each of the following activities!

1. On demande des renseignements	a. sur le quai.
2. On dépose ses bagages	b. au bureau d'information.
3. On change de l'argent	c. au contrôle automatique.
4. On attend le train	d. à la consigne automatique.
5. On mange un sandwich	e. au distributeur automatique.
6. On composte son billet	f. au bureau de change.
7. On prend le train	g. au buffet de la gare.
8. On achète son billet	h. dans la salle d'attente.
	i. au guichet.

Allons en France

Lisez!

Mairead est en voyage en France pour deux semaines. Voici la lettre qu'elle a écrite à une copine.

Lyon, le 12 juillet

Chère Lorna,

Comment vas-tu? Moi, je vais très bien. Je suis arrivée en France hier matin. J'ai pris le bateau de Rosslare au Havre (c'est en Normandie). La traversée était horrible parce que la mer était très agitée. J'étais malade! Quand je suis arrivée au Havre, je suis allée à la gare et j'ai pris le train. C'était plus agréable que le bateau!

À la gare Saint-Lazare, j'ai acheté un billet aller-retour pour Lyon, en deuxième classe au tarif réduit. En attendant le départ, j'ai laissé mes bagages à la consigne automatique et je suis allée manger un jambon-beurre au buffet.

Ensuite, j'ai pris le TGV. J'ai trouvé une place dans un compartiment non-fumeur, à côté de la fenêtre. Le voyage a duré deux heures tout juste. C'était génial! J'ai traversé la Bourgogne et j'ai vu les célèbres vignobles de la région. Pendant le voyage, j'ai bavardé avec un garçon qui était super sympa! Il s'appelle Pascal et il habite à Lyon. Il était charmant et très amusant. Il est brun et et il a les yeux bleus. Il est sportif et adore le football, comme moi. Nous allons être des correspondants. J'ai eu un petit problème pendant le trajet: j'ai oublié de composter mon billet! Quand le contrôleur est arrivé, il n'a pas écouté mes explications et j'ai dû payer 25 euros d'amende. 'Le règlement, c'est le règlement!' a-t-il simplement dit. C'était vache de sa part! Enfin...

À Lyon, ma correspondante est venue me chercher sur le quai de la gare avec sa famille. J'ai dit au revoir à Pascal (j'espère que je vais le revoir bientôt!). J'ai changé un peu d'argent au bureau de change et nous sommes partis en voiture. Le soir, les parents de ma correspondante ont préparé un repas délicieux. Ensuite, nous avons bavardé et je suis allée au lit.

Il y a beaucoup de trucs à faire ici. On peut nager à la piscine, aller au cinéma, voir des matchs de football au stade, faire des randonnées dans les Alpes. Je m'amuse bien ici! En plus, il fait beau. Et toi, qu'est-ce que tu fais? Tu passes de bonnes vacances?

Dis bonjour à tout le monde de ma part.

Salut!

À bientôt

Ton amie Mairead

5. Bon voyage!

Compréhension

1. Répondez en anglais!

   a. On what date did Mairead arrive in France?

   b. What happened to Mairead in the train to Lyon?

   c. Who was waiting for her at the station in Lyon?

   d. List four activities mentioned by Mairead.

   e. Describe the weather.

2. Répondez en français!

   a. Trouvez dans le texte des mots ou expressions qui veulent dire:

     – le voyage était désagréable

     – un sandwich

     – un wagon où il est interdit de fumer

     – valider

     – pas sympa

     – choses

   b. Décrivez le physique et le caractère de Pascal.

   c. Relevez tous les mots et expressions qui se rapportent à la SNCF.

Écrivez!

You are spending three weeks with your penpal's family in Toulouse. Write to your friend Paul/Paula in Donegal telling him/her the following:

 – *How you found the crossing.*

 – *The weather is magnificent. The food is nice.*

 – *You spent some time in Gare d'Austerlitz and travelled by TGV.*

 – *How you spend your time.*

 – *You went to a disco and met a nice French person.*

Avant d'aller plus loin . . .

Before moving on to Unit 6, make sure you can:

 – *buy a train ticket*

 – *enquire about departure and arrival times using the 24-hour clock*

 – *conjugate* partir *in the present tense*

 – *describe some features of the French railway system.*

Now test yourself at <u>www.my-etest.com</u>

6

On fait du camping

Les objectifs:

Communication:
- booking into a campsite
- enquiring about facilities
- talking about your daily routine in the past

Grammar:
- passé composé of reflexive verbs

Pronunciation:
- mute 'e'

Culture:
- Corsica

Écoutez!

 6.1

Perros Guirrec, le 12 août

Chère Michelle,

Comment vas-tu? Moi, je vais très bien. Je t'écris de Vendée où je fais du camping avec ma famille. Je dors dans une tente avec mon frère. Mes parents et ma soeur sont dans la caravane.

Le temps est magnifique et je m'amuse bien. Voici comment je passe mes journées: le matin, je me réveille vers neuf heures. Ensuite, je m'habille et je me lave dans le lavabo. Après, je prépare le petit déjeuner pour la famille. Vers dix heures, je vais à la plage. C'est super! Je fais de la planche à voile, je joue au volley avec les copains et les copines et je nage dans la mer.

Après le déjeuner, je me repose un peu: je fais la sieste ou je lis une B.D. Ensuite, je retrouve mes amis et je me promène dans les environs.

Le soir, il y a toujours des animations dans le camping. Nous dansons, chantons ou bavardons autour du feu de camp. Généralement, je me couche vers onze heures et demie.

Et toi, qu'est-ce que tu fais pendant les vacances? Raconte-moi tout. J'attends ta lettre avec impatience.

À bientôt!

Salut!

Jacques

6. On fait du camping

Qu'est-ce qu'il fait?

À neuf heures _il se réveille_

À neuf heures cinq _il s'habille_

À neuf heures et quart _____

À neuf heures et demie _____

À dix heures _____

À dix heures et demie _____

À midi _____

À une heure _____

À deux heures _____

À sept heures _il dîne_

À neuf heures _____

À onze heures et demie _____

6.2

Porto Vecchio, le 15 août

Chère Marie,

Salut! Comment vas-tu? J'espère que tu vas bien. Moi, je fais du camping en Corse avec Simone, ma grande soeur. Nous dormons dans une tente. Elle est petite mais confortable.

Ici, il fait beau. Le soleil brille et je bronze beaucoup. J'adore le camping parce qu'on est dans la nature et on rencontre des jeunes de nationalités différentes. On s'amuse bien!

Hier, je me suis réveillée à six heures du matin (!!!). Je me suis habillée et je me suis promenée sur la plage. J'ai regardé le lever du soleil sur la mer. C'était un vrai spectacle! Ensuite, je me suis lavée, j'ai pris mon petit déjeuner et je suis descendue à la plage. Vers neuf heures, nous avons loué deux vélos et nous avons visité la région.

En route, nous avons rencontré deux Italiens très sympathiques (ils s'appellent Marco et Julio). Nous avons fait un pique-nique. L'après-midi, nous nous sommes promenés. Ensuite, nous avons fait un match de volley contre les Italiens. Ils ont perdu! Après le match, je me suis reposée sur la plage. J'ai lu un livre.

Le soir, je me suis lavée puis je suis sortie. Il y avait une grande fête sur la plage. Nous avons dansé et chanté jusqu'à dix heures et demie! Je me suis couchée vers onze heures et j'ai bien dormi!

Et toi, tu t'amuses bien? Dis bonjour à tout le monde. Écris-moi bientôt!

Salut!

Je t'embrasse

Catherine

6.3

— Bonjour, il y a de la place dans le camping?
— Oui, bien sûr! C'est pour combien de nuits?
— C'est pour cinq nuits.
— C'est pour une caravane ou pour une tente?
— C'est pour une tente.
— Vous êtes combien de personnes?
— Nous sommes quatre, deux adultes
  et deux enfants.
— Vous avez une voiture?
— Oui, on a une voiture.
— C'est à quel nom?
— Dupuis. D-U-P-U-I-S.
— Voilà, prenez l'emplacement numéro
  14. Bon séjour!
— Merci, au revoir!

6.4

— Il y a un emplacement de libre?
— Oui, pas de problème. C'est à quel nom?
— Cabanet. C-A-B-A-N-E-T.
— D'accord. C'est pour une tente ou une caravane?
— C'est pour une tente.
— Vous êtes combien?
— Nous sommes trois, deux adultes et un enfant.
— C'est pour combien de nuits?
— C'est pour trois nuits. Il y a un lavabo ici?
— Oui, il y a un lavabo et des douches.
— Il y a une piscine?
— Non, il n'y a pas de piscine.
— On peut faire de la voile?
— Non, mais on peut faire de la planche à voile.

Découvrez les règles!

Reflexive verbs in the passé composé

1. *What is a reflexive verb? Read over 6.1 and give examples.*
2. *Conjugate* se laver *in the present tense.*

se laver (present tense)

je	me	
tu		
il		
elle		
nous		
vous		
ils		
elles		

3. *Now read over 6.2 and find reflexive verbs in the* passé composé.
4. *How is the* passé composé *formed? State a rule and give examples.*
5. *Do reflexive verbs use* avoir *or* être *in the* passé composé?
6. *Conjugate* se laver *in the* passé composé.
   Can you explain why the past participle of reflexive verbs can be spelled in different ways?

se laver (passé composé)

je	me	suis	lavé(e)
tu	t'	____	lavé(e)
il	____	est	lavé
elle	s'	____	lavée
____	nous	sommes	lavé(e)s
vous	____	êtes	lavé(e)(s)
ils	se	____	lavés
____	se	sont	____

Booking into a campsite

Read over Dialogues 6.3 and 6.4. What would you say in French if you wanted:

— to ask if there is space available? (two ways)

_____

— to ask how much it costs?

_____

— to say how long you are staying for?

_____

— to ask if there is a swimming-pool?

_____

— to ask if there are showers?

_____

— to ask if it is possible to go sailing?

_____

À vous!

Répondez aux questions!
1. Tu as déjà fait du camping?
2. Tu es allé(e) où?
3. Tu es parti(e) avec qui?
4. Qu'est-ce que tu as fait?
5. Il a fait quel temps?
6. C'était comment?

6.5 Écoutez et complétez!

	Combien de personnes?	Tente ou caravane?	Combien de nuits?	Numéro de l'emplacement?	Prix?
1					
2					
3					

 6.6 Remettez les phrases dans l'ordre!

Rearrange the sentences in these jumbled dialogues!
Then listen to the tape to see if you were right.

1. — C'est pour une caravane ou pour une tente?
   — C'est pour deux semaines.
   — C'est à quel nom?
   — Nous sommes trois: deux adultes et un enfant.
   — Il y a de la place dans le camping?
   — C'est pour une caravane.
   — C'est pour combien de nuits?
   — Delarue. D-E-L-A-R-U-E.
   — Voilà, prenez l'emplacement numéro six.
   — Oui. Vous êtes combien?

2. — C'est pour cinq nuits. Ça fait combien?
   — Nous sommes cinq: deux adultes et trois enfants.
   — C'est pour une caravane.
   — Dupont. D-U-P-O-N-T.
   — Oui. C'est pour une tente ou pour une caravane?
   — Vous êtes combien?
   — Voilà, cent treize euros.
   — C'est pour combien de nuits?
   — Il y a un emplacement de libre?
   — Ça fait cent treize euros, s'il vous plaît.
   — C'est à quel nom?
   — Merci! Prenez l'emplacement numéro vingt-trois.

6.7 🔊 Prononcez bien! Mute 'e'

1. *When speaking informally, French speakers often drop the 'e' placed at the end of a word or within a word itself.*
   Listen to the following words or sentences being read out in both formal and informal way.

a. La semaine prochaine	d. Ma petite sœur
b. Il y a de la place.	e. Je peux effacer le tableau?
c. Je me lève tôt.	

2. *Listen to the following sentences and say whether they are being read out in a formal or informal way.*

a. Pas de problème.	d. Mon petit frère se lève à sept heures.
b. Il n'y a pas de place.	
c. C'est pour combien de personnes?	e. Tu te lèves à quelle heure?

3. *Now read out each of the above sentences in both formal and informal way.*

Jeux de rôles

1. — (Ask if there is a space available.)
   — Oui, pas de problème. C'est pour combien de personnes?
   — (Say how many people there are.)
   — C'est à quel nom?

6. On fait du camping

- (Trinqualie. Spell the name.)
- C'est pour combien de nuits?
- (Say how long you wish to stay for.)
- C'est pour une tente ou pour une caravane?
- (Say that you have a caravan.)
- D'accord. Prenez l'emplacement numéro trente-trois.
- (Ask how much it costs.)
- (Give a price.)

2. A *(un campeur/une campeuse)* and B *(le gardien/la gardienne)*

A says hello and asks if there is a space available.
B says yes and asks how long A wishes to stay for.
A wishes to stay a week.
B asks how many people there are.
A says six people: three adults and three children.
B asks for the name.
A says Campanelle.
B doesn't understand.
A spells Campanelle.
B asks if they have a tent or a caravan.
A says it is for a caravan.
B tells A to take place number eighteen.
A asks how much it costs.
B says 156€.
A asks if there is a pool.
B says yes.
A asks if one can play tennis.
B says yes.
A thanks B.
B replies.

3. *A and his/her family arrive at the campsite* Les flots bleus *located in Royan, north of Bordeaux. B is the caretaker.*

A says hello and asks if there is a space available.
B says yes and asks the name.
A says Rastignac.

B asks how many people there are.

A says there are four people (two adults and two children) and a dog.

B asks if A is staying in a tent or in a caravan.

A has a caravan.

B gives the price.

A hands over the money and asks if there is a pool.

B answers.

A asks if one can play tennis.

B answers.

A asks if one can go sailing.

B replies.

A asks if there is a shop.

B replies.

A thanks B.

B replies.

CAMPING

Les flots bleus ****

Domaine des Alicourts
ROYAN
VUE MAGNIFIQUE SUR L'ATLANTIQUE!

*Bar/Buvette – Piscine – Salle de télévision
Restaurant – Tennis – Magasin d'alimentation
Douches chaudes – Planche à voile –
Bureau de change*

TARIF JOURNALIER TTC

Emplacement Tente: 2,20€
Emplacement Caravane+Voiture: 5,15€
Voiture: 2,40€
Adulte: 4€
Enfant (moins de 12 ans): 2,50€
Animaux: 0,75€

6.8 🎞️ **Écoutez les trois dialogues et remplissez la fiche de réservation!**

1

Nom:_____
Nombre
de personnes:_____
Adultes:_____
Enfants:_____
Tente:_____
Caravane:_____
Voiture:_____
Moto:_____
Nombre
de nuits:_____
Emplacement
numéro:_____
Prix:_____

2

Nom:_____
Nombre
de personnes:_____
Adultes:_____
Enfants:_____
Tente:_____
Caravane:_____
Voiture:_____
Moto:_____
Nombre
de nuits:_____
Emplacement
numéro:_____
Prix:_____

3

Nom:_____
Nombre
de personnes:_____
Adultes:_____
Enfants:_____
Tente:_____
Caravane:_____
Voiture:_____
Moto:_____
Nombre
de nuits:_____
Emplacement
numéro:_____
Prix:_____

Reliez!

Match each symbol with the appropriate caption!

Exemple: A – 13

1. Piscine
2. Douche
3. Voile
4. Vélo
5. Électricité
6. Machine à laver
7. Planche à voile
8. Bureau de change
9. Mini-golf
10. Équitation
11. Magasin d'alimentation
12. Pêche
13. Téléphone
14. Restaurant
15. Bar
16. Tennis

Qu'est-ce qu'il y a? Qu'est-ce qu'on peut faire?

Find the gender of all the words listed in the previous exercise. Then classify them according to whether they are facilities or activities. You could work with your partner!

Équipements	Activités
Il y a un téléphone.	On peut faire du tennis.
_____	_____

Reliez!

1. Je mange
2. Je me lave
3. Je change de l'argent
4. Je lave mes vêtements
5. Je nage
6. Je bois une limonade
7. Je fais les courses

a. dans la machine à laver.
b. dans la piscine.
c. dans le restaurant.
d. dans le magasin d'alimentation.
e. dans le bar.
f. dans le bureau de change.
g. dans le lavabo.

6.9 📼 **Écoutez et complétez!**

Listen to three teenagers describing the campsite they are in. Name at least two facilities and two activities for each person.

	Location of campsite	Facilities	Activities
1			
2			
3			

Camping en Corse

1. *Match each picture with the relevant text on page 112.*
2. *Then choose one of the campsites and explain your choice. Use the following vocabulary:*
   - Tu as choisi quel camping?
   - J'ai choisi le camping . . . , parce qu'il y a . . .
     parce qu'on peut faire . . .

6. On fait du camping

Aiguilles de Bavella, près de Sartene

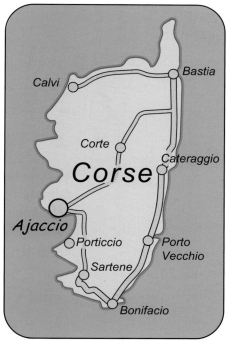

La plage de Palombaggia, au nord de Bonifacio

Le Golfe de Porto Vecchio

Le village de Nonza, près de Corte

La vallée du Fango, au sud de Calvi

A

Nom du camping: Colomba
Adresse: 20260 Calvi
Téléphone: 04.95.65.00.26.
Période d'ouverture: toute l'année
Capacité: 333 emplacements

B

Nom du camping: La Pinède
Adresse: 20250 Corte
Téléphone: 04.96.46.24.31.
Période d'ouverture: avril à septembre
Capacité: 90 emplacements

C

Nom du camping: Santa Maria
Adresse: Bonifacio
Téléphone: 04.95.73.23.02.
Période d'ouverture: 15 mai/30 octobre
Capacité: 25 emplacements

D

Nom du camping: Riva Bella
Adresse: 20100 Sartene
Téléphone: 04.95.77.18.21.
Période d'ouverture: 1er avril/ 15 octobre
Capacité: 200 emplacements

E

Nom du camping: Fontana
Adresse: 20150 Porto Vecchio
Téléphone: 04.95.26.89.43.
Période d'ouverture: 1er mars/ 30 septembre
Capacité: 50 emplacements

6. On fait du camping

3. *Which two statements are false?*
   a. Le camping Fontana est fermé en décembre.
   b. Dans le camping Colomba, on peut faire du vélo.
   c. Il n'y a pas de douches dans le camping Santa Maria.
   d. On peut faire de la natation dans le camping Riva Bella.
   e. Il y a un magasin dans le camping La Pinède.
   f. Il y a une piscine dans le camping Fontana.

Lisez!
Demander des renseignements

> Galway, le 28 février
>
> Joseph Finnegan
> 22 The Elms
> Galway
> Irlande
>
> Agence du Tourisme de la Corse
> 17, Bd Roi-Jérôme
> 20000 Ajaccio
> France
>
> Madame, Monsieur,
>
> Je voudrais réserver un emplacement pour une caravane, pour deux semaines, du 25 mars au 7 avril. Nous sommes trois personnes: deux adultes et un enfant. Je cherche un camping où l'on peut faire du tennis et dans lequel il y a l'électricité, une douche et une machine à laver. Nous aimons la mer, la nature et le calme.
>
> Veuillez agréer, Madame, Monsieur, l'expression de mes sentiments distingués.
>
> Joseph Finnegan

Imagine you work at the tourist office in Corsica and receive this letter from Ireland. Which campsite would you recommend to Joseph Finnegan?

Écrivez!

1. *You and your family intend to go camping in France this summer. Write to the tourist office:*

> Comité Régional du Tourisme de Bretagne
> 74 B, rue de Paris
> 35069 Rennes CEDEX
> France

— *Say that you wish to book a place for two weeks from 15 to 28 July.*
— *Give the number of people (adults and children).*
— *Say that you would like a campsite near the seaside with a restaurant, electricity, swimming pool and horse-riding.*

2. *Write to:*

> Camping Le Ranolien
> 22700 Perros Guirec
> France

— *Say that you wish to book a place for one week.*
— *Ask if there is any place available from 26 to 31 August.*
— *Say how many people there are (adults and children).*
— *Enquire about facilities and activities available.*

Lisez!
L'Île de Beauté

6. On fait du camping

Ajaccio, le 22 août

Cher Henri,

Comment vas-tu? Moi, je vais très bien. Je suis arrivée dans l'île de Beauté, hier matin, avec ma famille. J'ai pris le bateau de Marseille. La mer était calme et la traversée était agréable. Ici, il fait une chaleur incroyable! Je bois de l'eau toute la journée pour ne pas me déshydrater.

Les paysages sont magnifiques. Sur la côte, il y a de grandes plages, des baies, des golfes et la mer est turquoise. Dans le centre de l'île, il y a des montagnes presque aussi hautes que dans les Alpes (on peut faire du ski en hiver!). Dans le maquis, la végétation est très dense.

Ce matin, je me suis réveillée très tôt, avant la grosse chaleur. Je me suis promenée dans la ville. J'ai visité la 'Casone', la maison où Napoléon est né.

À midi, nous avons déjeuné dans un restaurant au bord de la mer. Mon frère n'a pas aimé la nourriture. La cuisine corse est vraiment différente de la cuisine parisienne! Ici, on mange beaucoup d'ail et de fromage de chèvre.

Après le déjeuner, je me suis reposée un peu. Ensuite, nous sommes partis d'Ajaccio et nous avons visité la région. Je me suis promenée dans le maquis.

Après, nous sommes rentrés au camping. C'est à 300 mètres de la mer. C'est génial! Il y a une grande piscine et un terrain de sport. On peut jouer au foot ou au volley. J'ai rencontré des jeunes très sympa.

Maintenant, je vais me coucher parce que je suis fatiguée!

J'espère que tu passes de bonnes vacances et que tu t'amuses bien.

Dis bonjour à ta famille de ma part.

Salut!

À bientôt!

Aurélie

Compréhension

1. Find in the letter words or expressions for:
   - la Corse
   - Il fait très chaud.
   - La mer est bleue.

2. When did Aurélie arrive in Corsica?
3. How did she get there?
4. True or false?
    a. Aurélie had a lie in.
    b. After lunch, Aurélie went for a walk on the beach.
    c. Aurélie's campsite isn't far from the sea.
    d. Many Corsican dishes contain garlic and goat's cheese.
    e. Napoleon was born in Corsica.
5. Name two geographical features of Corsica.
6. What is *le maquis*?

Mettez les verbes au passé composé!

Exemple: Paul se lave.   Paul **s'est lavé**.

1. Ils se couchent tôt.
2. Marie et Francine se réveillent à 9 heures.
3. Jeanne va à la plage.
4. Je mange un croissant.
5. Tu te promènes sur la plage.
6. Elles s'habillent.
7. Vous vous réveillez à quelle heure?
8. Laurent et Stéphane se lavent dans la rivière.
9. Je me couche à 10 heures.
10. Nous nous amusons.
11. Il se repose.

 **Écoutez!**

Avant d'écouter Caroline, répondez aux questions suivantes!

1. D'habitude, tu te réveilles à quelle heure?
2. Tu prends ton petit déjeuner à quelle heure?
3. Tu arrives au collège à quelle heure?
4. Tu déjeunes à quelle heure?
5. Tu rentres chez toi à quelle heure?
6. Qu'est-ce que tu fais le soir?

UNE JOURNÉE HABITUELLE POUR CAROLINE

D'habitude, je me réveille à sept heures. Je me lave et je m'habille. À sept heures et quart, je descends à la cuisine et je prends mon petit déjeuner. À sept heures et demie, je prends le bus. J'arrive au collège à huit heures moins cinq. À midi, je déjeune à la cantine. À cinq heures, je rentre chez moi. Je mange mon goûter et je me repose. Je bavarde avec mes parents. Je me promène avec mon chien.

Vers six heures, je fais mes devoirs. À huit heures, je dîne et je regarde les informations à la télévision. Ensuite, je révise mes leçons. Je me couche vers dix heures.

Écrivez!

1. *Rewrite the passage in the* passé composé*:*
   Hier, je me suis réveillée à . . .

2. *Now imagine how Caroline spends her days when she's on holidays. Write a passage in the present tense using the following verbs.*

   > se réveiller – s'habiller – se laver – prendre le petit déjeuner – faire de . . . – jouer à . . . – aller – se promener – rencontrer – visiter – se reposer – se coucher

   Start as follows:
   Pendant les vacances, Caroline se réveille à . . .

3. *Imagine you are spending your holidays in the following campsite. Write a letter to your penpal.*
   – *Say where you are and who you are with.*
   – *Mention some of the facilities and activities on offer.*
   – *Describe what you do on a normal day.*
   – *Describe the weather.*
   – *Say what you did yesterday (got up early/went fishing/met a nice boy/girl/visited Lorient/went to the beach/danced/went to bed late . . .).*
   – *Enquire about your penpal.*

CAMPING

Le *TY-NADAN* ****
Route d'Arzano
F.29310 Locunolé
Tel.: 02.98.71.75.47. – Fax: 02.98.71.77.31.

Un endroit idyllique pour découvrir la Bretagne!

Situé au nord de Lorient, à 20 minutes seulement des plages de l'Atlantique!

OUVERT DU 1er MAI AU 10 SEPTEMBRE

Piscine, sauna, tennis, mini-golf, pêche, canoë, tir à l'arc, vtt, activités et animations (barbecue, méchoui, danse . . .)

Restaurant, crêpes, pizzeria, bar, magasin d'alimentation, machine à laver, bureau de change

Avant d'aller plus loin . . . ?

Before moving on to Unit 7, make sure you can:
– book into a campsite
– enquire about facilities and activities on offer
– talk about your daily routine in the past
– describe some aspects of Corsica.

Now test yourself at www.my-etest.com

7

On fait les courses

Les objectifs:

Communication:
– shopping for food
– asking for a particular amount
– asking about prices

Grammar:
– irregular -er verbs in the present tense

Pronunciation:
– opposition é/è

Culture:
– typical French shops
– French cheese

Regardez!

Match each item on p. 120 with the appropriate shop.

des livres
du pain
du fromage
de l'aspirine

J'achète   des tomates   dans une pâtisserie.
Tu achètes   des légumes   dans une papeterie.
Il achète   du pâté   dans une boulangerie.
Elle achète   de la viande de cheval   dans une librairie.
On achète   de la viande   dans une poissonnerie.
Nous achetons   une baguette   dans une pharmacie.
Vous achetez   du porc   dans une charcuterie.
Ils achètent   des cahiers   dans une boucherie chevaline.
Elles achètent   des romans   dans une épicerie.

des médicaments   au marché.
des éclairs   dans une boucherie.
du lait
du sucre
du saumon
du bifteck
des stylos

Écoutez!

7.1

– Bonjour, vous désirez?
– Bonjour, donnez-moi un kilo de
   tomates, un kilo de pommes de terre
   et une livre de carottes, s'il vous plaît.
– Alors, un kilo de tomates, un kilo de
   pommes de terre, 500 grammes de
   carottes . . . et avec ça?
– Ce sera tout, merci. Ça fait combien?
– Ça fait deux euros et cinquante centimes, s'il vous plaît.
– Voilà, deux euros cinquante. Au revoir!
– Merci bien, au revoir!

7.2

— Vous désirez?

— Bonjour, je voudrais trois steaks, s'il vous plaît.

— Voilà. Et avec ça?

— Je voudrais deux tranches de jambon.

— Voilà. Ce sera tout?

— Oui, merci. Ça fait combien?

— Alors, trois steaks et deux tranches de jambon . . . Ça fait neuf euros quatre-vingt-dix, s'il vous plaît.

— Voilà dix euros.

— Merci, et votre monnaie. Bonne journée!

— Merci, au revoir!

7.3

— Bonjour, je voudrais cinq cents grammes de beurre, deux litres de lait et une douzaine d'œufs, s'il vous plaît.

— Ce sera tout?

— Oui, merci. Ça fait combien?

— Alors, cinq cents grammes de beurre, deux litres de lait et une douzaine d'œufs, ça fait six euros quatre-vingt-seize.

— Voilà, sept euros.

— Et votre monnaie. Merci!

— Merci, au revoir!

— Au revoir!

Which items did David forget to buy?

1 kg de tomates
2 kg de pommes de terre
500 g de carottes
1 kg de pommes
3 steaks
2 tranches de jambon
1 kg de sucre
500 g de beurre
2 litres de lait
une douzaine d'œufs
une bouteille de vin

Découvrez les règles!

Shopping

Read over the dialogues. What would you say in French if you wanted:

- to ask for an item? (two ways)

_____

- to ask how much it costs?

_____

- to buy a pound of butter? (two ways)

_____

- to buy a kilo of . . . ?

_____

- to buy a slice of . . . ?

_____

- to buy twelve eggs?

_____

Irregular -er verbs in the present tense

1. *How do you conjugate regular -er verbs in the present tense? State a rule and give examples.*
2. *Now look very closely at* acheter *in the present tense. What is irregular about this verb?*
3. *Conjugate the following irregular -er verbs in the present tense.*

appeler (to call)		lever (to lift)	
j'	appelle	je	lève
tu	appelles	tu	_____
il/elle/on	_____	il/elle/on	_____
nous	_____	nous	levons
vous	appelez	vous	_____
ils/elles	_____	ils/elles	_____

4. Conjugate s'appeler *(to be called)* and se lever *(to get up)* in the present tense.

À vous!

7.4  **C'est où?**

Find out where the conversations are taking place!

	À la boucherie	Au marché	À la boulangerie	À la poissonnerie	À la papeterie
1					
2					
3					
4					
5					

Qu'est-ce qu'on peut acheter?

Write out the items that you can buy in the following shops. If you don't know the meaning of some words, check the vocabulary list!

1. À la librairie, on peut acheter . . .
   a. des romans.
   b. de la crème.
   c. des dictionnaires.
   d. des cerises.
2. À la charcuterie, on peut acheter . . .
   a. des saucisses.
   b. du pâté.
   c. du pain.
   d. du jambon.
3. À l'épicerie, on peut acheter . . .
   a. du vinaigre.
   b. de la farine.
   c. de la moutarde.
   d. des médicaments.
4. Au marché, on peut acheter . . .
   a. des poires.
   b. des concombres.
   c. des laitues.
   d. des enveloppes.

7.5  **Écoutez!**

Listen carefully to the following names of fruit and vegetables. Write their numbers and their names into your copy as you hear them being read out.

Les fruits

1 _____

7. On fait les courses

4

6

8

Les légumes

_____

10

_____

_____

1

_____

_____

_____

4

_____

_____

_____

7. On fait les courses

6

7.6 🎧 Écoutez les dialogues et complétez la grille!

	Items bought	Total price paid
1. At the market		
2. At the baker's		
3. At the butcher's		

7.7 🎧 Remettez les phrases dans l'ordre!

The following three dialogues have been mixed up. Put the sentences in the right order and find out where each of the dialogues takes place. Then listen to the tape to see if you were right.

1. — Bonjour, donnez-moi une livre de tomates, un chou-fleur et un kilo de pommes, s'il vous plaît.
    — Merci bien, au revoir!
    — Bonjour, vous désirez?
    — Alors, 500 grammes de tomates, un chou-fleur et un kilo de pommes . . . et avec ça?
    — Je voudrais aussi un kilo de pêches. Ça fait combien, au total?
    — Voilà. Au revoir!
    — Ça fait 6,70€, s'il vous plaît.

2. – Voilà, un gigot d'agneau. Ce sera tout?
   – Merci, au revoir!
   – Oui, merci. Ça fait combien?
   – Donnez-moi un gigot d'agneau.
   – Vous désirez?
   – Alors, un rôti de bœuf et un gigot d'agneau . . . Ça fait 27€, s'il vous plaît.
   – Voilà un billet de 50€.
   – Merci, et votre monnaie. Bonne journée!
   – Voilà. Et avec ça?
   – Bonjour, je voudrais un rôti de bœuf, s'il vous plaît.

3. – Donnez-moi aussi une douzaine d'œufs. Ça fait combien?
   – Et avec ça?
   – Voilà 7€.
   – Bonjour, je voudrais une livre de beurre et trois litres de lait, s'il vous plaît.
   – Merci, au revoir!
   – Alors, cinq cents grammes de beurre, trois litres de lait et une douzaine d'œufs, ça fait 6,45€.
   – Et votre monnaie. Merci et bonne journée!

7.8 C'est combien?

Listen to two greengrocers shouting out the prices of the fruit and vegetables they sell at a market in France. Write down the prices of each of the following.

7. On fait les courses

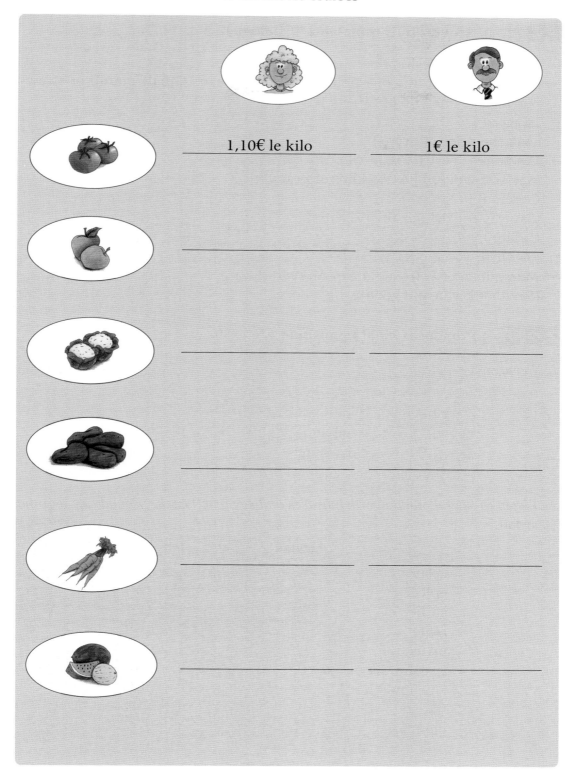

1,10€ le kilo   1€ le kilo

7.9 **Écoutez puis complétez le dialogue!**

— Bonjour! Vous désirez?
— (Say you would like one pound of French beans, a half pound of straw-berries and one kilo of carrots.)
— Et avec ça?
— (Ask the price of pears.)
— Les poires, c'est 1,95€ le kilo.
— (Say you would like two kilos of pears.)
— Ce sera tout?
— (Say yes and ask for the price.)
— Ça fait 3,90€.
— (Say here you are.)
— Merci bien, et votre monnaie. Au revoir!
— (Say thank you and goodbye.)

7.10 **Prononcez bien! Opposition é/è**

1. *Écoutez et répétez!*

légume	lait
c'est	sel
négatif	vinaigre
acheté	j'achète

2. *Listen to the following words/phrases and say whether they sound like* légume *or* lait.

	légume	lait
éclair	☐	☐
épicerie	☐	☐
steak	☐	☐
règle	☐	☐
marché	☐	☐
je voudrais	☐	☐
il achète	☐	☐
fraise	☐	☐
monnaie	☐	☐
café	☐	☐

7. On fait les courses

Jeux de rôles

1. Au marché

A would like one kilo of oranges, a pound of tomatoes and one kilo of potatoes.
B asks if A would like anything else.
A wants a pound of bananas and asks how much it costs.
B goes over the items A bought and says it amounts to 7,15€.
A says here you are and hands over 8€.
B says thank you, hands back the change and says goodbye.
A replies.

2. À la boulangerie

A says hello.
B says hello and asks what A would like.
A would like two baguettes.
B says here you are and asks if B would like anything else.
A would like three croissants and two eclairs.
B says here you are and asks if that's all A wants.
A says yes and asks how much it costs.
B goes over all the items bought and says the total amounts to 3,85€.
A says here you are and gives B 4€.
B says thank you and hands back the change.
A says goodbye.
B says have a nice day.

7.11 📼 **David fait les courses**

Listen to Madame Kessel asking her son David to go shopping. Is David's list correct?

pommes de terre
1 kg d'oranges
1 kg de raisins
viande
1 camembert
une douzaine d'œufs
lait
yaourts
biscuits
1 bouteille de vin rouge
1 bouteille d'eau minérale

7.12 📼 À l'épicerie

You will now hear David at the grocer's.

1. Does he buy all the items on his list?
2. What additional items does he buy?
3. How much does he spend?

Qu'est-ce que tu as acheté?

Match each noun with the appropriate article and write the sentence in your copy. (Check the gender and number of each noun.)

Exemple: J'ai acheté **de la** confiture.
J'ai acheté **du** pain.

	du	de la	de l'	des	
J'ai acheté		✔			confiture
	✔				pain
					beurre
					eau minérale
					thé
					café
					lait
					enveloppes
					jus de fruit
					croissants
					vin rouge
					fromage
					viande
					légumes
					yaourts
					saucisson
					farine

Les fromages de France

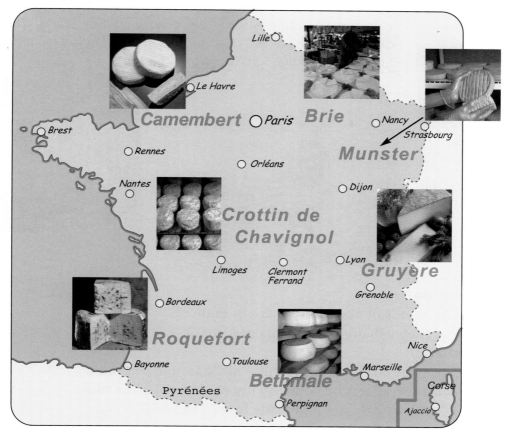

Lisez!

La France produit 340 variétés de fromage. Ils sont exportés dans le monde entier. La plupart des fromages portent le nom de leur ville ou région d'origine, comme le Cantal, le Brie de Meaux, le Pyrénées, le gris de Lille, le Mâcon, le Vendôme bleu, le bleu d'Auvergne, le Munster, le Fontainebleau ...

Dans la moitié nord de la France, le fromage est généralement fait avec du lait de vache. Dans le centre du pays, on utilise beaucoup de lait de chèvre. Dans la moitié sud de la France et en Corse, on fabrique souvent le fromage avec du lait de brebis.

On peut acheter du fromage dans les supermarchés, les magasins d'alimentation ou dans une crèmerie.

$\longrightarrow$

En France, on mange toujours le fromage avec du pain, avant le dessert. D'après les statistiques, chaque Français mange 20,4 kilo de fromage par an! En comparaison, les Irlandais mangent 3,6 kilo de fromage tous les ans.

Compréhension

1. How many kinds of cheese are there in France?
2. Where do they usually get their names from?
3. True or false?
   a. In Normandy, cheese is generally made from cow's milk.
   b. In central France, cheese is usually made from ewe's milk.
   c. In Corsica, cheese in often made from goat's milk.
4. Where can you buy cheese in France?
5. The French eat cheese after dessert. True or false?
6. a. What is the average consumption of cheese in France?
   b. How does this compare with cheese consumption in Ireland?

Où est la boulangerie?

Lisez le plan et trouvez la question!

Exemple: – Excusez-moi, où est la mairie, s'il vous plaît?
 – Vous continuez tout droit et vous prenez la deuxième rue à droite. C'est sur la gauche.

1. – _____ ?
 – Vous allez tout droit et vous prenez la troisième rue à gauche. Vous traversez le boulevard. C'est sur la gauche.

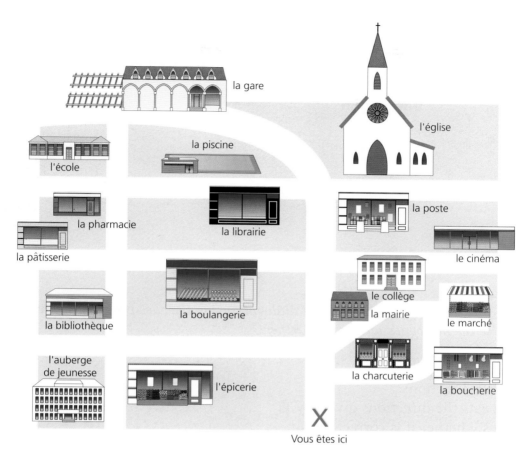

la gare

l'église

la piscine

l'école

la pharmacie

la librairie

la poste

la pâtisserie

le cinéma

la bibliothèque

la boulangerie

le collège

la mairie

le marché

l'auberge de jeunesse

l'épicerie

la charcuterie

la boucherie

X

Vous êtes ici

2. – _____ ?
   – Vous continuez tout droit et vous prenez la deuxième rue à gauche.
     Vous traversez le boulevard. C'est sur la droite.

3. – _____ ?
   – Vous continuez tout droit et vous prenez la quatrième rue à droite. C'est
     sur la droite.

4. – _____ ?
   – Vous prenez la première rue à droite. Vous continuez tout droit. C'est
     sur la droite.

5. – _____ ?
   – Vous prenez la première rue à gauche et vous tournez à gauche au
     boulevard. C'est sur la gauche.

7.13 🔊 **Trouvez la destination!**

Listen to the directions, read the map and find where each person is going!

Destination
1 _____
2 _____
3 _____
4 _____
5 _____

Parlez!

Look at the map and write several dialogues using the cues provided below. Then practise the dialogues with your partner!

A asks for directions.
B gives directions.
A repeats the directions given by B.
B says whether it is correct or not.
A thanks B.
B answers.

– **Pardon, il y a un/une _____ près d'ici?**
– **Excusez-moi, (Monsieur/Madame), où est le/la _____ ?**

– C'est simple.
– C'est compliqué.

– Tu continues } tout droit.
– Vous continuez

– Tu prends } la première (deuxième, troisième, . . .) rue } à droite.
– Vous prenez   } à gauche.

– C'est sur la droite/gauche.

– **Merci (bien).**
– De rien.

7.14 🔊 C'est où?

Listen to five dialogues. Can you find out where each of them is taking place?

Dialogue 1: _____

Dialogue 2: _____

Dialogue 3: _____

Dialogue 4: _____

Dialogue 5: _____

Organisez!

Set up a market and shops in the class.

1. Draw money and all the food items you have learned on cardboard. You could divide the work between several groups:

   Group 1 draws money.

   Group 2 draws fruits.

   Group 3 draws vegetables.

   Group 4 draws meat, poultry, . . .

   Group 5 draws bread and pastries.

   Group 6 draws cheese, butter, yoghurt, eggs, sugar, bottles of milk, water, lemonade, . . .

2. Make up a price tag for each item.
3. Set up
   — a market place with three stalls
   — a butcher's shop
   — a baker's shop
   — a grocer's shop.
4. Find six volunteers who will be the shopkeepers.
5. Find three volunteers who will be the customers. Give them a shopping list each.
6. The rest of the class watches and listens.
7. Take turns!

Avant d'aller plus loin . . . ?

Before moving on to Unit 8, make sure you can:
— ask for the food item you want
— ask for a particular amount
— ask about prices
— name some typical French shops
— name French cheese.

Now test yourself at <u>www.my-etest.com</u>

8

Qu'est-ce que tu vas faire?

Écoutez!

 8.1

Fabienne:	Allô, Maurice?
Maurice:	Oui?
Fabienne:	Bonjour, c'est Fabienne. Comment vas-tu?
Maurice:	Salut, Fabienne, ça va bien! Et toi?
Fabienne:	Ça va pas mal. J'organise une boum chez moi vendredi soir. Tu veux venir?
Maurice:	Oui, je veux bien. À quelle heure?
Fabienne:	À six heures.
Maurice:	D'accord. À six heures vendredi soir chez toi.
Fabienne:	Oui. Salut!
Maurice:	Salut, Fabienne, et merci!

 8.2

Paul:	Allô, Catherine? C'est Paul! Comment vas-tu?
Catherine:	Bonjour, Paul! Ça va bien et toi?
Paul:	Je vais très bien. Écoute, j'organise une fête samedi prochain. Tu veux venir?
Catherine:	Oui, je veux bien. À quelle heure?
Paul:	À cinq heures.
Catherine:	D'accord. On se retrouve où?

Paul: Chez moi.

Catherine: D'accord, rendez-vous chez toi, samedi prochain à cinq heures.

Paul: Oui, c'est ça. Salut! À samedi!

Catherine: Salut, Paul, et merci pour l'invitation!

8.3

Georges: Allô, Isabelle!

Isabelle: Oui?

Georges: C'est Georges. Comment vas-tu?

Isabelle: Salut, Georges. Je vais bien, merci. Et toi?

Georges: Ça va bien. Je vais au cinéma, ce soir. Tu veux venir?

Isabelle: Je ne peux pas. Je dois faire mes devoirs.

Georges: Et demain soir, tu peux?

Isabelle: Non, je ne peux pas. Je dois aller chez ma grand-mère. Une autre fois peut-être.

Georges: D'accord. Salut!

Isabelle: Salut!

Toulouse, le 15 mai

Cher Jean-François,

Comment vas-tu? Ici, tout va bien. Je suis allée au cinéma hier soir. J'ai vu un film avec Brad Pitt. C'était génial!

Claire a téléphoné aujourd'hui. Elle va organiser une boum chez elle samedi soir. Je suis vraiment contente parce que mes parents sont d'accord. Je vais aller à la boum. On va bien s'amuser!

Demain, je vais acheter un nouveau jean et un tee-shirt. Samedi matin, je vais préparer un gâteau. Samedi soir, je vais apporter des disques et je vais danser, danser, danser!

Et toi, qu'est-ce que tu vas faire ce week-end? Écris-moi vite ou téléphone-moi pour me dire tes projets.

Dis bonjour à ta famille de ma part.

Grosses bises!

À bientôt!

Marie

Découvrez les règles!

Making plans

Read over the dialogues. What would you say in French if you wanted:

- to invite someone?

  _____

- to accept an invitation?

  _____

- to refuse an invitation?

  _____

- to explain why you can't accept an invitation?

  _____

- to ask at what time you should meet?

  _____

- to ask where you should meet?

  _____

Futur proche

1. *Read Marie's letter.*
   a. *Which events occurred in the past?*
   b. *Which events will take place in the future?*
   c. *How do you express the future in French?*
   d. *Find all the verbs conjugated in the future and write them in your copybook.*
2. *In French, the futur proche is made up of two parts. True or false? Give an explanation.*
3. *Complete the rule and learn it off by heart:*

   Futur proche = _____ + infinitive

À vous!

8.4 **Écoutez et remplissez la grille!**

Four teenagers ring up their friends to arrange a meeting.

	Plans	Meeting point	Day	Time
1	Play football	Youth club	Saturday	2.00 p.m.
2				
3				
4				

8.5 📼 **Remettez les phrases dans l'ordre!**

The following three dialogues have been mixed up. Put the sentences in the right order. Then listen to the tape to see if you were right.

1. – D'accord! Rendez-vous chez toi, samedi après-midi à cinq heures.
   – Oui, je veux bien. À quelle heure?
   – À cinq heures.
   – J'organise une boum, samedi après-midi. Tu veux venir?

2. – On se retrouve où?
   – Je vais à la piscine, mercredi. Tu veux venir?
   – On se retrouve à la MJC.
   – D'accord! Rendez-vous mercredi à deux heures devant la MJC.
   – À deux heures.
   – Oui, je veux bien. À quelle heure?

3. – On se retrouve devant la mairie.
   – Oui, je veux bien. À quelle heure?
   – D'accord! Rendez-vous demain à onze heures devant la mairie.
   – On se retrouve où?
   – Je vais visiter le musée demain. Tu veux venir?
   – À onze heures.

8.6 📼 **Écoutez et remplissez la grille!**

Mathieu organise une boum. Il téléphone à ses copains et copines. Qui accepte? Qui refuse? Pourquoi?

	Accepts	Refuses	Excuse given for refusal
Corinne		✔	has to visit grandparents
Jean-Hugues			
Julien			
Nathalie			
Stéphanie			

Dialoguez!

Working with your partner, write out dialogues using the cues provided below. Then practise them together.

– **Allô?**
– Allô, bonjour, c'est . . . . . Comment vas-tu?
– **Ça va bien, merci. Et toi?**
– Ça va bien.

J'organise	une boum chez moi	vendredi soir.	Tu veux venir?
Je vais	à la piscine	dimanche.	
Je vais	au cinéma	pendant le week-end.	
Je vais	au musée	le week-end prochain.	
Je joue	au foot	mercredi après-midi.	
Je fais	une promenade	samedi matin.	
Je fais	du vélo	la semaine prochaine.	
Je vais	au club des jeunes	ce soir.	

→

Je vais	nager	demain.
Je vais	faire du sport	demain après-midi.

— Non, je ne peux pas. Je dois finir mes devoirs.
faire mes devoirs.
travailler dans le jardin.
rester à la maison.
rendre visite à la famille.
aller au cours de musique.
aller en ville.
aller à l'hôpital.
faire les courses.
aider mes parents.

Oui, je veux bien. À quelle heure?
— À . . . . . heure(s).
— D'accord. On se retrouve où?
— Chez moi.
Chez toi.
Devant la piscine.
Devant le cinéma.
Devant le musée.
Au stade.
À la maison des jeunes.
À la plage.
— D'accord. Rendez-vous (place + day + time). Au revoir!
— Au revoir!

Jeux de rôles

1. A téléphone à B.

A introduces him/herself on the phone and asks how B is.
B says hello, he/she is well and asks how A is.
A is fine. A says he/she is organising a party on Saturday evening and asks if
 B would like to come along.
B accepts the invitation and asks at what time the party is on.
A tells B the party is on at 6.00 p.m.
B says alright and thanks A.

A says goodbye.

B says goodbye.

2. A and B

B says hello on the phone.

A introduces him/herself on the phone and asks how B is.

B says he/she is well and asks how A is.

A is very well. A says he/she is going to the sea tomorrow and asks if B would like to come along.

B asks at what time.

A says at 1.00 p.m.

B can't go because he/she has to work at home.

A asks if 5.00 p.m. would suit.

B accepts the invitation and asks where they should meet.

A suggests they meet at B's house.

B says alright and recaps (meeting place + day + time).

A says that's right.

B says goodbye and see you tomorrow.

B replies.

8.7 📼 **Écoutez et répondez aux questions!**

Dimanche soir. Michelle et Bruno sont au téléphone.

Bruno:	Allô, Michelle!
Michelle:	Oui?
Bruno:	C'est Bruno. Comment vas-tu?
Michelle:	Salut, Bruno. Je vais bien, merci. Et toi?
Bruno:	Ça va bien. Qu'est-ce que tu as fait pendant le week-end?
Michelle:	Je suis allée en Bretagne avec mes parents et ma soeur. Nous avons rendu visite à des amis. C'était bien!
Bruno:	Qu'est-ce que tu as fait en Bretagne?
Michelle:	Je me suis promenée au bord de la mer. J'ai nagé un peu. Samedi après-midi, j'ai fait de la voile avec mon père. J'ai aussi fait de la planche à voile. C'est difficile! Je suis tombée souvent!

Bruno: Il a fait quel temps?

Michelle: Il y avait du soleil et il a fait chaud. J'ai même bronzé un peu! Et ici, à Paris, il a fait beau?

Bruno: Non! Il a plu tout le week-end et il a fait froid.

Michelle: Qu'est-ce que tu as fait pendant le week-end?

Bruno: Je suis resté à Paris. Vendredi soir, je suis allé chez Pierre. On a joué de la guitare. On a regardé la télévision. On a écouté des disques. C'était bien!

Michelle: Et samedi, qu'est-ce que tu as fait?

Bruno: Samedi, j'ai fait la grasse matinée. Je me suis réveillé à dix heures. Ensuite, je suis allé au marché. J'ai fait les courses pour mes parents. L'après-midi, je suis allé à l'entraînement de football, avec l'équipe junior du Paris-Saint-Germain. C'était difficile! Samedi soir, je suis allé voir le match PSG/Marseille au Stade de France. C'était super!

Michelle: Et qui a gagné, le Paris-Saint-Germain ou Marseille?

Bruno: Marseille, un-zéro.

Michelle: Pauvre Bruno! Enfin! Mercredi après-midi, je vais au cinéma. Tu veux venir?

Bruno: Non, je ne peux pas. Je dois aller à l'entraînement.

Michelle: Et mercredi soir, tu peux venir?

Bruno: Mercredi soir, oui, d'accord. À quelle heure?

Michelle: À six heures.

Bruno: D'accord, on se retrouve où?

Michelle: Devant la MJC.

Bruno: D'accord. Rendez-vous mercredi à six heures devant la MJC.

Michelle: Salut, à mercredi!

Bruno: Salut, Michelle!

Compréhension

1. Where does Michelle live?
2. Where does Bruno live?
3. Where did Michelle go during the weekend?
4. List two activities she engaged in.
5. Describe the weather in Paris during the weekend.
6. What did Bruno do on Friday night?
7. Name the two teams that played in the Stade de France.
8. Michelle invites Bruno to come along with her to the youth club. True or false?
9. On what day and at what time are they meeting?

8. Qu'est-ce que tu vas faire?

8.8 **Écoutez et remplissez la grille!**

Benoît, Fabrice, Chantal et Marissa parlent du week-end.
Quels sont leurs projets?

	Plans for Saturday	Plans for Sunday
Benoît		
Fabrice		
Chantal		
Marissa		

8.9 **Prononcez bien! The yod**

In French, the yod is pronounced as in the word 'yes'.
Écoutez et répétez!

1.
a. hier	yoyo	yaourt
b. voyage	billet	payer
c. fille	quille	famille
d. bouteille	soleil	réveil
e. nouille	fouille	rouille
f. paille	ail	maille

2.
a. pâle	paille
b. file	fille
c. foule	fouille
d. roule	rouille
e. mal	maille

Remplissez les blancs!

— Qu'est-ce que tu _____ faire pendant le week-end?
— Je vais _____ au foot avec mon équipe.
— Tu _____ jouer où?

– On _____ jouer à Metz. Et toi, qu'est-ce que tu
  vas _____ pendant le week-end?
– Samedi, je vais _____ dans le jardin.
  Dimanche, je _____ _____ de la
  planche à voile.

Dialoguez!

Et toi, qu'est-ce que tu vas faire, pendant le week-end?
Mention four things you will do during the weekend. Then ask your partner.

Reliez!

Match a personal pronoun with the appropriate verb form.

Je	allons jouer au basket.
Tu	va manger au restaurant.
Il	vais acheter des bonbons.
Elle	vont prendre le train.
Nous	va faire les courses.
Vous	vont lire une bande dessinée.
Ils	allez partir en vacances?
Elles	vas regarder la télé?

Faites six phrases!

	il	vais	visiter	au foot.
	nous	vas	manger	Lyon.
	tu	va	jouer	en vacances.
Demain	je	allons	partir	de la planche à voile.
	elles	allez	acheter	des escargots.
	vous	vont	faire	une bande dessinée.

Réfléchissez!

In each of the following sentences:
1. underline the verb in the present tense
2. find the infinitive
3. rewrite the sentence in the futur proche.

8. Qu'est-ce que tu vas faire?

Exemple: 1. Tu <u>manges</u> au restaurant.
2. Infinitive: **manger**
3. Tu **vas manger** au restaurant.

a. Je mange un sandwich.
b. Elle fait ses devoirs.
c. Nous regardons la télévision.
d. Je range ma chambre.
e. Qu'est-ce que tu fais?
f. Pierre se lève.
g. Elles jouent au foot.
h. Alain et Henri vont à la plage.
i. Je travaille dans le jardin.
j. Tu rencontres des amis.

Répondez aux questions!

Exemple: — Qu'est-ce que tu vas faire demain soir?
(aller au cinéma)
— **Je vais aller au cinéma.**

1. Qu'est-ce que tu vas faire pendant le week-end?
(faire du tennis)
2. Qu'est-ce qu'il va faire dimanche?
(jouer au foot)
3. Qu'est-ce qu'on va faire demain soir?
(partir en vacances)
4. Qu'est-ce qu'ils vont faire ce soir?
(faire une promenade, écouter de la musique)
5. Qu'est-ce que tu vas faire demain?
(aller à l'école, jouer au basket)
6. Qu'est-ce qu'elles vont faire la semaine prochaine?
(visiter la Normandie)
7. Qu'est-ce que vous allez faire mercredi prochain?
(faire une randonnée en montagne)
8. Qu'est-ce que tu vas faire, dimanche?
(rendre visite à des amis)

Faites cinq phrases!

Aujourd'hui		en Bretagne.
Demain	suis allée	un livre de science-fiction.
La semaine dernière	je	vais faire	au basket.
Hier	j'	ai joué	une glace.
Demain soir		visite	du camping.
La semaine prochaine		lis	Paris.

Chouette, c'est le week-end!

Vendredi après-midi, dans la salle de classe . . .
Qu'est-ce qu'ils vont faire?

Parlez!
La boule de cristal

A wants to know the future and decides to go to a
fortune teller(B). Play the scene.

Exemple: – Qu'est-ce que je vais faire demain?

– Qu'est-ce que je vais faire en 2015?

– Qui est-ce que je vais rencontrer ce week-end?

– Où est-ce que je vais aller pendant les vacances?

Lisez!
Les petits mots

Maman,
Juste un petit mot pour dire
que Marc a téléphoné.
Nous allons aller à la piscine.
J'ai rangé ma chambre
et j'ai fait la vaisselle. Je vais
rentrer à la maison à quatre
heures.

À tout à l'heure,
François

Sébastien,
Merci pour l'invitation mais
je ne peux pas venir à la
boum. Malheureusement, je
dois aller chez mon oncle
samedi soir. Mille excuses!

À bientôt,
Chloé

Chère Catherine,
Juste un petit mot pour dire que je
vais aller à la plage demain avec
des copains. Tu veux venir? On va
faire un pique-nique et on va jouer
au volley. On va bien s'amuser!
Rendez-vous à deux heures chez
moi.

À demain, j'espère!
Laurent

Marc,
Juste un petit mot pour dire
que j'accepte ton invitation.
J'ai parlé à mes parents et ils
sont d'accord. Je peux aller à
la boum! Je vais apporter des
gâteaux et des disques.

À samedi,

Anne

Écrivez!

1. You are on holidays in Corsica. Leave a note to your friend Michelle saying the
   following:
   – You have gone to the beach.
   – Ask her if she wants to come down.
   – Tell her you are going to play badminton on the beach.

2. While on holidays in Belgium, you made friends with a Belgian, Pierre/
   Pierrette. He/she wants to invite you to a party on Saturday. You called to
   his/her house but he/she wasn't there. Leave a note saying:
   – Thanks for the invitation but you can't go.
   – Explain that you have to visit friends on Saturday afternoon.
   – Say that you are going to ring him/her tomorrow.

3. You are staying with your penpal in Caen. While he/she was out, Claude rang
   and asked you to go the pictures with him/her. Leave a note to your penpal
   saying that:
   – Claude rang.
   – You are going to go to the pictures.
   – You are going to see . . . (give the name of a film).
   – You will be back at 6.15.

Lisez!
Une lettre de Normandie

Cherbourg, le 15 mai

Cher Chris,

Je suis ta nouvelle correspondante française. Je m'appelle Estelle Ramy. J'ai quinze ans.
Mon anniversaire est le 8 mai. J'ai les cheveux blonds et les yeux bleus. Je suis assez
grande.

J'habite à Cherbourg, en Normandie. Ma maison est assez grande. Il y une salle à
manger, une cuisine et quatre chambres.

Mon père est pêcheur et ma mère travaille à la maison. J'ai une soeur et un frère.
Ma soeur s'appelle Noémie. Elle a dix-huit ans. Elle est généreuse et super sympa! Mon
frère s'appelle Gérard et il a huit ans. Il adore le foot et il est très sportif.

Moi aussi, je suis sportive: je fais de la natation et je joue au basket dans l'équipe
de mon école. J'aime aussi lire et pêcher.

Le week-end, je me promène sur la côte et je regarde les cargos qui arrivent dans
le port. Il y a beaucoup de bateaux irlandais et anglais ici.

Parfois, le week-end, je vais à Jersey avec ma famille. Ce n'est pas loin. Nous
partons tôt le matin et revenons le soir. C'est chouette! On peut pêcher, faire des pique-
niques et parler anglais!

$\longrightarrow$

8. Qu'est-ce que tu vas faire?

Le week-end, j'aime aussi sortir avec mes amis. Nous allons au cinéma ou à la piscine. Parfois, j'organise une boum à la maison et j'invite mes copains et mes copines. On s'amuse bien!

À l'école, ma matière préférée, c'est l'anglais. C'est une matière intéressante et le prof est sympa. Je déteste les maths: c'est ennuyeux!

Dis bonjour à ta famille de ma part.

Écris-moi vite et dis-moi tout!

À bientôt!

Estelle

Compréhension

1. Répondez en anglais!
- a. Where does Estelle live?
- b. How old is she?
- c. When is her birthday?
- d. Give a description of Estelle.
- e. What do her parents do?
- f. Describe Estelle's brother and sister.
- g. What are Estelle's hobbies?
- h. What does she do at weekends?
- i. Which subjects does she like/dislike in school? Why?

2. Now imagine you are staying with Estelle and her family for two weeks. Write an account of what you did last weekend. Then describe how you will spend next weekend.

Lisez!
L'histoire en Normandie

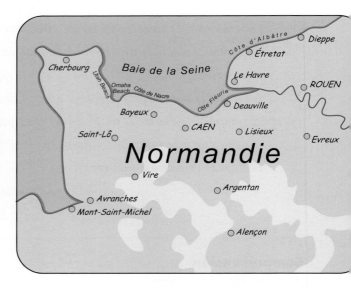

Les Vikings sont arrivés sur les côtes de la Manche au neuvième siècle. Ils sont venus de Scandinavie, dans le nord de l'Europe, d'où le nom Normand (homme du nord).

En 911, le roi de France a autorisé les Normands à s'installer dans la région de Rouen. La Normandie est devenue un territoire indépendant du royaume de France.

Au onzième siècle, Guillaume le Conquérant, un Normand, a gagné la bataille de Hastings et il est devenu Roi d'Angleterre.

Au quinzième siècle, la Normandie a été occupée par les Anglais. Jeanne d'Arc a combattu les troupes anglaises. Elle a été brûlée à Rouen.

Compréhension
1. Where did the Normans come from?
2. Who was William the Conqueror?
3. Why was Joan of Arc burnt at the stake?
4. What happened on 'D-Day'?

Le 6 juin 1944, 'Jour-J', les troupes alliées ont débarqué sur les plages de Normandie pour libérer l'Europe.

Visitez la Normandie!

Look at the following guides, then answer the questions.

VISITES TECHNIQUES

Localité	Nom	Activité	Conditions de visite
Le Havre	Renault	Production automobile	Mardi et jeudi. Durée 3h. Gratuit.
Isigny	Toff'Isy	Caramels	Visite gratuite du lund. au vend. 8h–12h. Durée 1h. Dégustation gratuite.
Flamanville (Cherbourg)	Centrale nucléaire	Production d'électricité	Lund. au sam. 9h–12h30/14h–18h30. Passeport/carte d'identité demandé.
Mortagne	La Rigole	Élevage d'escargots	Sur rendez-vous. Visite + dégustation 5,50€.
Camembert (Vimoutiers)	Le Manoir	Camembert	Fermé au public le dimanche. Visite + dégustation 2€. Vente.
L'Aigle	Les Caves de Normandie	Calvados et cidre	Lundi au jeudi 10h–15h. Visite 2,30€/ personne. Dégustation.

ABBAYES/ÉGLISES/CHÂTEAUX

Rouen
Cathédrale de style gothique.
Visite guidée 40 minutes.

Lisieux
Basilique construite au début du XXᵉ siècle pour commémorer Sainte-Thérèse de Lisieux, consacrée en 1954.
Visite libre de 8h à 20h. Visite guidée possible.

Le Mont-Saint-Michel
Abbaye, haut-lieu de pèlerinage et de tourisme.
Ouverte toute l'année sauf les 01–01, 01–05, 01–11, 11–11 et 25–12. Scolaires gratuit.

Caen
Forteresse médiévale commencée sous le règne de Guillaume le Conquérant. Accès libre.

MUSÉES

BAYEUX

Tapisserie de Bayeux. Œuvre unique, célèbre dans le monde entier. Retrace les préparatifs et le début de la conquête de l'Angleterre par Guillaume le Conquérant, Duc de Normandie. Tarifs: Adultes 3€/Scolaires 1,60€. Durée de la visite: 1h30.

MUSÉE MÉMORIAL DE LA BATAILLE DE NORMANDIE

Situé près du cimetière britannique, ce musée retrace l'histoire de la Bataille de Normandie du 6 juin au 22 août 1944.

OMAHA BEACH – COLLEVILLE

**Cimetière Militaire Américain de Normandie rassemblant plus de 9000 croix blanches. Les jeunes Américains ont perdu leur vie au moment du débarquement.
Musée d'Omaha. Collection de véhicules militaires, d'armes, de costumes. Adultes 2,20€/scolaires 1€. Durée: 30mn. Ouvert de 9h à 19h.**

LIVAROT

**Musée du Fromage. Reconstitution d'une laiterie fermière, d'une fromagerie et explication de la fabrication du fromage.
Durée: 45mn. Tarif adultes/adolescents 1,40€.
Ouvert tous les jours 10–12h/14h–18h.**

CENTRES DE LOISIRS

Louviers

Aquarium, requins, piranhas. Groupes sur rendez-vous.

Vire

Restaurant, pêche, voile, planche à voile, pédalos, canoë-cayak.

Vimoutiers

Piscine, tennis, équitation, pédalos, pêche, jeux, ski sur herbe.

8. Qu'est-ce que tu vas faire?

Where would you go if you wanted:
— to visit a nuclear powerstation?
— to taste Camembert cheese?
— to see a snail farm and taste snails?
— to see sharks and piranhas?
— to see how cars are being built?
— to see how sweets are being made and taste some?
— to try skiing on grass?
— to visit a gothic cathedral?
— to visit the house of Saint Thérèse?
— to know more about 'D-Day'?
— to go sailing?
— to know more about William the Conqueror?
— to go canoeing?
— to see how cider is being made?

Écrivez!

You are on holidays in Normandy with your penpal and his/her family. You arrived three days ago and travelled by boat from Rosslare to Cherbourg. Write a letter to your Canadian penpal in Québec. Include the following points:
— where you are and with whom
— how you found the journey
— what you eat
— what the weather is like
— what you did
— what you will do.

Écoutez!

Poème de Jacques Prévert
(© Edition Gallimard)

Déjeuner du matin

Il a mis le café
Dans la tasse
Il a mis le lait
Dans la tasse de café
Il a mis le sucre
Dans le café au lait
Avec la petite cuiller
Il a tourné
Il a bu le café au lait
Et il a reposé la tasse
Sans me parler
Il a allumé
Une cigarette
Il a fait des ronds
Avec la fumée
Il a mis les cendres
Dans le cendrier
Sans me parler
Sans me regarder
Il s'est levé
Il a mis son manteau de pluie
Parce qu'il pleuvait
Et il est parti
Sous la pluie
Sans me regarder
Et moi j'ai pris
Ma tête dans ma main
Et j'ai pleuré.

1. *Enact the scene.*
2. *Imagine what happened before.*
   What will happen next? What
   will happen the following
   morning?

Avant d'aller plus loin . . .   ?

Before moving on to Unit 9, make sure you can:
– say what you intend to do in the near future
– accept an invitation
– refuse an invitation
– explain why you can't accept an invitation
– describe some features of Normandy.

Now test yourself at www.my-etest.com

9

C'était comment?

Écoutez!

9.1

*Pascal et Sylvie se retrouvent à
la rentrée.*

Pascal: Qu'est-ce que tu as
fait pendant les
grandes vacances?

Sylvie: Au mois d'août, je suis partie pour quinze jours.

Pascal: Tu es allée où?

Sylvie: Je suis allée en Bretagne. C'était chouette!

Pascal: Qu'est-ce que tu as fait pendant tes vacances?

Sylvie: J'ai fait de la planche à voile. J'ai nagé. Je me suis
promenée. J'ai rencontré des jeunes très sympa. Et
toi, Pascal, qu'est-ce que tu as fait? Tu es parti en
vacances?

Pascal: Oui, au mois de juillet, je suis allé chez mes grands-
parents, en Bourgogne. C'était plutôt bien.

Sylvie: Et qu'est-ce que tu as fait en août?

Pascal: Au mois d'août je suis resté ici. Avec les copains, on
est allés dans un centre aéré. Nous nous sommes
bien amusés! J'ai joué au foot. J'ai fait du canoë-
cayak. Il y avait beaucoup d'activités intéressantes.
C'était super!

9.2

Christophe est nouveau dans la classe.

Anne: Tu habitais où, auparavant?
Christophe: J'habitais à Lyon.
Anne: C'était bien?
Christophe: Oui, c'était génial! En hiver, j'allais dans les Alpes avec ma famille. Nous faisions du ski. En été, je descendais sur la côte d'Azur.
Anne: Tu avais des amis sympa?
Christophe: Oui, mes amis étaient très sympa. Ils habitaient près de chez moi. C'était pratique!
Anne: Qu'est-ce que vous faisiez le week-end? Vous alliez au cinéma?
Christophe: Oui, nous allions au cinéma. Nous nous promenions. Nous bavardions. Il y avait beaucoup de choses à faire!

Découvrez les règles!

Use of the imparfait and the passé composé

1. *Read the two dialogues paying particular attention to the verbs. Then answer the following questions. Give examples to prove your point.*
   a. *Which tense is used when talking about something that happened at a definite point in time?*
   b. *Which tense is used when talking about something that happened regularly over a longer period of time?*
   c. *Which tense is used for describing how things/people were or used to be?*
2. *Now complete the following rules and learn them off by heart:*

The passé composé is used when _____
_____

The imparfait is used when _____
_____

9. C'était comment?

Formation of the imparfait

1. *Read over Dialogue 9.1 and find four verbs in the* imparfait. *Are these verbs made up of one or two parts?*
2. *Read over Dialogue 9.2 and find seventeen verbs in the* imparfait.
3. *Find the infinitive of each verb. What are the endings of the* imparfait?
4. *Conjugate the following verbs in the* imparfait *and learn them by heart.*

habiter		**être**	
j'	_____	j'	étais
tu	_____	tu	_____
il/elle/on	habitait	il/elle/on	_____
nous	_____	nous	étions
vous	_____	vous	_____
ils/elles	_____	ils/elles	_____

faire		**avoir**	
je	_____	j'	avais
tu	faisais	tu	_____
il/elle/on	_____	il/elle/on	_____
nous	_____	nous	_____
vous	_____	vous	_____
ils/elles	_____	ils/elles	_____

À vous!

9.3 🎙️ **Écoutez et complétez la grille!**

Trois jeunes parlent de leurs vacances.

	Destination	**Month**	**Activities**	**Weather**	**Opinion**
Caroline					
Marc					
Aurélie					

9.4 🎙️ **Écoutez et remplissez les blancs!**

Salut! Je m'_____ (1) Pierre. J'ai _____
(2) ans. Moi, j'habite à Nancy, dans l'est de la
France. Pendant les grandes vacances, je suis
_____ (3) en Bretagne avec toute _____ (4) famille,
c'est-à-dire: _____ (5) père, ma mère, ma sœur et _____ (6) deux frères.
Nous _____ (7) partis en juillet. Un jour, j'ai _____ (8) du surf. C'___
_____ (9) difficile! Tous les jours, je me _____ (10) vers huit heures. Je
_____ (11) le petit déjeuner pour toute la famille et ensuite je _____
(12) à la plage. Il y _____ (13) beaucoup de monde! J'ai _____ (14) de
bonnes vacances. C'_____ (15) génial!

Compréhension
1. What age is Pierre?
2. Where is Nancy?
3. When and where did he go on holidays?
4. How many brothers and sisters does Pierre have?
5. How did he spend his days?
6. There weren't too many people on the beach. True or false?
7. Did Pierre enjoy his holidays?

9. C'était comment?

Complétez avec les mots suivants!

> étaient – allée – allais –
> faisais – faisait – fait–
> avait – Brigitte – France
> – regardais – Limoges –
> rencontré – restée –
> pleuvait – rendais

Je m'appelle _____ (1) . J'ai seize ans. J'habite à _____ (2), dans le Limousin. C'est dans le centre de la _____ (3). En juillet, je suis _____ (4) ici. Quand il _____ (5) beau, j'_____ (6) me baigner dans un lac situé à quelques kilomètres d'ici ou bien je _____ (7) du vélo avec mes copines. Quand il _____ (8), je _____ (9) visite à des amies, je _____ (10) la télévision ou bien je lisais. En août, j'ai _____ (11) du camping avec ma famille. Je suis _____ (12) à Bayonne, dans le Pays Basque. Il y _____ (13) du soleil et il faisait chaud. J'ai _____ (14) des jeunes qui _____ (15) très sympa.

Compréhension
Répondez en français! Write full sentences!

1. Comment s'appelle la fille?
2. Elle a quel âge?
3. Elle habite où?
4. Où se trouve le Limousin?
5. Est-ce qu'elle est partie en vacances en juillet?
6. Qu'est-ce qu'elle a fait?
7. Qu'est-ce qu'elle faisait quand il pleuvait?
8. Qu'est-ce qu'elle faisait quand il y avait du soleil?
9. Où est-elle allée en août?
10. Est-ce que les jeunes étaient sympa?

Mettez de l'ordre dans le dialogue!

Match each question with the appropriate answer and write out a coherent dialogue!

c. Oui, le soleil brillait souvent.

4. Est-ce que tu es parti en vacances?

7. Qu'est-ce que tu as fait?

a. C'était vraiment bien.

2. Tu es parti quand?

d. Je suis parti en juillet, pour quinze jours.

b. J'allais au cinéma. Je visitais les musées. Je jouais aux cartes.

e. Oui, je suis parti en vacances.

3. Tu es allé où?

6. Qu'est-ce que tu faisais quand il pleuvait?

5. C'était comment?

f. J'ai fait de l'équitation. J'ai joué au foot.

g. Je suis allé en Vendée avec ma famille. Nous avons fait du camping.

1. Il faisait beau?

`9.5` 📼 **Prononcez bien! Opposition présent/imparfait**

1. Écoutez et répétez les paires de mots suivantes!

a.	j'habite	j'habitais
b.	nous habitons	nous habitions
c.	vous habitez	vous habitiez
d.	nous faisons	nous faisions
e.	vous apprenez	vous appreniez
f.	j'ai habité	j'habitais
g.	j'ai ramassé	je ramassais
h.	il a acheté	il achetait
i.	elle a trouvé	elle trouvait

9. C'était comment?

2. *Listen carefully and say whether the sentence being read out is in the present tense, the* imparfait *or the* passé composé.

a. J'habite à Paris.	J'habitais à Paris.	J'ai habité à Paris.
b. Marie va à Nice.	Marie allait à Nice.	Marie est allée à Nice.
c. Il travaille.	Il travaillait.	Il a travaillé.
d. Nous marchons.	Nous marchions.	Nous avons marché.
e. Elles s'amusent.	Elles s'amusaient.	Elles se sont amusées.
f. Le soleil brille.	Le soleil brillait.	Le soleil a brillé.

Jeux de rôles

1. *A and B*

A asks B what he/she did during the holidays.
B says he/she went to Brittany with his/her family.
A asks if B enjoyed it.
B enjoyed the holidays and says he/she went windsurfing. It was difficult.
A asks B if the weather was good.
B says the weather was alright (*comme-ci comme-ça*). When the weather was fine, B used to go swimming or used to play football. When it rained, B used to visit museums or read.

2. *A and B*

A asks B where he/she went during the holidays.
B says that he/she stayed at home in July.
A asks B what he/she did.
B says the weather was great. B visited friends. They went cycling, swimming and played football. It was quite nice.
A asks B what he/she did in August.
B went to the seaside for two weeks. The family stayed at a campsite. B met many young people from all nationalities. They were very nice people. B asks what A did during the holidays.
A went to the countryside and stayed on a farm.
B asks A what he/she used to do.
A worked on the farm and went horse-riding. It was great.

Dialoguez!

Ask your partner the following questions and write his/her answers in your copy. Then report to the class.

1. Est-ce que tu es parti(e) en vacances?
2. Tu es parti(e) quand?
3. Tu es allé(e) où?
4. Tu as rencontré des jeunes sympa?
5. Qu'est-ce que tu as fait?
6. C'était comment?
7. Il faisait beau?
8. Qu'est-ce que tu faisais quand il pleuvait?
9. Tu es revenu(e) quand?

Reliez!

Écrivez dix phrases dans votre cahier!

1. Il	détestais les maths.
2. Les copines	chantions des ballades.
3. J'	faisait chaud.
4. Mes parents	était chouette!
5. Vous	lisais beaucoup.
6. Je	étais bavard à l'école.
7. Stéphane et moi	travaillaient dur.
8. Mon frère	partiez souvent en vacances.
9. Tu	adorait le riz au lait.
10. C'	s'amusaient bien.

Mettez les verbes à l'imparfait!

1. Je vais au collège.
2. C'est la rentrée.
3. Il y a deux nouveaux élèves.
4. Le samedi, je n'ai pas cours.
5. Les professeurs sont sympa.
6. Je déjeune à la cantine.
7. Le soleil brille.
8. Il fait chaud.
9. Mon frère et moi, nous lisons beaucoup.
10. Les émissions à la télévision sont ennuyeuses.

11. Il pleut beaucoup.
12. Elles font du tennis.
13. Nous finissons nos devoirs.
14. Qu'est-ce que vous faites le week-end?
15. Le soir, j'écoute de la musique.
16. Nous ne pouvons pas venir à ta fête.
17. Je ne peux pas être là.
18. Il fait quel temps?
19. Je dois aller en ville.

Passé composé ou imparfait?

Decide on whether to use the passé composé *or the* imparfait *and translate the sentences.*

1. I went to Nice in July.
2. I used to go to Paris in spring.
3. I wrote a letter today.
4. The sun was shining.
5. It rained in March.
6. It used to rain every August.
7. She was tall.
8. The food was horrible.
9. Pierre used to lie in.
10. I played football yesterday.
11. I played football when I was young.
12. Marianne had lunch with Jean-Paul last Monday.
13. They used to have dinner at eight o'clock.
14. It was great fun!
15. He had blue eyes and wore glasses.

Trouvez l'intrus!

1. aller – allait – allaient – allions
2. buvais – buvait – buvons – buvions
3. regardiez – regardez – regardons – regardes
4. était – étions – étiez – été
5. avons – ont – avaient – avez

Trouvez la bonne réponse!

1. Quand il pleuvait
   - a. je vais au musée. ☐
   - b. je suis allée à la pêche. ☐
   - c. j'allais chez ma copine. ☐
   - d. je vais aller chez Frédéric. ☐

2. Quand il y avait du soleil
   - a. je vais faire du vélo. ☐
   - b. j'ai fait de l'aviron. ☐
   - c. je fais de l'escalade. ☐
   - d. je faisais de la natation. ☐

3. Quand il faisait beau
   - a. j'ai joué au foot. ☐
   - b. je travaillais à la ferme. ☐
   - c. je suis allée à la plage. ☐
   - d. j'ai travaillé à la ferme. ☐

4. Quand il y avait du vent
   - a. j'ai fait de la planche à voile. ☐
   - b. je fais de la planche à voile. ☐
   - c. je faisais de la voile. ☐
   - d. j'ai fait du surf. ☐

 Dictée: écoutez et écrivez!

 Écoutez!

REPORTAGE: LA VIE À LA CAMPAGNE DANS LES ANNÉES VINGT

ACHILLE CAMPION: UNE VIE DE TRAVAIL

Achille Campion est né en 1915 à Wavrechain, un petit village situé dans le département du Nord, près de Lille. Ses parents étaient tous deux agriculteurs. Son père, Arthur, travaillait dans les champs tandis que sa mère, Augustine, s'occupait des poules et des cochons. Elle devait également travailler dans la maison: elle préparait les repas, elle faisait le ménage, elle lavait le linge. C'était une vie difficile!

À l'âge de cinq ans, Achille est entré à l'école du village. C'était un petit bâtiment en briques rouges. Il y avait deux salles de classe. Achille apprenait la lecture, l'écriture et l'arithmétique. Il faisait aussi un peu d'histoire et de géographie. 'Nous apprenions par cœur les dates des grandes batailles . . . C'était ennuyeux! Je n'aimais ➡

pas aller à l'école!' raconte Achille. En ces temps-là, il n'y avait pas de cours de sciences, pas de musique, pas de sport.

Le règlement était très strict: si on bavardait en classe, on reçevait cinq coups de canne sur les doigts. Si on ne faisait pas ses devoirs ou si on n'apprenait pas ses leçons, on reçevait quatre coups. Les maîtres étaient sévères.

Chaque matin, Achille se levait à six heures et demie. Il se lavait avec de l'eau froide, s'habillait et prenait son petit déjeuner. À l'époque, il n'y avait pas de bus scolaire, alors Achille allait à l'école à pied. Il faisait cinq kilomètres le matin et la même

distance le soir. Lorsqu'il rentrait chez lui, Achille aidait son père ou sa mère. Tout l'été, il travaillait dans les champs. En septembre ou en octobre, il ramassait les pommes de terre.

À l'âge de dix ans, Achille a quitté l'école parce que ses parents n'étaient pas riches. Pendant cinq ans, il a travaillé avec son père. À quinze ans, Achille a trouvé un travail dans les mines de charbon. Il est resté mineur jusqu'à sa retraite, à 65 ans. 'La vie était dure, très dure. C'était une vie de travail. Nous avions très peu de loisirs, mais je ne regrette rien!'

Compréhension

1. In what year was Achille Campion born?
2. Where is Wavrechain situated?
3. What did his parents do for a living?
4. At what age did he start school?
5. What size was the school?
6. What subjects did he learn?
7. Did Achille like going to school?
8. How strict were the rules?
9. What time did he usually get up at?
10. How did he get to school?
11. What did he do in the evenings?
12. What did he do during the summer holidays?

13. At what age did he leave school? Why?
14. What job did he take up when he was fifteen?
15. How does Achille sum up his life?

Répondez en français!
Answer the questions from Achille Campion's point of view!

Exemple: – Vous êtes né en quelle année?
– **Je suis né en 1915.**

1. Vous êtes né en quelle année?
2. Vous êtes né où?
3. Que faisaient vos parents?
4. Vous êtes entré à l'école à quel âge?
5. C'était une grande école?
6. Qu'est-ce que vous appreniez à l'école?
7. Vous aimiez l'école?
8. Est-ce que le règlement était strict?
9. Vous vous leviez à quelle heure?
10. Il y avait un bus scolaire?
11. Que faisiez-vous, d'habitude, le soir?
12. Que faisiez-vous, généralement, en été?
13. Vous avez quitté l'école à quel âge?

Faites un reportage!
Find out about school in Ireland in the 1920s. You could interview your grand-parents or other older people you know. You could also ask your history teacher for some advice.

9. C'était comment?

Comparez!

Le système scolaire français

Diplôme: LE BACCALAURÉAT

17 ans   Terminale
16 ans   Première   Le lycée
15 ans   Seconde

Diplôme: LE BREVET DES COLLÈGES

14 ans   Troisième
13 ans   Quatrième   Le collège
12 ans   Cinquième
11 ans   Sixième

L'école
secondaire

10 ans   Cours moyen 2
9 ans   Cours moyen 1
8 ans   Cours élémentaire 2   L'école primaire
7 ans   Cours élémentaire 1
6 ans   Cours préparatoire

5 ans
4 ans   L'école maternelle
3 ans
2 ans

9.8 Écoutez!

Strasbourg, le 4 octobre

Chère Siobhán,

Comment vas-tu? Moi, je vais bien. Merci de ta lettre que j'ai reçue hier. Tu m'as demandé de t'expliquer comment fonctionne le système scolaire en France. C'est simple!

En France, on ne porte pas d'uniforme et toutes les écoles sont mixtes. C'est-à-dire que les garçons et les filles travaillent ensembles. La scolarité est obligatoire de six ans à seize ans.

De deux à cinq ans, la plupart des enfants vont à l'école maternelle. C'est gratuit mais ce n'est pas obligatoire! À l'école maternelle, les enfants s'amusent, ils jouent, il chantent, ils apprennent des poèmes.

Après cela, les enfants entrent à l'école primaire, de six à dix ans. Ils apprennent principalement à lire, à écrire et à compter. L'instituteur ou l'institutrice enseigne le français, les mathématiques, l'histoire, la géographie, l'éducation physique, le dessin, les sciences ainsi qu'une langue vivante.

Ensuite, il y a l'école secondaire qui est divisée en deux parties: le collège et le lycée. La personne qui enseigne s'appelle le professeur. Au collège, les classes s'appellent la sixième, la cinquième, la quatrième et la troisième. À la fin de la troisième, les élèves passent un examen: le Brevet des Collèges.

Après la troisième, les élèves sont orientés selon leur choix ou leur niveau. Ils vont dans un lycée. Là, les élèves ont plus de liberté. Dans un lycée, les classes s'appellent la seconde, la première et la terminale. L'examen final s'appelle le Bac. Tu as compris?!

Écris-moi vite et explique-moi comment fonctionne le système scolaire irlandais!

À bientôt!

Salut!

Marc

9. C'était comment?

Compréhension

Répondez en anglais! Copy a word or sentence from the text to support your answer!

1. Do French pupils wear uniforms?
2. Are there school for boys and others for girls in France?
3. Between what ages is schooling compulsory in France?
4. Is playschool compulsory in France?
5. At what age does primary school begin?
6. What is a primary school teacher called in France?
7. What is a secondary school teacher called in France?
8. How many years does a pupil study at a *collège*?
9. Where do pupils go after the *collège*?
10. What is the final examination called in France?

9.9 Écoutez et remplissez la grille!

Patrick présente son frère et ses sœurs.

	Name	**Age**	**Colour of eyes**	**Colour of hair**	**Pastimes**
1					
2					
3					

Now work out what type of school they attend and what class they are in.

Remplissez les blancs!

1. J'ai quatorze ans. Je vais au _____ .
2. J'ai treize ans. Je suis en _____ .
3. Les élèves de troisième passent le _____ .
4. Ma sœur a cinq ans, elle va à _____ .
5. Luc est en première. L'année prochaine, il va passer le _____ .
6. J'ai neuf ans. Je vais à _____ .

7. Je suis en seconde. L'année dernière, j'ai obtenu le _____ .
8. Mon frère a dix-sept ans. Il va au _____ .
9. Paul a onze ans. Il entre au _____ .
10. J'ai onze ans. Je suis en _____ .

9.10 🔈 **Écoutez!**

L'emploi du temps de Martine

Listen to the tape and write down the changes that have been made to Martine's timetable.

	Lundi	**Mardi**	**Mercredi**	**Jeudi**	**Vendredi**	**Samedi**
8h à 9h 9h à 10h	histoire allemand	éd. civique maths	– –	français sc. physiques	étude allemand	anglais géo/économie
RÉCRÉATION						
10h15 à 11h15 11h15 à 12h15	maths anglais	français allemand	– –	éd. physique éd. physique	biologie maths	maths étude
DÉJEUNER						
14h à 15h 15h à 16h 16h à 17h	éd. manuelle musique éd. physique	biologie dessin histoire	– – –	géographie français anglais	français français sc. physiques	– – –

Vrai ou faux?

1. Le jeudi, Martine a cours de français de 9 heures à 10 heures.
2. Elle étudie l'économie.
3. La pause de midi dure deux heures.
4. Chaque cours dure une heure.
5. Elle va en salle d'étude trois fois par semaine.
6. Elle a cours de français tous les jours.
7. Martine a trois cours doubles.
8. La récréation dure un quart d'heure.

9. C'était comment?

9. Elle a cours d'éducation physique le lundi, le mardi, et le vendredi.
10. Les cours commencent à huit heures.

`9.11` 🎧 **Écoutez et écrivez!**

While on an exchange visit to France, you spend one day at a school near Paris. Take down in English the timetable read out by the principal, le proviseur.

Lisez!
Mes matières

> Tours, le 28 septembre
>
> Chère Mairead,
>
> Je m'appelle Henri. J'habite à Tours, dans la vallée de la Loire. J'ai quatorze ans. Cette année, je suis en troisième au collège Rabelais. À la fin de l'année, je vais passer le Brevet. Je vais au collège cinq jours par semaine: le lundi, le mardi, le jeudi, le vendredi et le samedi matin. Le mercredi, je n'ai pas cours. Je fais du sport toute la journée.
>
> Au collège, j'étudie treize matières. J'apprends le français, l'anglais, l'allemand, les maths, l'histoire, la géographie, les sciences physiques, la biologie, le sport, l'éducation civique, le travail manuel, la musique et enfin, le dessin. Ouf!
>
> Ma matière préférée, c'est l'histoire. C'est une matière intéressante. J'aime aussi le français et l'éducation physique. Par contre, je déteste la physique. C'est une matière ennuyeuse et en plus, le prof est trop sévère.
>
> Et toi, tu es en quelle classe? Tu vas passer un examen à la fin de l'année? Tu étudies combien de matières? Quelle est ta matière préférée? Tu commences à quelle heure, le matin? J'ai beaucoup de questions à te poser! Écris-moi vite et raconte-moi tout!
>
> À bientôt!
>
> Henri

Compréhension

1. What class does Henri attend?
2. How many days per week does he go to school?
3. What does he do on Wednesdays?
4. How many subjects does he study? Name them.
5. What is Henri's favourite subject? Why?
6. What subject does he not like? Why?

 9.12 Écoutez et complétez la grille!

	Number of subjects studied	Favourite subject	Reason given
Nathalie			
Stéphane			
Claudine			
Marcel			
Christine			

 9.13 Qui dit quoi?

Read each caption. Then listen to the tape and find out the name of each student.

1. Je m'appelle _____.
Moi, j'aime les maths parce que c'est une matière intéressante et importante.

2. Je m'appelle _____.
Moi, ma matière préférée est le français parce que j'aime la poésie et le théâtre. En plus, le français est une matière utile.

9. C'était comment?

3. Je m'appelle _____ .
Moi, je n'aime pas la physique: c'est difficile. Je déteste l'histoire: c'est une matière ennuyeuse. Les sciences, ça ne me plaît pas. Ma matière préférée, c'est le dessin parce que c'est une matière facile.

4. Je m'appelle _____ .
Moi, je n'aime pas la géographie. Je préfère l'histoire parce que c'est une matière intéressante.

5. Je m'appelle _____ . Moi, je n'aime pas beaucoup les maths parce que le prof est trop sévère. Ma matière préférée, c'est l'anglais parce que c'est une matière importante et en plus, le prof est sympa.

Parle-moi de ton emploi du temps!

Write your own timetable in French. (You will find a list of all your subjects in the vocabulary section on page 393.) Then ask your partner the following questions. Take turns.

1. Tu étudies combien de matières?
2. Combien de temps dure chaque cours?
3. Tu commences à quelle heure d'habitude, le matin?
4. Tu as cours le samedi?
5. Tu finis à quelle heure d'habitude?
6. Quand est-ce que tu vas en salle d'étude?
7. Quelle est ta matière préférée? Pourquoi?
8. Est-ce qu'il y a une matière que tu n'aimes pas? Pourquoi?
9. Tu as combien de cours de français par semaine?
10. Combien de temps dure la pause de midi?
11. Tu étudies combien de langues?
12. Tu as combien de cours par jour, en moyenne?
13. Tu vas passer un examen à la fin de l'année?
14. Combien de temps dure la récréation, le matin?
15. Tu as une récréation, l'après-midi?

Sondage

Carry out a survey to find out which are the most and the least popular subjects in the class. Follow the instructions carefully.

Step 1
Form groups of four or five.

Step 2
Appoint one group leader who will ask questions, write them down and then report to the class.

Step 3
The group leader puts the following questions to each member:
– Quelle est ta matière préférée? Pourquoi?
– Quelle matière est-ce que tu n'aimes pas? Pourquoi?

The group leader then writes the answers in his copy.

Exemple: – La matière préférée de John est . . . , parce que . . .
            – John n'aime pas . . . , parce que . . .

Step 4
Meanwhile, one student writes all the subjects studied by the class in French on the blackboard. When all the groups are ready, he/she questions the group leaders on each of the members.

Exemple: – Quelle est la matière préférée de John?
            – John n'aime pas quelle matière?

He/she writes the results on the board.

Step 5
Discuss the overall result.

Lisez!
Le conseil de classe

Collège Gaëtan Denain
22, rue Saint Joseph
60200 Compiègne

BULLETIN SCOLAIRE
1er trimestre

Nom: Ferdiat
Prénom: Alice
Date de naissance: 4.3.1989
Classe: 3e A

19–20: excellent	**8–9:** passable
16–18: très bien	**6–7:** insuffisant
12–15: bien	**0–5:** faible
10–11: assez bien	

Disciplines	Notes (sur 20)	Appréciation des professeurs
Français	13	Bon travail . . . mais bavarde!
Mathématiques	11	Peut mieux faire.
Histoire géographie	7	Alice doit travailler davantage!
Anglais	18	Très bien. Bonne participation.
Allemand	16	Bon travail. Continuez!
Sciences physiques	10	Trop juste. Peut mieux faire.
Biologie	12	Ensemble satisfaisant.
Éducation manuelle	15	Élève appliquée. C'est bien.
Dessin	16	Bien.
Éducation physique	6	Peu d'effort.

Compréhension

1. Which class is Alice in?
2. Which exam is she preparing?
3. What is the name of her school?
4. In what town is the school situated?
5. What is the highest grade Alice could obtain?
6. In which subject did she obtain her best grade?
7. In which subject did she obtain her lowest grade?
8. What does the French teacher say about Alice?

Tu es fort, moyen ou faible?

9. C'était comment?

  Écoutez et remplissez la grille!

	Matière	Note	Niveau
Pierre			
Marianne			
Fabien			
Christine			

Faites des phrases!
Utilisez les mots suivants.

bon(ne) – fort(e) – moyen(ne) – faible – mauvais(e) – nul(le)

Exemple: Paul – français – 16/20
Paul est bon en français.

1. Sophie – anglais – 11/20
2. Jean-Luc – sciences physiques – 5/20
3. Carole – mathématiques – 17/20
4. Marc – sport – 4/20
5. Élodie – géographie – 14/20
6. Stéphanie – histoire – 5/20
7. Fabrice – biologie – 15/20
8. Marie – allemand – 15/20
9. Jérôme – éducation manuelle – 10/20
10. Christian – dessin – 18/20

Dialoguez!
Posez des questions à votre partenaire.

1. Tu étudies combien de matières?
2. Tu es fort(e) ou assez fort(e) en quelle matière?
3. Tu es moyen(ne) en quelle matière?
4. Est-ce que tu es faible dans une matière?
5. Quelle est ta matière préférée? Pourquoi?

9.15 🎞️ **Écoutez!**

LE JOLI PETIT DIABLE VA À L'ÉCOLE

Il était une fois un joli petit diable. Il était tout rouge, il avait deux cornes noires et deux ailes de chauve-souris. Son papa était un grand diable vert et sa maman une diablesse noire. Ils habitaient tous les trois dans un endroit qui s'appelle l'Enfer, et qui est situé au centre de la terre.

L'Enfer, ce n'est pas comme chez nous. C'est même le contraire: tout ce qui est bien chez nous est mal en Enfer; et tout ce qui est mal ici est considéré comme bien là-bas. C'est pourquoi, en principe, les diables sont méchants. Pour eux, c'est bien d'être méchant.

Mais notre petit diable, lui, voulait être gentil, ce qui faisait le désespoir de sa famille. À l'école, il travaillait bien et respectait toujours le règlement. Chaque soir, quand il revenait de l'école, son père lui demandait:

– Qu'est-ce que tu as fait aujourd'hui?
– Je suis allé à l'école.
– Petit imbécile! Tu as fait tes devoirs?

– Oui, Papa.
– Petit âne! Tu savais tes leçons?
– Oui, Papa.
– Petit crétin! Tu as répondu aux questions?
– Oui, Papa.
– Petit malheureux! Au moins, j'espère que tu as bavardé en classe?
– Non, Papa.
– Tu as écrit sur les tables?
– Non, Papa.
– Est-ce que tu as battu tes petits camarades?
– Non, Papa.
– Alors tu as fumé des cigarettes dans les toilettes?
– Non, Papa.
– As-tu lancé des boulettes de papier mâché?
– Non, Papa.
– As-tu utilisé ta catapulte?
– Non, Papa.
– Tu as mis des punaises sur la chaise du professeur pour qu'il se pique le derrière?
– Non, Papa.

➡️

– Mais alors, qu'est-ce que tu as fait?
– Eh bien, j'ai appris beaucoup de choses. J'ai fait une dictée, du calcul, un peu d'histoire, de la géographie, j'ai appris un poème . . .

En entendant cela, le pauvre papa diable se prenait les cornes à deux mains, comme s'il voulait se les arracher:

– Qu'est-ce que j'ai fait à la Terre pour avoir un enfant pareil? Quand je pense que, depuis des années, ta mère et moi, nous faisons des sacrifices pour te donner une mauvaise éducation, pour te prêcher le mauvais exemple, pour essayer de faire de toi un grand méchant diable! Mais non! Au lieu de te laisser tenter, Monsieur fait des problèmes! Enfin, quoi, réfléchis: qu'est-ce que tu veux faire, plus tard?

– Je voudrais être gentil, répondait le petit diable.

Pierre Gripari, *Contes de la rue Broca*, La Table Ronde (adaptation)

Compréhension

1. Comment était le petit diable?
2. Comment était son papa?
3. Comment était sa maman?
4. Ils vivaient où?
5. Est-ce que le petit diable était méchant?
6. Est-ce qu'il était bon à l'école?
7. Qu'est-ce qu'il apprenait à l'école?
8. Relevez tous les mots ou expressions qui se rapportent au règlement.

Lisez!

RÈGLEMENT INTÉRIEUR
COLLÈGE CHARLES DE GAULLE

Le règlement intérieur doit être respecté pour le bon fonctionnement de notre collège et pour le bien-être de tous. Tout élève qui enfreindra le règlement sera sanctionné.

INTERDICTIONS

1. Il est interdit de fumer.
2. Il est interdit de manger du chewing-gum.
3. Il est interdit de courir dans les couloirs et dans les escaliers.
4. Il est interdit de se livrer à des actes de brutalité.
5. Il est interdit d'écrire sur les tables et de dégrader le matériel.
6. Il est interdit de jeter des détritus par terre. Des poubelles sont à votre disposition.
7. Il est interdit de quitter l'établissement entre deux cours.
8. Il est interdit aux demi-pensionnaires de quitter l'établissement durant la pause de midi.
$\longrightarrow$

OBLIGATIONS

9. Il faut être ponctuel.
10. En cas de retard ou d'absence prolongée, il faut fournir une justification signée par les parents.
11. Il faut faire ses devoirs et apprendre ses leçons régulièrement.
12. Il faut être poli et courtois avec le personnel de l'établissement.
13. Une tenue correcte est exigée.

SANCTIONS

En cas de manquement au règlement, le proviseur et/ou un professeur pourront avertir les parents et/ou infliger les punitions suivantes:

1. Devoirs supplémentaires.
2. Retenue après les cours.
3. Renvoi temporaire (après deux avertissements).
4. Renvoi définitif (après trois avertissements).

1. Match each of the following rules with its French equivalent!
   a. It is forbidden to leave school between two classes.
   b. No smoking.
   c. Punctuality at all times.
   d. In case of late arrival or sickness, students must submit a note signed by a parent.
   e. No chewing gum.
   f. It is forbidden to write on the table.
   g. No bullying.
   h. No running on the stairs.
   i. Dress tidily.
   j. Students must do their homework and study regularly.

2. Now look at the rules in your school.
   a. What is not allowed?
   b. What are your duties?
   c. What happens if your don't follow the rules?

3. Write the main rules in French.

9. C'était comment?

 9.16 **Écoutez et remplissez la grille!**

Cinq élèves de 3ème n'ont pas respecté le règlement. Certains vont recevoir des heures de colle.

	Faute commise	Sanctions prise
1		
2		
3		
4		
5		

Lisez!

LES COLLÉGIENS ET LA RENTRÉE

Nous avons réalisé une enquête pour savoir ce que les collégiens et les collégiennes pensent de la rentrée. Qu'ils soient en 6ème ou en 3ème, la majorité des jeunes aiment aller au collège. En effet, ils retrouvent leurs camarades, ils rencontrent de nouveaux amis et apprennent de nouvelles choses. La plupart des jeunes disent qu'ils sont satisfaits de leurs professeurs. Les collégiens pensent que leurs profs ont beaucoup de qualités mais qu'ils ont également quelques défauts. Interrogés à propos de la violence à l'école, les élèves expliquent que c'est un vrai problème. Ils aimeraient que les adultes prennent des mesures concrètes pour mettre fin à la violence. Voici le sondage en détail:

→

EST-CE QUE TU AIMES LA RENTRÉE?

Oui: 76% Non: 24%

POURQUOI AIMES-TU LA RENTRÉE?	%
Tu vas retrouver tes camarades.	74
Tu vas rencontrer de nouveaux amis.	31
Tu vas apprendre de nouvelles choses.	57
Tu vas avoir de nouveaux professeurs.	25
Tu commençais à t'ennuyer.	52
Autres réponses	12

EST-CE QUE TU AS PEUR DE QUELQUE CHOSE AU COLLEGE?

Oui: 89% Non: 11%

TU AS PEUR DE QUOI AU COLLEGE?	Oui (%)	Non (%)
De la violence?	78	22
Des vols?	52	48
D'une matière?	36	64
Des examens?	61	39
Des punitions?	44	56
De certains professeurs?	42	58
Du proviseur?	53	47
Autres réponses 7		

EST-CE QUE TU ES CONTENT DE TES PROFESSEURS?

Oui: 72% Non: 28%

QUELLE OPINION AS-TU DE TES PROFS?	D'accord (%)	Pas d'accord (%)
Ils n'expliquent pas très bien.	36	64
Ils sont ennuyeux.	32	68
Ils m'apprennent beaucoup de choses.	89	11
Ils sont sympa.	81	19
Ils sont trop sévères.	73	27
Ils ont des chouchous.	66	34
Ils sont trop distants.	55	45
Autres réponses 4		

Compréhension

1. Name the three main reasons why students like to go back to school.
2. What is the percentage of students who like going back to school?

9. C'était comment?

3. What are students most afraid of at school?
4. Are students more afraid of the principal or of being punished?
5. True or false?
   – Most students think that teachers don't explain very well.
   – A minority of students think that teachers have favourites.
6. What quality do students like most in a teacher?
7. How could the problem of bullying be resolved according to students?

Lisez!

COLLÈGE SAINT-LAZARE
Menu de la cantine
Semaine du 12 au 16 mars
Service continu de 12h15 à 13h15

	Entrée	Plat de résistance	Fromage	Dessert
Lundi	Crudités	Spaghettis bolonaise	Brie	Salade de fruits
Mardi	Assiette de charcuterie	Steak haché, frites et salade verte	Gruyère	Fruits de saison
Jeudi	Sardines à l'huile	Rôti de bœuf, carottes, pommes vapeur	Camembert	Glace
Vendredi	Salade de tomates	Truite meunière, haricots verts et pommes dauphines	Roquefort	Tarte aux pommes
Samedi	Pamplemousse	Escalope de veau, purée de pommes de terre et petits pois	Brie	Mousse au chocolat

Un menu végétarien est également proposé. S'adresser à la direction.

Compréhension

1. On what day are the following being served?
   a. Tomato salad
   b. Raw vegetable salad
   c. Apple tart
   d. Roast beef
2. What is the main course on Friday?
3. Which dessert is being served on Tuesday?
4. Which of the following are on the menu?
   a. Green beans
   b. Salami
   c. Chips
   d. Mushrooms
5. Which of the following is *not* on the menu?
   a. Grapefruit
   b. Chicken
   c. Veal
   d. Peas
6. This canteen caters for vegetarians. True or false?
7. At what time does the staff start serving?

 Écoutez et remplissez la grille!

Quatre collégiens racontent ce qu'ils ont mangé.

	Starter	Main dish	Cheese	Dessert
Jean-Christophe				
Pauline				
Kevin				
Arlette				

9. C'était comment?

Ma journée au collège

Nîmes, le 27 septembre

Chère Aine,

Salut! Comment vas-tu? Moi, je vais bien. La rentrée s'est bien passée et je suis contente de retrouver mes copines et mes copains. Au collège, j'étudie douze matières. Ma matière préférée, c'est l'anglais parce que c'est une matière intéressante et le prof est sympa. Et toi, tu étudies combien de matières? La rentrée s'est bien déroulée en Irlande?

Maintenant, pour moi, c'est la routine! Je me lève à sept heures moins dix. Je me lave et je m'habille. Ensuite, je prends mon petit déjeuner: un bol de café au lait et deux tartines beurrées. À sept heures et demie, je prends le bus. J'arrive au collège à huit heures moins le quart et je bavarde un peu avec mes copines. À huit heures moins cinq, c'est la sonnerie! Qu'est-ce qu'elle est forte!

Le premier cours de la journée commence à huit heures. À dix heures moins dix, nous avons une petite récréation. Heureusement! Elle dure dix minutes. Je descends dans la cour pour discuter avec les copines et les copains et prendre un peu d'air frais. Ensuite, je retourne en cours jusqu'à midi. La pause de midi dure deux heures. Je déjeune à la cantine. C'est généralement bon. Et toi, tu manges où, à midi?

L'après-midi, j'ai cours pendant trois heures. Les cours finissent à cinq heures. Je rentre chez moi et je prends mon goûter. Ensuite, je joue de la guitare ou je fais un peu de sport et je finis mes devoirs. Le soir, je dîne à huit heures. Je me couche vers neuf heures et demie.

Voilà ma journée! Et toi, comment se déroule ta journée? J'ai hâte de lire ta lettre. Écris-moi vite! À bientôt!

Grosses bises
Sylvie

Compréhension

1. Where does Sylvie live?
2. How many subjects does she learn at school?
3. What is her favourite subject? Why?
4. How long does the first break last?
5. What does Sylvie do during breaktime?
6. Where does she eat at lunchtime?
7. How many hours does she have in the afternoon?
8. At what time does she go home?
9. What does she do in the evening?
10. What questions does she ask Aine?

Qu'est-ce que tu as fait hier?

For each of the following times, write what Sylvie did yesterday. Use the passé composé*! Start as follows:*
À sept heures moins dix, elle s'est levée.

1. 7.10
2. 7.30
3. 7.45
4. 8.00
5. 9.50
6. 12.00
7. 14.00
8. 17.00
9. 20.00
10. 21.30

9.19 **Dictée: écoutez et écrivez!**

9. C'était comment?

You could share the workload with your partner!

1. Where does Monique live?
2. How old is she?
3. What class is she in?
4. At what time does she get up?
5. What does she have for breakfast?
6. How does she get to school?
7. At what time does the first class begin?
8. Where does she have lunch?
9. At what time does school end in the afternoon?
10. What is the name of the school she attends?
11. How many subjects does Monique study?
12. What is her favourite subject? Why?
13. What subject is she weak in?
14. Does she like the physics teacher? Why?
15. Does she go to school on Wednesdays?

Jeux de rôles

While on exchange in a French school, a French student asks you to tell him/her about school in Ireland. Play the role with your partner. Then swap roles.

— Comment tu t'appelles?
— Tu habites où?
— Tu as quel âge?
— Tu es en quelle classe?
— Tu passes un examen à la fin de l'année?
— Tu étudies combien de matières?
— Tu portes un uniforme?
— Les Irlandais vont au collège à quel âge?
— Est-ce que tu manges à la cantine?
— Qu'est-ce que tu manges à midi?
— Tu as cours le mercredi?
— L'école est obligatoire jusqu'à quel âge en Irlande?
— Tu fais du sport au collège?

Écrivez!

You have received the following letter from you penfriend Bernard. As you will see, Bernard doesn't fully master the English language. Write a reply in French telling him about yourself and your school.

Creil, the 12 january

My expensive penfriend,

My name is Bernard Mancel. I live at Creil. It is a smoll town at fourty kilomètres from Paris. I have fifteen years. My anniversary is the four january. My sports favorites are the football, the tennis and the swimming. As leisures, I like to read and to go to cinema.

I am in 3ème at the collège Pompidou. I study thirteen subjects. I love the maths because it is interesting. I am very good in maths: I have 16 on 20. I am not very good at inglish but I try my best. I hope you me understand! I do not carry a uniform in my school. You do? The wedensday, I go not to school but I there go the saturday morning. The rules is very strict in my school. There are punishment in your school also?

I hope to go in Ireland for to see you. I want improve my inglish. Maybe to Easter. Who knows?

Write me soon and sent me your photo.

Thank you. Good bye.

Your correspondant french Bernard

Avant d'aller plus loin . . . ?

Before moving on to Unit 10, make sure you can:
– describe what things were like
– say what you used to do
– explain the use of the passé composé *and the* imparfait
– talk about your subjects
– talk about your timetable
– talk about your daily routine at school
– compare the French and Irish school systems.

Now test yourself at <u>www.my-etest.com</u>

10

Vous désirez?

Observez!

Les objectifs:

Communication:
- asking if a shop has the item you require
- identifying the particular item you want

Grammar:
- determiners (demonstrative adjectives)
- object pronouns

Pronunciation:
- optional liaisons

Culture:
- fashion in France

  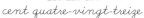

Écoutez!

10.1 **Qu'est-ce qu'ils portent?**

1. Ce collégien porte un tee-shirt bleu, un blue jean et des baskets blanches.

2. Cette collégienne porte une casquette rouge, un blouson rouge et un pantalon noir.

3. Cette lycéenne porte un chemisier blanc et une jupe bleue.

4. Cet homme âgé porte un chapeau beige, un manteau gris et des chaussures noires.

10. Vous désirez?

5. Ces adolescents portent des survêtements bleus.

6. Ce lycéen porte une veste de survêtement blanche et un pantalon de survêtement noir.

9. Cet enseignant porte une blouse blanche et une chemise blanche avec une cravate rouge.

10. Ces lycéennes portent des pulls bleus et des jupes à carreaux vertes et bleues.

7. Cette collégienne porte un anorak rouge, un pull-over blanc, un pantalon bleu et des baskets rouges.

8. Cette dame porte une robe blanche et rouge, une ceinture blanche et des sandales blanches.

Et toi, qu'est-ce que tu portes?

10.2

Michelle fait du shopping.

Le vendeur: Bonjour, Mademoiselle, vous désirez?

Michelle: Bonjour! Je voudrais acheter un jean . . .

Le vendeur: D'accord. Quelle est votre taille?

Michelle: Je fais du quarante.

Le vendeur: Et quelle couleur désirez-vous?

Michelle: Vous avez ce jean en bleu?

Le vendeur: Ah non, excusez-moi, je ne l'ai pas en bleu.

Michelle: Vous l'avez en noir?

Le vendeur: Oui, voilà. Vous voulez l'essayer? Les cabines sont là-bas, au fond du magasin, à droite.

Michelle: Merci, à tout de suite . . .
(Cinq minutes plus tard.)

Le vendeur: Le jean vous va? Vous le prenez?

Michelle: Oui, je le prends. Il me va très bien.

Le vendeur: Vous désirez autre chose?

Michelle: Oui, je voudrais aussi ces sandales, là-bas.

Le vendeur: Vous faites quelle pointure?

Michelle: Je fais du trente-huit.

Le vendeur: Voilà. Vous voulez les essayer?

Michelle: Non, merci. Je les prends avec moi!

Le vendeur: Voilà! Ce sera tout?

Michelle: Non. Il me faudrait aussi une ceinture noire, pour le jean.

Le vendeur: Cette ceinture vous plaît-elle?

Michelle: Oui, elle me plaît. Je la prends! Ça fait combien au total?

Le vendeur: Alors . . . Un jean, une paire de sandales et une ceinture . . . 110€, s'il vous plaît!

Michelle: Voilà. Vous pouvez les emballer?

Le vendeur: Oui, bien sûr! Voilà. Au revoir!

Michelle: Au revoir, Monsieur!

Découvrez les règles!

Determiners (demonstrative adjectives)

1. Read over Section 10.1 and list four different ways of saying 'this/that' or 'these/those'. In your opinion, why are there different forms?
2. Fill in the grid and learn the demonstrative adjectives by heart.

	Singular *(this/that)*	**Plural** *(these/those)*
Masculine	_____ _____	_____
Feminine	_____	_____

Object pronouns

1. What is a pronoun? Give examples.
2. What are personal pronouns?
3. What are reflexive pronouns?
4. Read over Section 10.2 and find object pronouns. What do they refer to? What happens to some of the pronouns when they are followed by a word beginning with a vowel or a silent 'h'?
5. Fill in the grid and learn the object pronouns by heart.

Singular	*me*	*me*
	te	*you*
	_____	*him/it*
	_____	*her/it*
	_____	*him/her/it (when preceding a vowel or silent 'h')*
Plural	*nous*	*us*
	vous	*you*
	_____	*them*

À vous!

10.3 **Écoutez et complétez la grille!**

Des jeunes racontent ce qu'ils ont acheté.

	Items bought	Total cost
Jeanne		
Christophe		
Evelyne		
Francesca		

Reliez!

Put the letters in the correct order to form a word. Then match each word with the corresponding picture!

1. over-lulp
2. sonblou
3. puje
4. vusermêtten
5. semiriche
6. hemesic
7. skatebs
8. anemaut
9. sussurache
10. napoltan

A

B

10. Vous désirez?

Déchiffrez!

Find the hidden names of eleven clothing items!

robechemisevesteteeshirtblousepantalonanorakceinturecravatechapeausurvêtement

  Vous les reconnaissez?

Listen to Henri describing five pupils from his class. Match each of his descriptions with one of the pictures.

A Etienne

B Angèle

C Julien

D Martin

E Sylvie

10.5 🎞️ **Écoutez!**

Paris, le 8 décembre

Chère Patricia,

Merci de ta dernière lettre que j'ai reçue hier. Ça m'a fait très plaisir! Moi, je vais bien. Tu me demandes ce que portent les jeunes en France. Je t'envoie quelques photos de moi et de mes copains et copines. Dans les écoles françaises, on ne porte pas d'uniforme comme chez toi, en Irlande. Généralement, au collège, je porte un jean, un blouson, des baskets et un tee-shirt ou un sweat-shirt. Quand il fait froid, je porte un pull et un anorak. Presque tous les collégiens portent la même chose. C'est notre uniforme!

Mais il y a également d'autres modes au collège. Ma copine Stéphanie est BCBG, c'est à dire 'bon chic bon genre'. Elle s'habille très bien. Elle porte des chemisiers et des jupes chic. Mon copain Rachid, c'est tout le contraire! Il porte toujours un survêtement, des chaussures de sport et une casquette de base-ball. En fait, nous sommes tous influencés par la culture américaine!

Et toi, qu'est-ce que tu portes à l'école? Tu peux me décrire ton uniforme? Est-ce que les uniformes sont très différents d'une école à l'autre? Qu'est-ce que tu portes le week-end? Tu vois, j'ai beaucoup de questions à te poser! Dis bonjour à ta famille de ma part et écris-moi vite! J'attends ta lettre avec impatience!

Salut!

Suzanne

Compréhension

1. Répondez en anglais!

    a. Where does Suzanne live?

    b. What does she usually wear at school?

    c. What does Stéphanie usually wear?

    d. What does Rachid usually wear?

    e. According to Suzanne, where do fashion trends come from?

    f. What questions does she ask?

2. Répondez en français!

    a. Où habite Suzanne?

    b. Qu'est-ce qu'elle envoie avec sa lettre?

    c. Est-ce que les élèves portent un uniforme en France?

    d. Qu'est-ce qu'elle porte quand il fait froid?

    e. Que portent les collégiens, généralement?

Choisissez la bonne réponse!

1. a. Ces gants sont roux. ☐
   b. Ces gants sont rouges. ☐
   c. Ce gant est rose. ☐
   d. Ce gant est rouge. ☐

2. a. Cette veste est grise. ☐
   b. Ce manteau est gris. ☐
   c. Cet imperméable est gris. ☐
   d. Ces manteaux sont gris. ☐

3. a. Ces chaussures sont vertes. ☐
   b. Cette chaussette est verte. ☐
   c. Ces chaussettes sont vertes. ☐
   d. Cette chaussure est verte. ☐

4. a. Ce blouson est jaune. ☐
   b. Ce chemisier est jaune. ☐
   c. Cette blouse est jaune. ☐
   d. Cette chemise est jaune. ☐

5. a. Ces baskets sont bleues. ☐
   b. Ces chaussures sont bleues. ☐
   c. Cette chaussure est violette. ☐
   d. Ces baskets sont violettes. ☐

6. a. Ces bottes sont noires. ☐
   b. Cette botte est noire. ☐
   c. Ces pantalons sont noirs. ☐
   d. Ces gants sont noirs. ☐

Trouvez le déterminant!

For each of the following words find:
1. whether it is masculine or feminine
2. whether it is singular or plural
3. its appropriate definite article (le, la, l', les)
4. its appropriate indefinite article (un, une, des)
5. its appropriate possessive adjective (mon, ma, mes)
6. its appropriate demonstrative adjective (ce, cet, cette, ces).

You could work with your partner and share the work!

Exemple: tee-shirt – **masculin; singulier; le tee-shirt; un tee-shirt; mon tee-shirt; ce tee-shirt**

a. pantalon
b. chaussures
c. veste
d. bottes
e. jupe
f. chemise
g. ceinture
h. chapeau

i. robe
j. imperméable
k. chemisier
l. anorak
m. baskets
n. blouse
o. gants
p. short

q. cravate
r. manteau
s. blouson
t. pull-over
u. chaussettes
v. survêtement
w. sandales
x. maillot de bain

C'est de quelle couleur?

1. De quelle couleur
est le pantalon?

2. De quelle couleur
est ce tee-shirt?

3. De quelle couleur
sont tes baskets?

4. De quelle couleur est
ce drapeau?

5. De quelle couleur
est ta maison?

6. De quelle couleur
est cette voiture?

7. De quelle couleur est
le drapeau américain?

8. De quelle couleur sont les pommes?

9. De quelle couleur est le drapeau irlandais?

10. De quelle couleur sont ces chevaux?

Quel est le vêtement approprié?

1. Quand je fais du sport, je porte
   - a. un pull. ☐
   - b. un survêtement. ☐
   - c. des sandales. ☐
   - d. une cravate. ☐

2. Quand il faisait chaud, je mettais
   - a. un imperméable. ☐
   - b. un short. ☐
   - c. un blouson. ☐
   - d. un manteau. ☐

3. Hier, il faisait froid, alors j'ai mis
   - a. un maillot de bain. ☐
   - b. des gants. ☐
   - c. une jupe. ☐
   - d. une ceinture. ☐

4. Quand je sors avec des amis, je mets
   - a. des bottes. ☐
   - b. une blouse. ☐
   - c. une chemise. ☐
   - d. un chapeau. ☐

 **Écoutez!**

Mercredi soir. Louis et Sandrine racontent leur journée.

— Allô, Louis?
— Oui?
— Bonjour, c'est Sandrine!
— Salut, Sandrine! Comment vas-tu?
— Je vais bien, merci. Et toi?
— Moi, ça va bien. Qu'est-ce que tu as fait aujourd'hui?
— Ce matin, je me suis levée tôt, à huit heures, pour faire du sport. Tu sais bien, je fais partie de l'équipe de basket. Nous avons fait un match.
— Vous avez gagné?
— Oui, notre équipe a gagné 70 à 57.
— Vous avez joué contre qui?
— On a joué contre Lille. C'était un bon match. Et toi, qu'est-ce que tu as fait ce matin?
— Ce matin, j'ai fait la grasse matinée. Je me suis levé à neuf heures et demie. Ensuite j'ai fait mes devoirs. Cet après-midi, je suis allé au cinéma.
— Qu'est-ce que tu es allé voir?
— J'ai vu un vieux film de Steven Spielberg, qui s'appelle *Jurassic Park*. C'était pas mal. Et toi, qu'est-ce que tu as fait cet après-midi?
— D'abord, j'ai fait mes devoirs. Et ensuite, j'ai fait du shopping.
— Qu'est-ce que tu as acheté?
— J'ai acheté une jupe, une chemise et des chaussures!
— Tu as beaucoup d'argent, dis donc!
— C'est l'anniversaire de mariage de mes grands-parents, samedi. Ils organisent une grande fête. Alors ma mère m'a donné de l'argent pour acheter de nouveaux vêtements.

- Ils sont chouettes?
- Oui, pas mal. La chemise est en velours rouge, la jupe est blanche, et les chaussures sont noires.
- C'était cher?
- Non, pas trop. 85€, en tout.
- Bon! Qu'est-ce que tu fais ce soir?
- Pas grand chose. Je vais finir mes devoirs et lire un peu. Et toi?
- Moi aussi, je vais finir mes devoirs. À huit heures et demie, il y a un bon film à la télévision. Je vais le regarder.
- Bon! Passe une bonne soirée! À demain matin!
- Oui, à demain! Salut, Sandrine!
- Salut, Louis!

Compréhension

1. Répondez en anglais!

    a. At what time did Sandrine get up?

    b. What did she do in the morning?

    c. What was the final score?

    d. Where did the other team come from?

    e. Sandrine did her homework in the afternoon. True or false?

    f. List three items Sandrine bought.

    g. Why did she buy new clothes?

    h. What colour are each of the items?

    i. How much did Sandrine spend?

    j. What are Sandrine's plans for the evening?

2. Répondez en français!

    a. Louis s'est levé à quelle heure?

    b. Qu'est-ce qu'il a fait pendant la matinée?

    c. Où est-il allé mercredi après-midi?

    d. Comme s'appelle le film?

    e. C'était comment?

    f. Qu'est-ce qu'il va faire ce soir?

10.7 Prononcez bien! Optional liaisons

1. You have already studied liaisons in Allons en France 1. *Read the following sentences. Between which words are liaisons compulsary? Between which words are liaisons forbidden?*

> a. Mon ami habite en Irlande.
> b. Vous habitez où?
> c. Son avion est en retard.
> d. Mon anorak est bleu et rouge.
> e. Mon cartable est noir.
> f. L'enfant habite à Paris.

Écoutez et répétez!

2. *Some liaisons are optional. People usually pronounce these optional liaisons when speaking formally but not when having an informal conversation. Listen to the following sentences being read in two different ways.*

> a. Je suis irlandais.
> b. Je dois aller au collège.
> c. Je voudrais essayer ces sandales.
> d. C'est ouvert.

3. *Listen to the following sentences. Say whether they are being read out in a formal or in an informal way.*

> a. Ce n'est pas ouvert.
> b. Ce n'est pas ouvert.
> c. Je n'aime pas aller en ville.
> d. Je vais essayer ce pull.
> e. Je voudrais essayer ce pantalon.
> f. Je voudrais acheter des chaussures.
> g. Je vais à Strasbourg.
> h. Je vais en Vendée.

Jeux de rôles
Au téléphone

A says hello on the phone, introduces him/herself and asks how B is.

B says hello, he/she is well and asks how A is.

A is fine. A asks what B did this morning.

B got up early and went to town. He/she bought clothes because it's his/her birthday today.

A wishes B a happy birthday and asks how old he/she is.

B is 15.

10. Vous désirez?

A asks what B bought.

B bought a jacket, a jumper and a pair of runners.

A asks what colour the jacket is.

B says the jacket is black, the jumper is red and the runners are white.

A asks if it was expensive.

B says it was quite expensive. It cost 115€. B asks what A did this morning.

A got up at ten and did some homework. In the afternoon, A will play football with friends. A asks what B will do in the afternoon.

B will stay at home, finish his/her homework and read.

A says goodbye and that he/she will see B tomorrow.

B replies.

Lisez et répondez!

1. In which town is this shop located?
2. Which of the following items are *not* mentioned in the advertisement?
   – evening dresses
   – underwear
   – blouses
   – shirts
   – coats
   – skirts
   – gloves
3. What are the opening hours?
4. On which days is the shop closed?

Remplacez!

Replace the underlined articles with the appropriate demonstrative adjective.

Exemple: J'aime <u>le</u> pantalon rouge.
J'aime **ce** pantalon rouge.

1. <u>La</u> veste rouge coûte combien?
2. J'ai acheté <u>un</u> imperméable, hier.
3. <u>Le</u> chapeau est trop grand pour moi.
4. Vous prenez <u>les</u> vêtements?
5. Comment s'appelle <u>l'</u>homme, là-bas?
6. Dans <u>le</u> collège, il y a un grand terrain de sport.
7. <u>Les</u> élèves doivent respecter le règlement.
8. J'adore <u>l'</u>eau de Cologne.
9. Nous portons <u>un</u> uniforme.
10. Tu vas aimer <u>la</u> région.

Reliez!

	pantalon est chouette!
	cours est intéressant.
	cour est très grande.
Ce	immeuble est moderne.
Cet	piscine est loin d'ici?
Cette	collégiens sont mes amis.
Ces	matière est difficile.
	pays est magnifique.
	été, je suis partie en vacances.
	vendeurs sont aimables.
	ville est agréable.

10.8 **Écoutez et complétez!**

Sébastien fait du shopping.

— Bonjour, jeune homme, vous désirez?
— Bonjour! Je voudrais essayer _____ (1) blouson, qui est dans _____ (2) vitrine.
— Quelle est votre taille?
— Je fais du quarante-deux.
— Et quelle couleur désirez-vous?
— Rouge, s'il vous plaît.
— Voilà, un blouson rouge en quarante-deux. Vous voulez _____ (3) essayer?
— Oui, merci.
   (Quelques minutes plus tard)
— Le blouson vous va? Vous _____ (4) prenez?
— Non, c'est trop grand. Vous l'avez en taille quarante?
— Oui, bien sûr.
— Alors je _____ (5) prends, en taille quarante.
— Vous désirez autre chose?
— Ce jean, il coûte combien?
— Il coûte soixante-quatre euros.
— _____ (6) trop cher! Et ces chaussures, là-bas, elles coûtent combien?
— Elles coûtent trente-trois euros.
— Vous _____ (7) avez en quarante-deux?
— Oui. Et vous désirez quelle couleur?
— Vous les avez en noir?
— Oui, pas de problème. Vous voulez _____ (8) essayer?
— D'accord . . . C'est trop petit. Je vais les prendre en quarante-trois. Vous pouvez _____ (9) emballer? Ça fait combien en tout?
— Alors, un blouson à quarante-huit euros et une paire de chaussures à trente-trois euros, ça fait, au total, quatre-vingt-un euros, s'il vous plaît.
— Voilà, cent euros.
— Et votre monnaie, dix-neuf euros. Merci, au revoir!
— Au revoir, Madame!

Allons en France

Compréhension

1. Name the first item purchased by Sébastien.
2. What size does he ask for?
3. What size does he buy?
4. How much does this item cost?
5. What shoe size does Sébastien take?
6. What colour does he ask for?
7. What does Sébastien ask the shop assistant to do?
8. What is the total cost?
9. How much money does Sébastien hand over?
10. How much change does he get back?

Reliez!

Match each question with the appropriate answer!

1. Tu prends cette jupe?	a. Oui, je les porte.
2. Elle achète le dernier disque de U2?	b. Oui, je la regarde tous les soirs.
3. Vous prenez le TGV?	c. Oui, je te le prête.
4. Tu connais Sylvie?	d. Non, je ne la prends pas.
5. Ils prennent le menu du jour?	e. Oui, elle l'achète.
6. Est-ce que tu fais tes devoirs?	f. Oui, il les collectionne.
7. Martin collectionne les timbres?	g. Oui, nous le prenons aujourd'hui.
8. Tu regardes souvent la télévision?	h. Oui, ils le prennent.
9. Tu me prêtes ton stylo?	i. Non, je ne la connais pas.
10. Tu mets tes nouvelles baskets?	j. Oui, je les fais tous les jours.

Complétez avec un pronom complément!

1. Tu connais Delia? Oui, je —————— connais.
2. Tu me donnes ta règle? Oui, je te —————— donne.
3. Il achète le journal? Oui, il —————— achète.
4. Est-ce que Zoë aime les desserts? Oui, elle —————— adore.
5. Tu prends le bus, le matin? Oui, je —————— prends tous les matins.
6. Pierre écoute souvent la radio? Oui, il —————— écoute tous les jours.
7. Est-ce qu'elles lisent ces livres? Oui, elles—————— lisent.
8. Vous prenez cette robe? Oui, je —————— prends.
9. Est-ce que Pat aime ce film? Oui, il —————— aime bien.
10. Tu lis le journal? Oui, je —————— lis parfois.

10. Vous désirez?

Remplacez les noms par des pronoms compléments!

Exemple: J'achète ces gants.
Je **les** achète.

1. J'adore les animaux.
2. Il achète ce livre.
3. Je ne connais pas ce garçon.
4. Tu prends cette cravate?
5. Anne lit un magazine.

6. Les jeunes regardent trop la télé.
7. Tu manges ton orange?
8. Nous écoutons le prof.
9. On déteste les maths.
10. J'ai vu ce film.

Répondez aux questions!

Answer the following questions truthfully, using object pronouns. Then ask your partner. Take turns!

1. Regardes-tu le feuilleton *Home and Away* à la télévision?
2. Tu aimes les films d'horreur?
3. Tu lis les romans de science-fiction?
4. Est-ce que tu fais la vaisselle, à la maison?
5. Tu prends le bus, le matin?
6. Est-ce que tu aimes le groupe 'The Corrs'?
7. Tu fais tes devoirs tous les soirs?
8. Parles-tu l'irlandais?
9. Tu aimes bien ton prof de sport?
10. Tu collectionnes les timbres?
11. Aimes-tu les films romantiques?
12. Tu écoutes la radio, le soir?
13. Tu rencontres souvent tes copains et tes copines, le week-end?
14. Tu regardes les matchs de foot à la télévision?
15. Est-ce que tu aimes bien tes camarades de classe?

  Dictée: écoutez et écrivez!

Reliez!

Match each sign with its English equivalent!

SOLDES
A

Prêt-à-porter
C

À NE PAS MANQUER
B

Toutes tailles
D

Prix réduits
E

Tout doit disparaître
F

Tous coloris
G

RAYON HOMMES
H

Prix IMBATTABLES
I

LIVRAISON GRATUITE
J

RABAIS
K

1. Free delivery
2. All sizes
3. Not to be missed
4. All colours
5. Reduced prices
6. Discount
7. Ready-to-wear
8. Sales
9. Unbeatable prices
10. Everything must go
11. Men's department

Repérez!

Le Printemps
— Strasbourg —

**SOLDES D'ÉTÉ
PRIX EXCEPTIONNELS! 3 DERNIERS JOURS!
JUSQU'À 75% DE RÉDUCTION!!!**

Les plus grandes marques sont en stock!
Quelques exemples de prix exceptionnels:

RAYON FEMMES	Valeur	Soldé	RAYON HOMMES	Valeur	Soldé
Jupes (tailles 40 à 46)	35€	23€	Costumes 3 pièces	289€	178€
Robes (tous coloris)	84€	38€	Costumes 2 pièces	186€	95€
Chemisiers	39€	17€	Vestes	169€	82€
Manteaux	206€	98€	Imperméables	87€	65€
Chaussures	98€	44€	Chaussures	71€	46€
RAYON ENFANTS			Chemises	33€	15€
			Cravates	22€	7€
Chemises	19€	6€	Manteaux	149€	79€
Sweat-shirts	12€	5€	Pulls	68€	24€
Pantalons	25€	14€	Pulls	48€	19€
Jeans	38€	18€	Sandales	52€	16€
Jupes	23€	9€			

1. What is the name of the store?
2. What colour do the dresses come in?
3. How much does a raincoat cost in the sale?
4. By how much has the most expensive jumper been reduced?
5. How many more days will the sale go on for?
6. What kind of footwear is on offer in the men's department?
7. Are the advertised items the only ones included in the sale?
8. What is the best offer in the children's department?

Le Dépôt

SOLDES MONSTRES!

À PARTIR DU 15 JANVIER ET JUSQU'AU 25 JANVIER DE 9 HEURES À 18 HEURES

DES AFFAIRES À NE PAS MANQUER!

15% sur les articles de parfumerie
De 20 à 40% dans le Rayon Hommes
50% sur le prêt-à-porter féminin
30% sur tous les meubles*
10% de rabais sur tout achat de plus de 400 euros dans les Rayons
Femmes et Hommes en plus des prix soldés!!!

TOUT DOIT DISPARAÎTRE!

Le Dépôt, 2-10, rue O'Quin, 64000 Pau

Livraison gratuite à partir de 800 euros d'achat.

1. In which town is Le Dépôt situated?
2. Under what condition can one avail of a 10% discount?
3. When does the sale start?
4. Are any articles being sold at half price?
5. What are the opening hours?
6. Under what condition can one avail of free delivery?
7. When does the sale end?

Écoutez et répondez aux questions en anglais!

Monsieur Dumay et sa fille Sophie font du shopping.
Ils entrent dans plusieurs magasins.

1. a. Where does this conversation take place?
    b. What does Sophie wish to buy?
    c. What size does she take?
    d. What does she ask the shop assistant to do?
    e. How much does Sophie pay?
2. a. Where does this conversation take place?
    b. What does Mr Dumay wish to buy?
    c. What size does he take?
    d. What colour does he ask for?
    e. How much money does he hand over?
3. a. Where does this conversation take place?
    b. List the items they buy.
    c. How much do they cost?
    d. How much does Mr Dumay hand over?
4. a. Where does this conversation take place?
    b. What does Mr Dumay ask for?
    c. What does Sophie ask for?
    d. How much do they pay altogether?

Mettez de l'ordre!

Put the sentences in the correct order to form a coherent dialogue. Then listen to
the tape to see if you were right.

— Bonjour! Je voudrais un pantalon.
— Voilà un pantalon noir, taille trente-huit.
— Quelle est votre taille?
— Noir, s'il vous plaît.
— Je peux l'essayer?
— Ce pantalon coûte trente-cinq euros.
— Et votre monnaie, quinze euros. Merci, au revoir!
— Bonjour, vous désirez?

- Je fais du trente-huit.
- Vous le prenez?
- Oui, la cabine est au fond du magasin, à droite.
- Quelle couleur désirez-vous?
- Voilà un billet de cinquante euros.
- Oui, je le prends. Il me va parfaitement. Il coûte combien?
- Au revoir!

C'est en quoi?

Complete each sentence with the appropriate expression!

en laine	en caoutchouc	en coton	en bois	en fer
en soie	en or	en nylon	en argent	en cuir

1. La coupe McCarthy est _____ .

2. Cette table est _____ .

79
Au
Or

LAINE VIERGE

100% Coton

3. Il porte un pull _____.

Meubles en Bois

4. Je voudrais des collants _____ , s'il vous plaît!

5. La boucle de cette ceinture est _____ .

10. Vous désirez?

6. Ces bagues sont
_____ .

7. Elle porte une robe
_____ .

26
Fe
Fer

8. J'ai acheté des chaussettes de tennis _____ .

47
Ag
Argent

9. À la ferme, je porte des bottes
_____ .

10. Ces chaussures sont _____ .

Jeux de rôles

1. Dans le magasin de vêtements

A says hello and asks B what he/she is looking for.
B says hello. He/she wants a woollen sweater.
A asks what colour.
B answers.
A asks what size.
B answers.
A gives B the sweater and asks if B wants to try it on.
B agrees.
A says that the changing room is at the back of the shop on the left.
B tries the sweater on and says it is too big and asks if it is available in a smaller size.
A says yes and asks if B will take it.
B asks for the price.
A says it costs 42€.
B says he/she will take the sweater and asks if A can wrap it up.
A says of course and gives it to B.
B hands over a 50€ note.

A gives back the change and says thank you and goodbye.
B replies.

2. À la papeterie

A says hello and asks B what he/she wants.
B wants two pens.
A asks what colour.
B wants a blue and a red pen.
A asks if B wants anything else.
B wants a wooden ruler.
A gives the items to B.
B asks for the price.
A says it costs 4,65€ altogether.
B hands over 5€.
A gives back the change and says thank you.
B says thank you and goodbye.
A replies.

3. Dans le magasin de disques

A says hello and says he/she wants a record by . . . .
B gives it to A.
A asks if he/she could listen to it before buying it.
B says yes.
A says he/she will take it and asks for the price.
B answers.
A hands over the money.
B gives back the change, says thank you and goodbye.
A replies.

Lisez!
La mode et vous

BON MARCHÉ

Le marché du Carreau du Temple est haut en couleur et vaut vraiment le détour! Au 19ème siècle, les Parisiens pauvres achetaient leurs vêtements sur ce marché. Aujourd'hui, vous trouvez toujours des vêtements bon marché, neufs ou d'occasion, mais vous pouvez aussi acheter des vêtements de créateurs connus comme Kenzo ou Kookaï.

Le Carreau du Temple, Métro Temple/ Arts et Métiers, ouvert tous les jours sauf le lundi.

À LA MODE RUGISSANTE

'Les félins dans la peau', ce pourrait être le crédo d'Yvan et de Marzia. Ce jeune couple s'est installé aux Halles récemment. Ils ont ouvert leur propre boutique, Léopard Legend. Cette boutique est unique. Elle propose des vêtements et des accessoires taillés dans cette peau de bête, ou plus exactement, son imitation qui est très réussie: des chemises en soie façon safari (210€), des maillots de bain en coton style Jane et Tarzan (48€), des shorts en Lycra (53€). Cette mode n'est pas nouvelle. En effet, dans les années 20, les amateurs d'art déco aimaient les meubles tapissés de ce tissu qui imite la fourrure du léopard. C'est la raison pour laquelle la boutique propose, au rayon mobilier, des chaises (130€), des fauteuils (275€), des tapis (à partir de 300€) et du tissu vendu au mètre (45€) pour faire des rideaux.

Léopard Legend, 29, rue du Jour, 75001 Paris, 01.53.40.75.90.

PROTECTION SOLAIRE ASSURÉE

Ils sont tout nouveaux, tout beaux: les vêtements qui protègent du soleil. Car le rayonnement UV pénètre à travers le tissu et peut atteindre votre peau. La solution? S'habiller en Enka Sun. Cette gamme de vêtements est fabriquée à partir d'un fil en viscose d'une protection solaire extrêmement élevée (indice 30). Légers, confortables et résistants (lavage à 40°C), ces vêtements révolutionnaires se déclinent en quatre couleurs: rouge, noir, blanc et bleu. Enka Sun propose des maillots de bain, des bermudas, des shorts, des chemises et des pantalons. Vous ne trouverez pas ces vêtements dans les magasins mais vous pouvez les acheter en Allemagne où ils sont fabriqués, ou bien alors téléphoner au 03.88.73.70.22. Enka Sun arrivera en France l'année prochaine.

C

Compréhension

1. Match each picture with the appropriate article.

A

B

2. a. What is *le Carreau du Temple*?
   b. Where is it situated?
   c. List two things one can buy
      there according to the text.
   d. What did poor people do there in the nineteenth century?
   e. When is it open?
   f. Find one demonstrative adjective, one verb in the *imparfait* and one
      infinitive.

3. a. What is special about Enka Sun garments?
   b. At what temperature can they be washed?
   c. What colours are they available in?
   d. Where can one buy these garments?
   e. Find three demonstrative adjectives, one object pronoun and one adjec-
      tive.

4. a. Who are Yvan and Marzia?
   b. What is the name of their shop?
   c. Where is it situated?
   d. What is original about what they sell?
   e. List four different items available in their shop.
   f. Find two demonstrative adjectives, one verb in the *imparfait* and two
      verbs in the *passé composé*.

10.12  **Écoutez!**

ÉTUDIANTE ET MANNEQUIN
– PAR LAURENT BERTIN –

*Nadia Armancourt est mannequin le week-
end et étudiante durant la semaine.
'Difficile de conjuguer études et travail,'
nous a confié la jeune fille qui vient de
fêter ses dix-neuf ans.*

L.B.: Comment avez-vous débuté dans ce métier?
N.A.: J'ai commencé tout à fait par hasard. J'étais
assise à la terrasse d'un café et un photographe m'a
demandé si je voulais poser pour des photos de
publicité. Sur le coup, je ne savais pas quoi lui

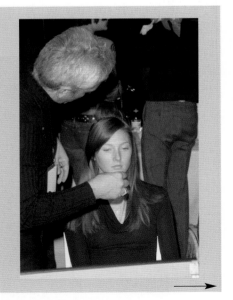

répondre. Ce soir-là, j'en ai parlé à mes parents. Surprise! Ils étaient d'accord à condition que je continue mes études. Je les ai remerciés!

L.B.: Comment conciliez-vous votre métier et les études?

N.A.: C'est difficile, je vous assure! Je travaille comme mannequin tous les week-ends et parfois en semaine, un ou deux soirs. À l'université, je suis étudiante en anglais et en commerce. Ces matières demandent beaucoup de travail. Je me lève très tôt tous les matins pour travailler et réviser mes leçons! Je les apprends régulièrement.

L.B.: Comment se déroule un samedi habituel pour vous?

N.A.: Le samedi, je me lève à six heures comme tous les jours. Je fais un jogging pendant un quart d'heure puis je fais mes devoirs. La première séance de photos commence généralement vers dix heures. Ces séances sont longues et fatigantes! L'après-midi, je fais une publicité ou je participe à un défilé de mode. Je rentre chez moi vers huit heures. Je me couche vers neuf heures et demie. Un mannequin ne peut pas se coucher tard!

L.B: Vous avez le temps de manger?

N.A.: Oui, bien sûr! Les repas sont très importants dans la vie d'un mannequin. Il faut les prendre méthodiquement. D'abord, le petit déjeuner. Je ne le manque jamais! Je bois du thé et je mange un oeuf à la coque, du pain, un peu de beurre et de confiture, un yaourt et un fruit. Pour le déjeuner et le dîner, je mange beaucoup de légumes et de crudités, de la viande blanche, un peu de fromage et des fruits.

L.B.: Quels sont vos loisirs?

N.A.: J'aime le sport, la lecture, la danse. Quand j'ai un peu de temps libre, j'en profite pour aller voir ma famille et jouer avec ma petite sœur. Je l'adore!

L.B.: Quel est votre personnage idéal?

N.A.: Mon personnage idéal est Catherine Deneuve. Je la trouve intéressante, intelligente et c'est une bonne actrice. Je l'admire énormément!

L.B.: Et quel est votre idéal masculin?

N.A.: Je l'ai trouvé . . . mais c'est un secret!

L.B.: Quels sont vos projets d'avenir?

N.A.: D'abord, je voudrais terminer mes études. Ensuite, j'aimerais voyager et visiter des pays différents. Mon rêve, c'est de faire un tour du monde. Je le ferai peut-être un jour!

Compréhension

1. Répondez en anglais!
   a. What age is Nadia?
   b. How did she get into modelling?
   c. What did her parents think about her working as a model?
   d. What does she study at college?
   e. How often does she model?
   f. What time does she get up at?
   g. What time does she go to bed at?
   h. What does she have for breakfast?
   i. What does she usually have for dinner?
   j. Mention three of her leisure activities.
   k. Who is Catherine Deneuve?
   l. What are Nadia's plans for the future?

2. Répondez en français!
   a. Comment s'appelle le journaliste qui a interviewé Nadia Armancourt?
   b. Pourquoi se lève-t-elle tôt le matin?
   c. Qu'est-ce qu'elle mange généralement à midi?
   d. Que fait Nadia quand elle a un peu de temps libre?
   e. Pourquoi admire-t-elle Catherine Deneuve?
   f. Quel est son rêve?

3. Trouvez les éléments grammaticaux!
   a. Find three demonstrative adjectives.
   b. Find three verbs in the *imparfait*.
   c. Find three verbs in the *passé composé*.
   d. Find three object pronouns. List the nouns they refer to.
   e. Find three adjectives. List the nouns they qualify.

Écrivez!

Rewrite Nadia's answer to the third question in the imparfait:
– Comment se déroulait un samedi habituel pour vous?
– **Le samedi, je me levais à six heures . . .**

Avant d'aller plus loin . . .   ?

Before moving on to Unit 11, make sure you can:
- *describe clothes*
- *ask if a shop has the item you require*
- *identify the particular item you want*
- *recognise and use demonstrative adjectives*
- *recognise and use object pronouns*
- *talk about some aspects of fashion in France.*

Now test yourself at <u>www.my-etest.com</u>

11

L'été sera génial!

Regardez!

Avec ses quatre-vingts volcans alignés sur vingt-cinq kilomètres, la chaîne des Puys est un site unique en Europe. Cette chaîne est située au coeur de l'Auvergne, dans le Massif central. Ces volcans sont âgés de six mille à huit mille ans. Le Puy de Dôme est le volcan le plus élevé: il culmine à mille quatre cent soixante-quatre mètres. Les randonneurs peuvent y faire de belles promenades.

Le Mont-Saint-Michel est une petite île de Normandie qui est reliée au continent par une route sur digue. La construction de l'abbaye bénédictine remonte au XIIème siècle. Cent quatorze personnes vivent sur cette île. La Normandie est une région tranquille. On y produit des fromages connus.

La forteresse médiévale de Pierrefonds est située dans la forêt de Compiègne, en Picardie. La plupart des rois de France ainsi que Napoléon ont vécu dans cette région parce qu'ils aimaient chasser le sanglier et le chevreuil dans les immenses forêts.

L'ours brun est un animal en voie d'extinction. En France, il n'en reste qu'une dizaine. Les derniers ours bruns vivent dans les Pyrénées. En été, de nombreux visiteurs se promènent dans le parc national des Pyrénées pour y admirer la faune et la flore. Il est très rare d'y rencontrer des ours.

Le Mont Blanc (quatre mille huit cent sept mètres) est la plus haute montagne des Alpes et d'Europe. Chaque été, trois mille personnes tentent l'ascension . . . mais peu d'alpinistes arrivent au sommet! Le grimpeur doit être entraîné car le mauvais temps arrive parfois très rapidement (brouillard épais, vent de 150 km/h, température de -40°C). En 1980, une fille de huit ans, Christel Bochatey, a atteint le sommet!

Les courses de chars à voile sont très populaires sur les plages du nord de la France, près de Calais et de Dunkerque. Un char à voile peut atteindre la vitesse de 140 km/h! C'est un Irlandais qui a remporté le titre de champion du monde en 1980. Un char à voile coûte environ 500 euros et peut être construit par un amateur.

La 'petite France' est le vieux quartier de Strasbourg. On y trouve de bons restaurants, des maisons anciennes, des rues pittoresques. Beaucoup de villages d'Alsace ressemblent à ce quartier. L'Alsace est une région de plaines, de forêts et de montagnes.

Écoutez!

Odile parle de ses projets de vacances avec Bruno.

Bruno: Qu'est-ce que tu vas faire pendant les vacances?

Odile: Je vais aller en Provence.

Bruno: Tu partiras quand?

Odile: Je partirai en juillet.

Bruno: Et tu logeras où?

Odile: Je logerai chez mon oncle et ma tante. Ils ont une grande maison qui n'est pas très loin de la mer.

Bruno: Qu'est-ce que tu feras en Provence?

Odile: Je ferai des promenades à vélo, je me promènerai, je jouerai au foot. Avec mon frère, nous visiterons la région, nous ferons de l'escalade. Il y aura plein de choses à faire!

Bruno: Vous irez à la plage?

Odile: Oui, bien sûr que nous irons à la plage. La côte d'Azur est à une vingtaine de kilomètres seulement de la maison. J'espère qu'il y fera beau et qu'il ne pleuvra pas, comme ici!

Bruno: Tu resteras combien de temps en Provence?

Odile: J'y resterai deux semaines.

11.2

Caroline demande à Jean ce qu'il va faire pendant les vacances.

Caroline: Est-ce que tu partiras en vacances, cet été?

Jean: Oui, je partirai en août.

Caroline: Tu iras où?

Jean: J'irai en Bretagne avec ma famille.

Caroline: Vous logerez où?

Jean: La première semaine, nous logerons à l'hôtel. Ensuite, nous ferons du camping. Mes parents et moi, nous dormirons dans une petite caravane. Mon frère, lui, il dormira dans une tente.

Caroline: Qu'est-ce que vous ferez en Bretagne?

Jean: Nous irons à la plage tous les jours. Je ferai de la planche à voile, je nagerai, je jouerai au volley. Et puis nous découvrirons la Bretagne. C'est une région magnifique!

Caroline: Tu y resteras combien de temps?

Jean: J'y resterai trois semaines en tout.

11.3

Paris, le 3 mai

Cher Darragh,

Comment vas-tu? Merci de ta gentille lettre que j'ai reçue hier. Ici, tout va bien. Au collège, je travaille beaucoup pour préparer le Brevet des Collèges. Et toi, tu as beaucoup de travail avec le Junior Cert?

J'ai hâte d'être en vacances. En juillet, j'irai en Bourgogne. Mon oncle et ma tante y habitent. Ils ont une grande ferme, alors je les aiderai. Je conduirai le tracteur! Il y aura beaucoup de choses à faire: j'irai à la piscine, je ferai de l'équitation, je me promènerai, je sortirai avec mes cousines. Elles prépareront un vrai plan d'action pour l'été!

Et toi, qu'est-ce que tu feras pendant les vacances? En tous cas, j'espère que tes examens se passeront bien et que tu auras de bonnes notes! Dis bonjour à ta famille de ma part et écris-moi bientôt. Je t'appellerai dès mon retour.

Grosses bises

Salut!

Charlotte

Découvrez les règles!

Futur proche

1. *Read over Dialogue 11.1 and find two verbs conjugated in the* futur proche.
2. *How is the* futur proche *formed? State a rule.*

Futur simple

1. *Regular verbs*

   a. *In English, is the future tense made up of one or two parts?*

   b. *In French, is the* futur simple *made up of one part or two parts?*

   c. *Read over Sections 11.1, 11.2 and 11.3 and find the following verbs conjugated in the* futur simple. *Then work out their stems and endings.*

11. L'été sera génial!

Infinitive	Futur simple	Stem	Ending
partir	tu partiras	partir-	-as
loger	_____	_____	_____
jouer	_____	_____	_____
visiter	_____	_____	_____
dormir	_____	_____	_____
rester	_____	_____	_____
préparer	_____	_____	_____
découvrir	_____	_____	_____
se passer	_____	_____	_____

d. Complete the following rule and learn it by heart.

Futur simple = _____ of the

verb + endings _____ .

2. Irregular verbs

Read over the three sections again and find the future simple *stems of the following irregular verbs. Then learn them by heart.*

être	je **ser**ai		pouvoir	je **pourr**ai
avoir	j' _____ ai		devoir	je **devr**ai
aller	j' _____ ai		pleuvoir	il _____ a
faire	je _____ ai		venir	je **viendr**ai
voir	je **verr**ai		acheter	j'**achèter**ai
envoyer	j'**enverr**ai		appeler	j' _____ ai

The pronoun 'y'

1. *Look at the following sentences:*
   - Cork is a beautiful city. You can do many things there.
   - Does Michael work in that shop? Yes, he works there.
   - John and I love The Quay West restaurant. We often eat there during the week.

   Indicate what the pronoun 'there' refers to in each of these sentences. Is this pronoun placed before or after the verb?
2. *In the dialogues and the letter, the pronoun 'y' has been used thirteen times. For each instance, indicate what 'y' refers to. Is this pronoun placed before or after the verb?*

11.4 **Écoutez et complétez!**

Quatre jeunes parlent de leurs prochaines vacances.

	Name	Destination	Duration	Accommodation	Activities
1					
2					
3					
4					

Mettez de l'ordre!

Put the sentences in the correct order to form a coherent dialogue.

- Tu partiras quand?
- J'irai dans le Limousin. C'est une très belle région!
- Et quand reviendras-tu?
- Oui, je vais partir pour quinze jours ou trois semaines.
- Tu iras où?
- Je partirai vers le quinze juillet.
- Et tu logeras où?

- Je reviendrai début août.
- Et qu'est-ce que tu y feras?
- Je descendrai à l'hôtel pour une semaine. Ensuite, je ferai du camping. J'ai hâte d'être dans le Limousin!
- Est-ce que tu vas partir en vacances, cet été?
- Je ferai des promenades à vélo, je me promènerai, je visiterai la région, je me baignerai dans les lacs. Il y aura plein de choses à faire!

Jeux de rôles
A and B

A asks B about his/her holiday plans.
B will go to County Clare.
A asks when B will leave.
B will leave on 5 July.
A asks B how long he/she will stay.
B will stay for three weeks altogether.
A asks where B will stay.
B will stay in a campsite.
A asks who will go with B.
B will go with his/her parents, his/her brother and dog.
A asks what B will be doing in County Clare.
B says that the campsite is just beside the sea. He/she will go swimming every day, play football, go sailing and visit the area. B hopes it won't rain.
A asks when B will be coming back.
B will come back at the end of July.

Dialoguez avec votre partenaire!
1. Tu iras où pendant les vacances?
2. Tu partiras avec qui?
3. Tu resteras combien de temps?
4. Quand partiras-tu?
5. Tu reviendras quand?
6. Où est-ce que tu logeras?
7. Qu'est-ce que tu y mangeras?
8. Qu'est-ce que tu feras pendant ton séjour?
9. Qu'est-ce que tu achèteras?

Les bonnes résolutions!

What are your New Year resolutions for next year?

1. faire mes devoirs tous les soirs
2. arrêter de fumer
3. ranger ma chambre
4. aller à la piscine une fois par semaine
5. se réveiller tôt
6. lire un livre par mois
7. respecter le règlement
8. être aimable avec les voisins
9. avoir un petit boulot
10. rendre visite à ma grand-mère plus souvent

11.5 Prononcez bien! Oral vowels

French vowels are generally crisper, shorter and sharper than English vowels. To pronounce French vowels correctly, you have to focus on the position of your lips. For example, for 'a', open your mouth widely. For 'e', round your lips. For 'o', 'u', 'ou', round your lips firmly. For 'i', 'é', 'è', spread your lips wide.

1. Listen to the difference in pronunciation between the following pairs of words, one English and one French.
   Écoutez et répétez!

can	canne	fin	fine	lute	luth
pan	panne	din	dîne	de luxe	de luxe
petty	petit	no	nos	soup	soupe
repent	repent	pot	pot	route	route

2. *Read out the following sentences, paying particular attention to the vowel sounds. Then listen to the tape.*

   a. Magali habite à Paris.
   b. Marie va à la piscine.
   c. Stéphanie habite à Monaco.
   d. Le bus est très petit.
   e. Tu es partie où?
   f. Il pleuvait un peu à Périgueux.
   g. Où est ma trousse?
   h. L'été sera génial!

11. L'été sera génial!

Trouvez la bonne terminaison!

1. Pendant les vacances, je fer_____ de la natation.
2. L'année prochaine, Mairead aur_____ seize ans.
3. Nous achèter_____ des cadeaux.
4. J'espère qu'il ne pleuvr_____ pas.
5. Tu pourr_____ faire du sport tous les jours.
6. Mes copains arriver_____ demain.
7. Je les verr_____ demain soir.
8. Vous viendr_____ à quelle heure?
9. Ils préparer_____ le petit déjeuner.
10. Nous nous amuser_____ bien!

Faites des phrases!

1. La semaine prochaine, je   aurai dix-sept ans.
2. Demain matin, nous   ne pleuvra pas.
3. Mardi, tu   ira au lycée.
4. Ce soir, Pierre et Anne   passerai mes examens.
5. En juillet, vous   verrai mes amis.
6. Après-demain, j'espère qu'il   pourras venir à mon anniversaire?
7. L'année prochaine, j'   aurez votre permis de conduire.
8. Dans quelques jours, nous   serons en vacances.
9. Ce soir, je   partirons très tôt.
10. L'année prochaine, elle   viendront à la maison.

Conjuguer les verbes au futur!

1. Je vais au collège.
2. Nous mangeons à la cantine.
3. Je reste en Irlande.
4. Nadia descend à la plage.
5. Ils achètent des vêtements.
6. Vous écrivez des cartes postales?
7. Je fais la grasse matinée.
8. Tu vas en ville?
9. Ces jeunes filles partent en vacances.
10. J'ai quinze ans.
11. Il faisait froid.
12. Ma mère a fait du jardinage.
13. Est-ce que tu es allé à Lyon?
14. C'était vraiment très bon!

15. Il pleuvait.
16. Je suis arrivée en retard.
17. Tu peux venir me chercher à la gare?
18. L'avion est parti à quelle heure?
19. Il neigeait.
20. J'ai pris le train.

 **Écoutez!**

Alexis parle de sa journée de demain.
À quelle heure fera-t-il les choses suivantes?

1. se réveiller
2. se lever
3. se laver
4. s'habiller
5. prendre le petit déjeuner
6. quitter la maison
7. arriver au collège
8. déjeuner
9. rentrer
10. faire ses devoirs
11. jouer au foot
12. jouer de la guitare
13. dîner
14. regarder la télévision
15. aller se coucher

Et toi, qu'est-ce que tu feras demain?

Écrivez les phrases en utilisant le pronom 'y'!
1. Je déjeune parfois à la cantine.
2. Je fais du camping à Royan.
3. Je vais au collège en voiture.
4. Demain, il pleuvra en Normandie.
5. Tu vas souvent à la discothèque?
6. Hier, nous sommes allés à la plage.
7. On trouve beaucoup de restaurants dans ce quartier.
8. Monique va à la piscine le mercredi.
9. Je me promène sur la plage tous les jours.
10. Je resterai à Dun Laoghaire jusqu'à la fin du mois.

Répondez aux questions en utilisant 'y'!
1. Est-ce que tu vas à l'école en bus?
2. Tu fais tes devoirs dans ta chambre?
3. Tu habites ici depuis combien de temps?

4. Tu as rencontré des amis sur la plage?
5. Tu manges à la cantine tous les jours?
6. Ta copine mange-t-elle à la cantine?
7. Tu es déjà allé dans le comté de Mayo?
8. Tu vas souvent au cinéma?
9. Est-ce qu'on vend des chaussures dans ce magasin?
10. Est-ce que tu reviendras en France?

  Dictée: écoutez et écrivez!

 **Écoutez!**

> *Nancy, le 7 mai*
>
> *Cher Steven,*
>
> *Comment vas-tu? Merci de ta lettre que j'ai reçue hier. Moi, je vais bien. J'ai hâte d'être en vacances!*
>
> *Après les examens, ma famille et moi irons à Arcachon. C'est une petite ville située sur la côte atlantique, au sud de Bordeaux. Je t'invite! Mes parents sont d'accord. Nous resterons quinze jours. Est-ce que tu pourras venir du 5 au 20 juillet? Ce sera génial, tu verras! Nous irons à la plage tous les jours. Nous pourrons nager et jouer au volley. Si tu veux, tu pourras faire de la planche à voile. Tu verras aussi mes copines et mes copains. On pourra faire des balades à vélo et des randonnées à la campagne. Nous visiterons également la région. Tu pourras aussi améliorer ton français!*
>
> *J'espère que tu accepteras mon invitation et que tes parents seront d'accord. Pour le transport, il n'y a pas de problème: tu pourras prendre l'avion jusqu'à Paris et nous viendrons te chercher à l'aéroport en voiture.*
>
> *Écris-moi vite pour me donner ta réponse! J'attends ta lettre avec impatience!*
>
> *Salut!*
>
> *Martine*

Compréhension

1. Répondez en anglais!
   a. What is the purpose of the letter?
   b. In which part of France is Nancy situated?
   c. How long is Martine going to stay in Arcachon?
   d. List five activities suggested by Martine.
   e. What are the travel arrangements?

2. Répondez en français!
   a. Où se trouve Arcachon?
   b. Martine restera combien de temps à Arcachon?
   c. Qu'est-ce qu'elle fera à la plage?
   d. Que feront Martine et Steven avec les amis?
   e. Est-ce qu'ils vont à Arcachon en avion?

3. Trouvez l'équivalent en français!
   a. You'll see.
   b. My parents have agreed.
   c. I can't wait until I get my holidays.
   d. We will pick you up.
   e. A fortnight

4. Trouvez!
   a. Quatre infinitifs
   b. Trois verbes différents conjugués au présent
   c. Trois verbes réguliers conjugués au futur
   d. Trois verbes irréguliers au futur, conjugués à la 1ère personne du pluriel

Écrivez!

Write a letter to your penfriend Pascal/Pascale inviting him/her to spend two weeks with you in Ireland. Include the following points:
— You have asked your parents and they have agreed.
— Suggest possible dates.
— Suggest five or six activities.
— Suggest some travel arrangements.

Lisez!

COMMENT VIVRONS-NOUS DANS CINQUANTE ANS?

Au dix-neuvième siècle, Jules Verne écrivait Vingt Mille Lieues Sous les Mers *et* De la Terre à la Lune. *Aujourd'hui, les rêves les plus fous de ce maître du roman de science-fiction se sont réalisés. Et dans cinquante ans, comment vivrons-nous?*
Le futurologue Stéphane Lemaître dresse le tableau de la vie sur Terre en 2050.

Dans une cinquantaine d'années, la Terre comptera dix milliards d'habitants. Les mégapoles pousseront comme des champignons. Ce seront des villes gigantesques vers lesquelles afflueront des millions de personnes. Une soixantaine de mégapoles abriteront plus de dix millions de personnes chacune. Mexico City et Sao Paulo seront les plus grandes villes du monde avec trente millions d'habitants. À Calcutta, Bombay, Tokyo, New York et Rio de Janeiro, il y aura vingt millions d'habitants tandis que quinze millions de personnes vivront à Paris, Moscou, Pékin et Téhéran.

La vie de tous les jours sera différente d'aujourd'hui. Dans ces mégapoles, les maisons individuelles disparaîtront et tout le monde habitera dans des gratte-ciel. Les habitudes alimentaires évolueront également. La consommation de viande diminuera tandis que le nombre de végétariens augmentera. De plus, l'eau sera rationnée et coûtera très cher. Dans les lieux publics, les hommes utiliseront le visiotéléphone pour communiquer à distance. Grâce à cet appareil, on pourra entendre et voir son correspondant.

Dans cinquante ans, on fera la plupart de ses achats par ordinateur et on règlera ses paiements avec une carte informatisée qui ressemblera un peu aux cartes de crédit actuelles. Ainsi, les billets de banque et les pièces de monnaie ne seront plus du tout utilisés. Dans les usines, il y aura de moins en moins d'ouvriers: les machines seront intelligentes et des robots s'occuperont de toutes les tâches difficiles.

La voiture à essence n'existera plus car les ressources pétrolières seront quasiment épuisées. D'autre part, pour éviter les risques de pollution, les véhicules utiliseront l'énergie solaire ou l'électricité. Ils fonctionneront avec des piles qu'il suffira de recharger. Ces voitures solaires ou électriques seront fabriquées en plastique recyclable. Il existera également des voitures à pilotage automatique: elles rouleront sur des rails magnétiques

→

et seront guidées par satellite. Cela devrait éviter bon nombre d'accidents. D'autres types de voitures n'auront pas de roues et flotteront sur les routes comme des hover-crafts ou des aéroglisseurs.

Les voyages en avion seront beaucoup plus fréquents qu'aujourd'hui. Les aéroports deviendront de véritables villes dans la ville et plusieurs millions de passagers y transiteront tous les jours. Les Airbus pourront transporter huit cents passagers et voleront à des vitesses hypersoniques. Tout le monde pourra également utiliser l'avion de l'espace. Cet appareil à décollage vertical possédera des moteurs capables d'opérer dans l'atmosphère, comme un avion normal, et dans l'espace, comme une fusée. Il sera alors possible de faire le tour de la Terre en cinq ou six heures.

Dans cinquante ans, la station spatiale internationale Alpha sera totalement opérationnelle. Environ trente personnes y habiteront. Des scientifiques y feront des expériences en apesanteur et y fabriqueront notamment divers médicaments. C'est à partir de cette base que des spationautes exploiteront des mines sur la Lune. Les chercheurs de la base Alpha exploreront également Mars. Ils tenteront d'y installer une station habitée. Pour parcourir des centaines de millions de kilomètres, les fusées utiliseront des réacteurs nucléaires. L'homme tentera de sortir du système solaire et voudra atteindre d'autres galaxies . . . il écrira encore des romans de science-fiction.

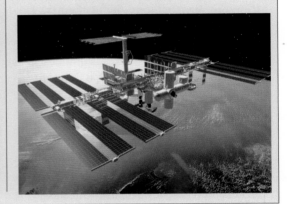

Compréhension

1. Who is Stéphane Lemaître?
2. Who is Jules Verne?
3. What will be the Earth's population in 2050?
4. How many cities will have over 10 million inhabitants?
5. What will be the population of Mexico City?
6. In 2050, 25 million people will live in Paris. True or false?
7. Find four examples in the third and fourth paragraph that show how daily life will be different from today.
8. What will cars be made of?
9. How will they be powered?
10. How many passengers will an Airbus be able to carry?
11. How long will it take a space plane to circle the Earth?
12. What is Alpha?
13. When will it be operational?
14. What will be its use?
15. What kind of fuel will rockets use?

Écrivez!
Comment vivra l'homme en l'an 3000?

In your opinion, what will life on Earth be like in the year 3000? Write at least six sentences. You could use some of the following verbs.

habiter - manger - boire - être - avoir - mesurer - voyager - explorer - aller - faire - parler - pouvoir - devoir

À l'hôtel
Classifiez ces hôtels!

Classification des hôtels par étoiles
- ***** Luxe
- **** Très grand confort
- *** Grand confort
- ** Bon confort
- * Confort

A

B

D

C

Repérez!

1. In which town is this hotel situated?
2. When is the hotel open?
3. Are dinners being served in this hotel?
4. What is the price of a single room with shower?
5. What is the price of a double room en suite?
6. Is breakfast included in the price?
7. Find one inconsistency contained in this brochure.

Hôtel d'Angleterre

** NN
Biarritz
7, rue de la Barrière

TRÈS GRAND CONFORT
55 CHAMBRES AVEC SALLE DE BAINS
CLIMATISATION DANS TOUTES LES CHAMBRES
CUISINE DE QUALITÉ
PARKING PRIVÉ
OUVERT TOUTE L'ANNÉE

Chambre simple + douche: 42€
Chambre simple + salle de bains: 55€
Chambre double + douche: 49€
Chambre double + salle de bains: 57€
Petit déjeuner: 5,50€

11. L'été sera génial!

Hôtel Beaulieu ****
— Nice —

**SAVOUREZ LE GRAND CONFORT ET LA
VUE SUR LA MER!**

Restaurant - Piscine - Tennis - Sauna -
Jardin - Climatisation - Ascenseur -
Parking – 80 chambres

**Chambre double: 98€
Petit déjeuner: 9€
Demi-pension: 135€
Pension complète: 160€**

Ouverture: 01-02/15-11

**L'HÔTEL BEAULIEU EST AFFILIÉ
AU GROUPE CONCORDIA.**

1. This hotel is located in the Provence region. True or false?
2. Is this hotel open all year round?
3. Which of the following are listed?
   – swimming pool
   – garden
   – golf
   – lift
   – air conditioning
4. What is the price of half-board accommodation?

  **Vous avez une chambre de libre?**

*Madame Gambier réserve une chambre à l'hôtel
pour elle et son mari.*

– Bonjour, Madame!
– Bonjour, jeune homme! Vous avez une chambre de libre?
– Oui, bien sûr! C'est pour combien de nuits?
– C'est pour deux nuits.
– D'accord. Vous voulez une chambre à deux lits ou une chambre à un grand lit?
– Je voudrais une chambre avec un grand lit, s'il vous plaît.
– Bien. Et vous désirez une chambre avec douche/WC ou alors une chambre avec salle de bains complète?
– Je voudrais une chambre avec salle de bains, s'il vous plaît. Ça fait combien?
– Ça fait quarante-six euros la nuit.
– Le petit déjeuner est compris?
– Non, pour le petit déjeuner, il y a un supplément de sept euros.

— Bon, je la prends.
— Tenez, voici votre clé. Chambre 404. C'est au quatrième étage.
— Il y a un ascenseur?
— Oui, il y a un ascenseur, là-bas, à droite. Bon séjour!
— Merci!

Compréhension
1. What type of room does Madame Gambier ask for?
2. How many nights does she want to stay?
3. Is her room en suite?
4. Is breakfast included?
5. What storey is the room on?

 Écoutez et remplissez la grille!

Régine est réceptionniste à l'hôtel Chantelle. Elle accueille les clients.

	No. of rooms	No. of nights	Type of room
1			
2			
3			

Écoutez et complétez le dialogue!

— Bonjour, Mesdemoiselles!
— Bonjour, Monsieur! Vous avez une
   _____ (1) de libre pour deux
   personnes?
— Oui. Vous voulez une chambre à deux
   _____ (2) ou à un grand lit?
— Nous voudrions une chambre à deux
   lits, s'il vous plaît.
— D'accord. Et vous désirez une chambre
   avec douche/WC ou bien une chambre
   avec _____ (3)?

11. L'été sera génial!

— Nous voudrions une chambre avec _____ (4), s'il vous plaît.
— Très bien. C'est pour _____ (5) de nuits?
— C'est pour une _____ (6).
— Et c'est à quel nom?
— Julie et Marie Lastigal. J'épelle: L-A-S-T-I-G-A-L.
— Voici votre clé. Chambre _____ (7). C'est au premier étage. Il y a un
_____ (8).
— Et ça fait combien?
— Une chambre à deux lits avec douche/WC: _____ (9)€.
— Le petit déjeuner est _____ (10)?
— Non, il n'est pas compris. Pour le petit déjeuner, il y a un _____ (11)
de 5,50€.
— Bien, nous vous remercions!
— C'est moi qui vous remercie! Bon séjour!

Mettez de l'ordre dans le dialogue!
Write a coherent dialogue!

— Bonjour, Mademoiselle! Je voudrais
une chambre à un grand lit et une
autre chambre à deux lits, s'il vous
plaît. C'est pour deux adultes et
deux enfants.
— Et c'est à quel nom?
— C'est pour trois nuits.
— Il y a un ascenseur?
— Bonjour, Monsieur! Vous désirez?
— Alors, la chambre à deux lits avec douche et la chambre à un grand lit avec
salle de bains.
— D'accord. Et c'est pour combien de nuits?
— Famille Phillips. J'épelle: P-H-I-deux L-I-P-S.
— Merci, au revoir!
— Voici vos clés. Chambres quarante et quarante et un. C'est au quatrième
étage.
— Très bien! Avec douche/WC ou bien alors avec salle de bains complète?
— Oui, là-bas, à droite. Bon séjour!

Jeux de rôles

1. A (receptionist) and B (client)

A says hello and asks if she can help.
B says hello and asks if there is any room available.
A says there is and asks if B wants a single room or a double room.
B wants a room with two beds.
A asks for how many nights.
B says for two nights. B asks how much it will cost.
A says the room costs 38€.
B asks if breakfast is included.
A says it isn't. Breakfast costs 5,30€ extra.
B asks if there is a lift.
A says that the lift is on the left and hands over the key, room 306, on the third floor. A asks B his/her name.
B's name is Laurent/Laurence Cadennat. He/she spells his/her name.
A says thank you and wishes B a happy stay.
A says thank you.

2. Faites des réservations!
   Make a booking at a hotel, using the following diagrams. Your partner will play the role of the receptionist.

A

B

C

Quel hôtel choisir?

1. Match each sign with the appropriate caption.

Exemple: A = 10

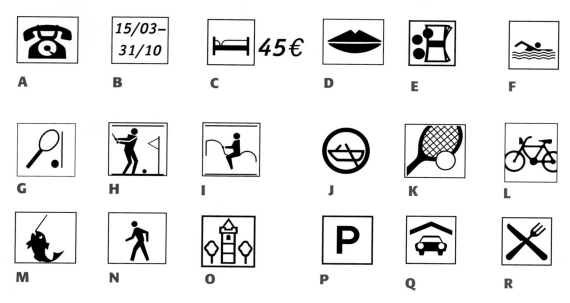

A	B	C
D	E	F
G	H	I
J	K	L
M	N	O
P	Q	R

1. Canotage
2. Location de vélos
3. Promenades et randonnées
4. Restaurant
5. Pêche
6. Piscine
7. Parking privé
8. Langues étrangères parlées
9. Golf
10. Téléphone
11. Équitation
12. Change
13. Parc, jardin
14. Tennis
15. Prix pour une chambre double (2 personnes) avec douche ou bain et WC
16. Squash
17. Période d'ouverture
18. Garage

2. Find the gender of all the above nouns. Then answer the two following questions. En français, s'il vous plaît!

Qu'est-ce qu'il y a dans cet hôtel?	Qu'est-ce qu'on peut y faire?
Il y a une piscine.	On peut nager.

Écoutez!

Angèle prépare ses vacances. Elle téléphone à la réception d'un hôtel pour demander des renseignements. Répondez aux questions en anglais!

1. How many nights does Angèle want to stay?
2. What type of room does she ask for?
3. What is the price?
4. Is breakfast included?
5. Is there a lift in the hotel?
6. There is a television in the room. True or false?
7. Which of the following facilities are not available at the hotel?
   – bicyles for hire
   – swimming pool
   – restaurant
   – bureau de change
   – car park
8. List three facilities available nearby.
9. How far is the nearest village?
10. Is the hotel open all year round?

Lisez!
Une lettre de réservation

Blackrock, le 18 juin

Delia Finnegan
15, Maretimo Gardens
Blackrock
Co. Dublin
Irlande

Monsieur le Directeur
Hôtel Cammerzel
3, Place de la Cathédrale
67000 Strasbourg
FRANCE

Monsieur le Directeur,

Ma famille et moi avons l'intention de passer une semaine de vacances à Strasbourg, dans votre hôtel. Nous sommes quatre: un couple et deux enfants. Nous resterons sept nuits, du 15 au 21 août.

Je voudrais réserver une chambre à un grand lit avec salle de bains et une chambre à deux lits avec douche/WC. Je voudrais rester en demi-pension. Veuillez nous envoyer vos tarifs.

Est-ce qu'il y a une piscine dans l'hôtel? Est-ce qu'on peut louer des vélos et faire des randonnées dans les environs? Pouvez-vous nous envoyer une documentation complète?

Veuillez agréer, Monsieur le Directeur, l'expression de mes sentiments distingués.

Delia Finnegan

11. L'été sera génial!

Compréhension

1. Who is the receiver of the letter?
2. Who is the sender?
3. How many nights do the Finnegans wish to stay?
4. What type of rooms do they book?
5. Do they want half board or full board?
6. Find the expressions in French for:
   – We intend to spend a week.
   – I would like to book . . .
   – Please send us your prices.
   – Yours sincerely

Écrivez!

You and your family intend to spend four days in Nantes during the summer holidays. Write a letter to:

Hôtel Maréchal
24, rue Jules Verne
44000 Nantes

– State the number of nights you intend to stay.
– Give precise dates of arrival and departure.
– Book one double room with shower and one single room.
– Ask for full board.
– Ask for the price.
– Ask about facilities in the hotel.
– Ask about facilities nearby.

CHISSAY-EN-TOURAINE (LOIR-ET-CHER)
Château de Chissay ***

✉ 41400 Chissay-en-Touraine

☎ 05 54 32 32 01 ☎ 05 54 32 43 80

🛏 31: 75/250€

👄 GB/E   15/03–15/11

SAINT-HILAIRE-DE-COURT (CHER)
Château-Hôtel de la Beuvrière **

✉ 18100 Saint-Hilaire-de-Court

☎ 05 48 75 14 63 ☎ 05 48 75 47 62

🛏 15: 38/88€

👄 GB   15/03–31/12

SAINT-CHARTIER/LA CHÂTRE (INDRE)
Château de la Vallée Bleue ***

✉ La Clé – 36400 Saint-Chartier

☎ 05 54 31 01 91 ☎ 05 54 31 04 48

🛏 13: 45/82€

👄 GB/D/E   01/03–31/01

SAINT-HILAIRE-SAINT-MESMIN (LOIRET)
L'Escale de Port Arthur **

✉ 205, rue de l'Eglise
45580 St-Hilare-St-Mesmin

☎ 05 38 76 30 36 ☎ 05 38 76 37 67

🛏 20: 39/53€

👄 GB/E   06/01–28/01 et 17/02–31/12

NAZELLES-NÉGRON/AMBOISE (INDRE-ET-LOIRE)
Le Petit Lussault **

✉ RN 152 – 37530 Nazelles–Négron

☎ 05 47 57 30 30   ☏ 05 47 57 77 80

🛏 22: 37/51€

👄 GB/I   01/04–01/11

SAINT-SYMPHORIEN-LE–CHÂTEAU (EURE-ET-LOIR)
Château d'Esclimont **

✉ 28700 Saint-Symphorien-le-Château

☎ 05 37 31 15 15   ☏ 05 37 31 57 91

🛏 12: 42/65€

👄 D   01/03–15/11

Choisissez un hôtel!

1. *Répondez en anglais!*
   a. Which are the highest-rated hotels?
   b. Are these hotels open all year round?
   c. Which hotels do not have a swimming pool?
   d. In which village is the *Château de la Vallée Bleue* located?
   e. How many rooms does *Le Petit Lussault* have?
   f. When is *L'Escale de Port Arthur* closed?
   g. Which hotel doesn't have a restaurant?
   h. Does the *Château-Hôtel de la Beuvrière* change money?
   i. In which hotels is German spoken?
   j. What is the telephone number of the *Château de Chissay*?

2. *Répondez en français!*
   a. Combien d'étoiles a le Château de la Vallée Bleue?
   b. Est-ce qu'on peut y faire du golf?
   c. On y loue des vélos?
   d. Est-ce qu'il y a une piscine dans le Château d'Esclimont?
   e. L'hôtel du Petit Lussault est-il ouvert le 12 mars?
   f. Est-ce qu'on parle anglais au Château de Chissay?
   g. Le Château-Hôtel de la Beuvrière est fermé quand?
   h. Quel est l'hôtel le moins cher?
   i. Où peut-on pêcher?
   j. Est-ce qu'on parle anglais dans tous les hôtels?

11.13 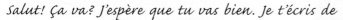 **Écoutez!**

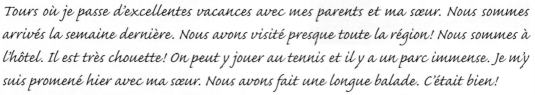

Tours, le 15 août

Chère Jeannette,

Salut! Ça va? J'espère que tu vas bien. Je t'écris de Tours où je passe d'excellentes vacances avec mes parents et ma sœur. Nous sommes arrivés la semaine dernière. Nous avons visité presque toute la région! Nous sommes à l'hôtel. Il est très chouette! On peut y jouer au tennis et il y a un parc immense. Je m'y suis promené hier avec ma sœur. Nous avons fait une longue balade. C'était bien!

Demain, nous louerons des vélos et nous ferons une randonnée à travers la campagne. Elle est magnifique à cette époque de l'année. Ici, il fait beau presque tous les jours. Le soleil brille et je suis bronzé!

La nourriture est assez bonne. Comme il n'y a pas de restaurant à l'hôtel, nous pique-niquons presque tous les jours. Le soir, nous allons souvent manger dans un restaurant. Dans les environs, il y a une piscine et un mini-golf et on peut aussi faire de la pêche. J'irai pêcher ce week-end, et j'espère que je ramènerai un poisson! Samedi, je ferai de l'équitation puis je ferai du shopping en ville. Je dois acheter quelques cadeaux.

Voilà ce que je fais en vacances! Et toi, qu'est-ce que tu fais? J'espère que tu t'amuses bien. Moi, je reviendrai la semaine prochaine. J'ai hâte de te revoir. Passe de bonnes vacances et dis bonjour à ta famille de ma part.

Salut!

Paul

Compréhension

1. Répondez en anglais!
   a. Where is Tours?
   b. Who is Paul spending his holidays with?
   c. Mention two things Paul did.
   d. Mention four things Paul intends to do.
   e. What does Paul usually have for lunch?
   f. What is the weather like?

g. What facilities are there nearby?
h. What does Paul want to buy in town?
i. When is he returning from his holidays?
j. Which hotel from pages 250–1 is Paul staying at?

2. *Répondez en français!*
   a. Paul est arrivé quand?
   b. Est-ce qu'il a visité la région?
   c. Qu'est-ce qu'il a fait hier?
   d. Est-ce qu'il louera un vélo?
   e. Qu'est-ce qu'il fera ce week-end?
   f. Où ira-t-il samedi?
   g. Qu'est-ce qu'il achètera?
   h. Quel temps fait-il?
   i. Est-ce qu'il y a un restaurant dans l'hôtel?
   j. Il reviendra quand?

Écrivez!

1. *You are staying with your family at one of the hotels on pages 250–1. Write a letter to your penfriend telling him/her:*
   - *where you are and with whom*
   - *how long you are staying and in what kind of accommodation*
   - *what facilities there are*
   - *what you did yesterday*
   - *what you intend to do in the next few days*
   - *about the weather.*

2. *You are a French student spending two weeks in Bray to improve your English. Write a letter to your parents in Paris, including the following points:*
   - *You arrived safe and well* (bien arriver).
   - *The Irish family is very nice.*
   - *You met some young people.*
   - *You don't like the Irish food.*
   - *You speak English all the time.*
   - *Mention some activities you intend to do.*

3. Your parents want to spend their holidays in a hotel on the Mediterranean. Write a letter for them to book one single room and one double room en suite for seven nights from the 10th to the 17th July. Say that there will be three people altogether, a couple and one teenager. Ask for the price and what facilities are available. Ask for a sample menu to be sent to you. Write to:

> Hôtel de la Plage
> Plage de la Corniche
> 34200 Sète

4. You are staying with some friends in a tent at the seaside in Connemara. Send a postcard to your penpal in Quebec. Include the following points:
   – You arrived last week and visited the area.
   – You go swimming a lot.
   – The weather is bad. You hope it will improve.
   – You intend to go on a cycling tour.
   – You will return home next week.

Quel temps fera-t-il?
Observez!

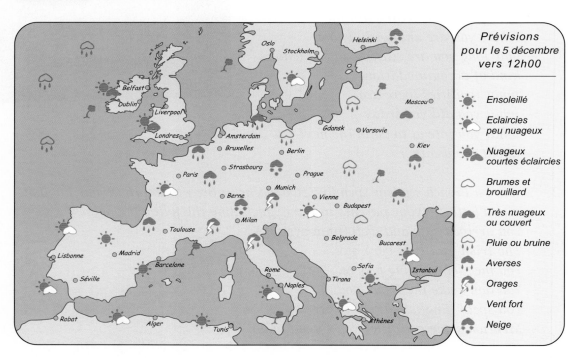

11. L'été sera génial!

Choisissez la bonne réponse!

1. a. Il fera beau. ☐
   b. Il neigera. ☐
   c. Il fera froid. ☐

2. a. Il gèlera. ☐
   b. Il pleuvra. ☐
   c. Il fera un temps ensoleillé. ☐

3. a. Il y aura des éclairs. ☐
   b. Le temps sera orageux. ☐
   c. Il fera un temps nuageux. ☐

4. a. Il y aura du vent. ☐
   b. Il y aura des éclaircies. ☐
   c. Il fera un temps pluvieux. ☐

5. a. Il fera chaud. ☐
   b. Il y aura de la brume. ☐
   c. Il y aura de la bruine. ☐

6. a. Il y aura du brouillard. ☐
   b. Il y aura des averses. ☐
   c. Il y aura de la neige. ☐

11.14 Écoutez et complétez!

	Prévisions	Températures
Bretagne		
Alsace		
Auvergne		
Midi		
Sud-Ouest		

Lisez!

MÉTÉO

Région parisienne. — Ce matin, après la dissipation de brouillards locaux, il fera beau et le temps sera bien ensoleillé. En début d'après-midi, quelques nuages apparaîtront et voileront le soleil de temps à autre. Des pluies éparses tomberont en fin de soirée. Il fera de 16 à 19 degrés.

Ailleurs. — Sur la Bretagne, la Normandie, les Pays de la Loire, le Centre, après la levée des brumes et brouillards matinaux, le temps deviendra couvert avec des pluies éparses, parfois orageuses. Le vent marin sera modéré et soufflera de sud-ouest. Températures de 15 à 17 degrés.

Sur l'Aquitaine, le Poitou-Charentes, le Limousin, l'Auvergne et les Pyrénées, il fera assez beau le matin. Le ciel sera nuageux et des orages se produiront l'après-midi, surtout dans le Sud-Ouest où il fera lourd. Les températures atteindront les 25 degrés. Vent d'ouest modéré.

Sur la région Rhône-Alpes, la Provence, la côte d'Azur et la Corse, il fera un temps ensoleillé en fin de matinée après la dissipation des brumes et brouillards matinaux. L'après-midi, il pleuvra et il y aura des averses laissant place à quelques éclaircies en soirée. Toutefois, le temps restera instable. Vent de sud-ouest modéré. Les températures avoisineront les 26 degrés. Dans les Alpes, il neigera sur les sommets de plus de 3000 mètres. Attention donc, si vous faites des randonnées en altitude. Les alpinistes devront se munir de prudence.

En Bourgogne, en Alsace et dans l'Est en général, il y aura du brouillard le matin puis de la pluie ou de la bruine en début d'après midi, laissant un temps ensoleillé s'installer progressivement en cours d'après-midi et en soirée. Les températures pourront atteindre les 24 degrés.

Compréhension

1. What kind of weather is expected in Paris
   - in the morning?
   - in the afternoon?
   - in the evening?
2. What kind of weather is expected in Normandy in the afternoon?
3. What kind of winds are expected in Corsica?
4. Why should mountaineers be very careful in the Alps?
5. What kind of weather is expected in Strasbourg in the afternoon?
6. Find the French word/expression for:
   - The sky will become overcast.
   - Scattered showers
   - Thunderstorms will occur.
   - The weather will be close.
   - Sunny spells
7. Find and list all twenty-three verbs in the *futur simple*. Give their infinitives.

11. L'été sera génial!

Commentez la carte des prévisions!

 **Écoutez!**

Quatre jeunes discutent de leurs prochaines vacances.

	Destination	Transport	Duration	Accommodation	Activities
Laurent					
Martine					
Georgette					
Marc					

Lisez!

Gîtes de France

L'art de vivre ses vacances, c'est redécouvrir, grâce aux Gîtes de France, la vraie nature de nos régions et de leurs habitants; c'est apprécier l'espace et pouvoir à la carte, choisir entre repos, nature, et loisirs à proximité. Mais, Gîtes de France, c'est aussi l'assurance d'un label de qualité, garanti par un classement officiel en 1, 2, 3, et 4 épis, à des prix modérés et très séduisants.

Le camping et l'aire naturelle

Situé généralement près d'une ferme, le terrain où vous installerez votre tente ou votre caravane est aménagé pour l'accueil de 6 à 25 installations et dispose de sanitaires complets. Vous pourrez y séjourner en profitant de la tranquillité, de l'espace et de la nature.

La chambre et table d'hôte

La chambre d'hôte ou le 'bed and breakfast' à la française: une autre façon de découvrir les mille visages de la France. Vous serez reçus 'en amis' chez des particuliers qui ouvriront leur maison (demeure de caractère, fermes aménagées . . .) pour une ou plusieurs nuits. Vous pourrez déguster la cuisine régionale avec la table d'hôtes.

Les chalets-loisirs

Dans un environnement de pleine nature, 3 à 25 chalets-loisirs sont aménagés pour 6 personnes au maximum. Des activités de loisirs (pêche, VTT, pédalo, tir à l'arc . . .) vous seront proposées sur place.

Le gîte d'enfants et le gîte pour adolescents

Pendant les vacances scolaires, les enfants à partir de 4 ans seront accueillis au sein d'une famille agréée 'Gîtes de France' et contrôlée par l'administration compétente. Ils partageront avec d'autres enfants la vie à la campagne et profiteront de loisirs au grand air. Nouvelle formule, les Clubs Jeunes s'adressent aux adolescents de 11 à 16 ans qui souhaitent allier ambiance conviviale, détente et vacances actives.

Le gîte rural

Le plus souvent aménagé dans une demeure traditionnelle, le gîte rural est une maison ou un logement indépendant situé à la campagne, près d'une ferme ou d'un village. On peut le louer pour un week-end, une ou plusieurs semaines, en toutes saisons. À l'arrivée, les propriétaires vous réserveront le meilleur accueil.

Le gîte d'étape

Le gîte d'étape est destiné à accueillir des randonneurs (pédestres, équestres, cyclistes . . .) qui veulent un lit pour une nuit avant de continuer leur itinéraire; il est souvent situé près d'un sentier de randonnée.

11. L'été sera génial!

Compréhension

1. *Répondez en anglais!*

   a. How many types of accommodation does the *Gîtes de France* organisation offer?

   b. *Gîtes de France* are quite expensive. True or false?

   c. How are *Gîtes de France* graded?

   d. Where are the *Gîte de France* camping sites usually located?

   e. What is a *chambre d'hôte*?

   f. Name one new holiday programme being offered by *Gîtes de France*.

   g. Can one rent a *gîte rural* for one night?

2. *What type of accommodation would you recommend to the following people?*

   a. *Hervé, 16 ans:* Je voudrais partir en vacances à la campagne. Je voudrais être dans un groupe avec d'autres jeunes de mon âge. J'aime le sport, les promenades et la nature.

   b. *Cyrille, 27 ans:* Cet été, mes copains et moi allons faire une grande randonnée dans les Alpes. Nous ferons quarante kilomètres à pied tous les jours pendant une semaine. Le soir, je voudrais trouver un endroit propre et bon marché, pour une nuit seulement.

   c. *Catherine, 45 ans:* Je cherche une maison à louer pour trois semaines. Je voudrais y séjourner avec mon mari et mes quatre enfants. J'aimerais séjourner à la campagne.

   d. *Paulette, 15 ans:* Mes parents veulent passer leurs vacances dans la nature, loin des villes. Ils ont une caravane mais ils n'aiment pas les terrains de camping habituels car il y a trop de monde.

Lisez!

Chaque été, je pars en vacances avec mes parents et mes deux sœurs. Nous allons en Bretagne. Mes parents louent un gîte rural à la campagne. Nous y restons un mois, du 15 juillet au 15 août.

Dans ce gîte, il y a une cuisine équipée, un salon avec une cheminée, une salle de bains et quatre chambres. On s'y amuse bien.

Pendant les vacances, je vais à la piscine, je fais de la pêche, je joue au foot avec les jeunes du village voisin. Le week-end, je rends visite à des copains. Nous allons au cinéma, nous bavardons. En vacances, je ne regarde jamais la télévision!

Mes sœurs font beaucoup d'équitation. Une fois par semaine, elles font une randonnée à cheval d'une journée entière. Elle partent à neuf heures du matin et reviennent à quatre ou cinq heures de l'après-midi.

Mes parents font souvent la grasse matinée. Ils lisent beaucoup et se reposent. L'été est génial!

Écrivez ce texte au futur simple!

Avant d'aller plus loin . . . ?

Before moving on to Unit 12, make sure you can:
– *say what you intend to do*
– *book a hotel room*
– *find out about facilities*
– *explain the formation of the* futur proche *and the* futur simple
– *talk about some holiday destinations in France.*

Now test yourself at www.my-etest.com

Allons à Paris!

Regardez!

Le Stade de France a été inauguré lors de la Coupe du Monde de Football 1998. C'est l'un des plus grands stades du monde. Sa capacité totale est de 80.000 places assises et couvertes. La construction du Stade de France a duré presque trois ans. Mille employés y travaillent. Le poids du toit est comparable à celui de la Tour Eiffel.

La Tour Eiffel a été construite en 1889 par l'ingénieur Gustave Eiffel pour l'Exposition Universelle et aussi pour fêter le centenaire de la Révolution française. Elle mesure 317 mètres et pèse 7.000 tonnes. Il faut 40 tonnes de peinture pour la repeindre tous les sept ans. Quatre millions et demi de touristes montent sur la Tour Eiffel chaque année.

La Géode est située dans le quartier de La Villette. C'est une boule d'acier poli qui abrite une salle de cinéma immense. Les spectateurs ont l'impression d'être dans le film grâce à un écran hémisphérique de 1000 m^2 (le plus grand du monde). La vision couvre 180°. La Géode vous transportera dans le futur!

La Place de la Concorde se trouve dans le
centre de Paris, près de l'Assemblée nationale
et des Champs-Elysées. L'obélisque érigé au
centre de la place est égyptien. Le roi Louis
XVI et Marie-Antoinette ont été guillotinés
sur la Place de la Concorde en 1793. La
guillotine a été inventée pendant la
Révolution par le docteur Guillotin. Elle
fonctionnait jusqu'en 1981.

Le musée du Louvre est l'un des plus grands
musées du monde. Il abrite notamment *La
Joconde* de Léonard de Vinci. La Pyramide du
Louvre a été ouverte en 1989. C'est l'entrée
du musée. La Pyramide mesure 22 mètres de
haut. 100 tonnes de verre et 85 tonnes d'acier
ont été nécessaires à la construction de la
Pyramide du Louvre.

L'Arc de Triomphe a été construit par
Napoléon en 1806 pour célébrer les
victoires de ses armées. Il mesure 50 mètres
de haut et 45 mètres de large. Les Champs-
Elysées sont une avenue célèbre de Paris
qui relie l'Arc de Triomphe à la Place de la
Concorde. On y trouve des grands hôtels,
des cinémas, des cafés, des boutiques de luxe.

La Grande Arche de la Défense a été construite en
1989 dans un quartier moderne qui ressemble à
Manhattan. Dans ce bâtiment, il y a des bureaux, des
boutiques, des cafés et des librairies. La terrasse de
la Grande Arche offre une perspective remarquable
sur l'Arc de Triomphe, les Champs-Elysées, la Place
de la Concorde et la Pyramide du Louvre.

Compréhension

1. What is the capacity of the Stade de France?
2. How often does the Eiffel Tower need to be repainted?
3. What is the Géode?
4. What happened on the Place de la Concorde in 1793?
5. Which famous painting is on display at the Louvre museum?
6. Which statement is true?
   - The Louvre pyramid is on display since 1989.
   - The Louvre pyramid is the entrance to the museum.
   - The Louvre pyramid is twenty metres high.
7. Who commissioned the Arc de Triomphe?
8. What kind of shops can you find on the Champs-Elysées?
9. Is the Grande Arche situated in a new or an old district?
10. Which of the following can be found in the Grande Arche?
    - libraries
    - shops
    - bookshops
    - offices

Écoutez!

12.1 Les arrondissements de Paris

SALUT!

Je m'appelle Angèle. J'ai quinze ans et je suis parisienne. J'habite dans le quinzième arrondissement. J'aime beaucoup Paris parce qu'il y a toujours quelque chose à faire ici. Pour connaître Paris, il faut connaître les arrondissements. Paris est divisée en vingt arrondissements. Ils forment une spirale comme la coquille d'un escargot. On les appelle, tout simplement, 'le premier', 'le deuxième', 'le troisième', 'le quatrième', et ainsi de suite.

Le premier est situé au cœur de Paris, sur la rive droite. On y trouve le musée du Louvre et sa pyramide ainsi que la Place Vendôme avec ses bijouteries et ses grands hôtels. Dans le deuxième, il y a la Bourse de Paris. C'est un quartier populaire et très commerçant. Les rues sont étroites et animées. Le troisième est un vieux quartier que l'on appelle aussi 'le Marais'. C'est un quartier pittoresque avec des ruelles médiévales.

→

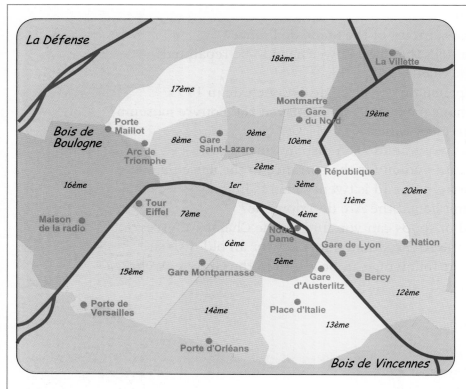

Le dix-septième est le quartier des ambassades. On y trouve aussi le parc Monceau, un jardin agréable.

Dans le dix-huitième, il y a Montmartre et la basilique du Sacré-Cœur. C'est le quartier des peintres, des artistes et des cabarets. La Géode et la Cité des Sciences de La Villette se trouve dans le dix-neuvième. Dans le vingtième, il y a le célèbre cimetière du Père Lachaise où sont enterrés de nombreuses personnalités dont Chopin, Oscar Wilde, Victor Hugo (l'auteur de *Notre-Dame-de-Paris* et *Les Misérables*), Alexandre Dumas (l'auteur de *Les Trois Mousquetaires*). Voilà, maintenant vous connaissez les arrondissements de Paris!

Dans le quatrième se trouve la cathédrale Notre-Dame ainsi que le Centre Georges Pompidou, le Centre National d'Art et de Culture. Sur la rive gauche se trouve le cinquième. C'est le Quartier Latin avec ses universités, ses cafés, ses restaurants, ses cinémas.

Dans le sixième, il y a le jardin du Luxembourg et le Sénat. Dans le septième, il y a la Tour Eiffel. C'est un quartier résidentiel. Le huitième est un quartier chic. On y trouve l'Arc de Triomphe et les Champs-Elysées. Dans le neuvième, il y a l'Opéra, des grands magasins et des agences de tourisme. Le dixième, onzième, douzième, treizième, quatorzième et quinzième sont des quartiers plutôt résidentiels avec des immeubles et des petits magasins. Le seizième est un quartier très chic. Il y a la Maison de la Radio et le Bois de Boulogne avec ses mille hectares de forêt.

12. Allons à Paris

Compréhension

1. Describe the second district.
2. Where is the Place Vendôme?
3. What is the Centre Georges Pompidou?
4. Name one district on the Left Bank.
5. Who is buried in the Père Lachaise cemetery?
6. Which district would you go to if you wanted to:
   – visit the Eiffel Tower?
   – see an opera?
   – get information from a travel agent?
   – go for a walk in the woods?
   – buy a painting?

12.2

– Pardon, Monsieur l'agent, pour aller aux Champs-Elysées, s'il vous plaît?
– C'est simple. Allez tout droit. Traversez le pont. Prenez la première rue à gauche. Continuez tout droit jusqu'au carrefour, et vous y êtes.
– Merci, Monsieur! Au revoir!
– De rien! Au revoir!

12.3

– Excusez-moi, Mademoiselle, pour aller à l'Arc de Triomphe, s'il vous plaît?
– C'est compliqué! Continuez tout droit. Traversez le pont puis tournez à gauche. Ensuite, prenez la quatrième rue à droite. C'est au bout de la rue. Vous avez compris?
– Oui. Alors, je continue tout droit. Je traverse le pont. Je tourne à gauche. Après cela, je prends la quatrième rue à droite, et c'est au bout de la rue.
– Oui, c'est ça.
– Merci bien. Au revoir!
– De rien. Au revoir!

12.4

— Pardon, pour aller à la Géode, s'il te plaît?
— Prends la deuxième à droite. Va tout droit et c'est au bout de la rue.
— Merci. Au revoir!
— De rien. Salut!

12.5

— Pardon, Madame, pour aller au musée du Louvre, s'il vous plaît?
— Alors, tourne à gauche. Passe devant Notre-Dame. Traverse le pont. Ensuite, prends la deuxième rue à gauche. Continue tout droit jusqu'au carrefour. C'est sur la droite.
— Merci, Madame. Au revoir!
— De rien. Au revoir!

Découvrez les règles!

Directions

Read over Dialogues 12.2–12.5 and find the French expressions for:

Go straight on. _____

Turn right. _____

Turn left. _____

Take the first/second/third turn on the right/left.

_____

Cross over the bridge. _____

Go past Notre-Dame. _____

Go as far as the crossroads. _____

It's on the right-hand side. _____

It's on the left-hand side. _____

It's at the end of the street. _____

Imperative

1. Which statement is false?
- The imperative is used for giving instructions.
- The imperative is used for describing situations.

2. Complete the rule and learn it by heart.

The imperative is used for _____ .

3. Give the imperative forms of the following verbs.

Exemple: tourner

Tourne!	Turn! (singular)
Tournons!	Let's turn!
Tournez!	Turn! (plural)

continuer _____

traverser _____

aller _____

regarder _____

passer _____

prendre _____

écrire _____

12.6 **Écoutez et remplissez la grille!**

	Destination	Directions given
1		
2		
3		

Regardez le plan et demandez le chemin!

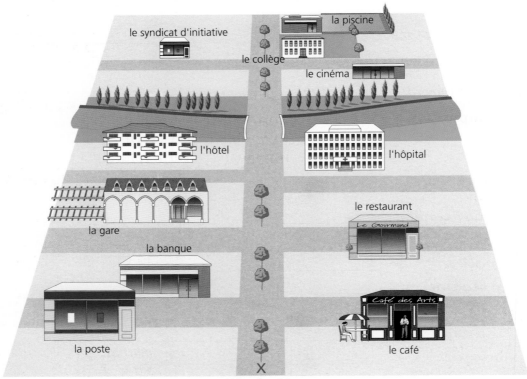

le syndicat d'initiative — la piscine — le collège — le cinéma — l'hôtel — l'hôpital — la gare — le restaurant — la banque — la poste — le café

Vous êtes ici

1. – _____?
   – Prenez la première rue à gauche. C'est sur la gauche.

2. – _____?
   – Continuez tout droit. Traversez le pont. Prenez la première à droite. C'est sur la droite.

3. – _____?
   – Continuez tout droit. Prenez la troisième rue à gauche. C'est sur la droite.

4. – _____?
   – Allez tout droit. Prenez la première à droite et c'est sur la droite.

5. – _____?
   – Continuez tout droit. Traversez le pont et prenez la première rue à gauche. C'est sur la droite.

6. – _____?
   – Prenez la première à gauche et c'est sur la droite.

7. – _____?
   – Allez tout droit et prenez la troisième à droite. C'est sur la gauche.

8. – _____?
   – Continuez toujours tout droit et traversez le pont. Allez jusqu'au collège. Passez devant le collège et c'est sur la droite.

9. – _____?
   – C'est simple. Continue tout droit et prends la deuxième rue à droite. C'est sur la droite.

10. – _____?
    – C'est très facile! Va tout droit. Prends la deuxième à gauche et c'est sur la droite.

12.7 Mettez de l'ordre!

Listen to the tape and jot down the directions given. Then rearrange the words below to make correct sentences. Don't forget the capitals and the punctuation!

1. – monsieur eiffel cherche la je tour excusez moi
   – droite la c'est à de droit bout rue tournez puis très au allez tout simple c'est
   – revoir au merci
   – rien au de revoir

2. – notre madame pardon aller dame à pour
   – la la droite à gauche c'est sur prenez rue troisième
   – madame merci
   – de rien

3. – moi excusez hôpital pour à monsieur l' aller
   – simple prenez y pont jusqu'au traversez carrefour tout droit le à gauche c'est la première continuez êtes et vous
   – bien Monsieur merci
   – service votre à

Lisez!

LES TRANSPORTS PARISIENS

La RATP (Régie Autonome des Transports Parisiens) est composée de trois réseaux: le métro, le RER, et le bus. Long de 200 km, le métro comprend 15 lignes et dessert 370 stations à travers Paris et en proche banlieue. Le métro est un moyen de transport rapide, confortable et bon marché. Le RER (Réseau Express Régional) est un système de transport qui assure des liaisons rapides entre Paris et la banlieue. Les lignes du RER sont en correspondance avec les stations importantes du métro.

Enfin, le réseau de bus comprend environ 60 lignes représentant plus de 500 km et desservant quelque 2.300 arrêts. Au total, la RATP assure deux millions et demi de voyages chaque année.

Vous visitez la région pour une journée: achetez la Formule 1. Le coupon est valable un seul jour. La carte se compose d'une carte avec votre nom et sans photo.

Pratique, économique, la Carte Orange se compose d'une carte avec votre nom et votre photo. Elle est valable pour une semaine ou pour un mois. Le coupon hebdomadaire est valable du lundi au dimanche inclus. Le coupon mensuel est valable du premier au dernier jour du mois.

Les formules

Vous voyagez occasionnellement: achetez vos tickets à l'unité ou par carnet de 10. Un ticket coûte 1,30€ et il est valable pour un seul trajet. Un carnet de 10 ne coûte que 9,30€.

Vous visitez la région: achetez la carte Paris Visite. Elle est valable 2, 3 ou 5 jours consécutifs sur les lignes RATP et les lignes SNCF. La carte Paris Visite vous donne droit à des réductions: Grande Arche de la Défense, Cité des Sciences, vedettes du Pont-Neuf, Musée Grévin, location de vélos . . .

Compréhension

1. Name three modes of transport in Paris.
2. How many metro stations are there in Paris and its suburbs?
3. List three advantages the metro offers.
4. What is the RER?
5. How many bus stops are there in Paris?
6. What is the price of a metro ticket?
7. Which ticket would you buy if you visited Paris for one day?
8. Which ticket entitles the bearer to a discount on bicycle hire?
9. What are the advantages of the *Carte Orange*?
10. How long is a *Carte Orange* valid for?

Allons en France

Regardez!

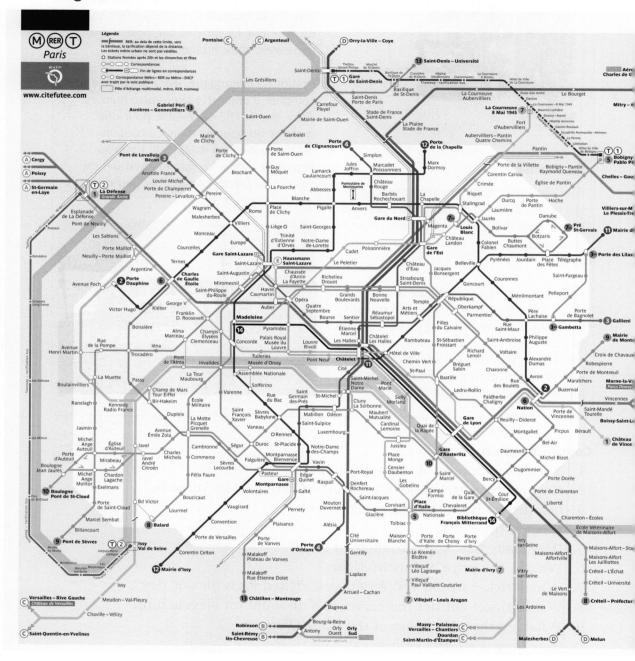

1. Imagine you take the metro No.4 at the station Porte d'Orléans. Which station will it bring you to at the end of the line?
2. If you took the metro No.5 at the station Gare du Nord in the north of Paris, which station would it bring you to?

3. Which RER follows the left bank of the Seine?
   - RER A
   - RER B
   - RER C
   - RER D
4. You are at the Eiffel Tower on the banks of the Seine in the south-west of Paris. You wish to go to the station Place d'Italie in the south-east of Paris. Which metro will you take?
5. You have just visited the Arc de Triomphe. You are at the metro station Charles de Gaulle-Étoile in the west of Paris, and you wish to go to the station Nation in the east of Paris. Will you take the metro or the RER?

Lisez!

GUIDE DE PARIS
À voir dans le centre

Le **Centre Georges Pompidou** (ou Beaubourg) est situé dans le 4ème, au cœur de Paris. C'est le Centre National d'Art et de Culture. Il témoigne de la création du XXe siècle à travers tous ses modes d'expression: peinture, sculpture, architecture, photographie, cinéma, théâtre, danse, musique. Le centre accueille huit millions de visiteurs par an.

Métro: Hôtel de Ville, Rambuteau, Châtelet-les-Halles
Ouvert: – tous les jours de 12h à 22h (sauf le mardi et le 1er mai)
  – samedi, dimanche et jours fériés de 10h à 22h
Entrée payante pour le musée et les expositions
Services: cybercafé, librairie, boutique, lieu de spectacles, restaurant. Vue panoramique sur Paris au dernier étage.

Située dans le 4ème sur l'Île de la Cité, **Notre–Dame** a été construite de 1163 à 1330. C'est un chef-d'œuvre de l'art gothique français. Elle a été restaurée au XIXème siècle par Viollet-Le-Duc. La cathédrale marque le kilomètre zéro de toutes les routes nationales de France.

Métro: Cité
RER: Saint-Michel, Notre-Dame
Ouvert: - tous les jours de 8h à 19h
  - fermé le samedi de 12h30 à 14h
Tour guidé: 2,29€ (plein tarif), 1,52€ (tarif réduit) ⟶

Le Forum des Halles (4ème) est un énorme complexe qui abrite de nombreuses boutiques de luxe, des magasins de vêtements et de disques, des restaurants. Il y a aussi le Musée Grévin, avec des reproductions de personnages célèbres. On y trouve également le Musée de l'Holographie. L'holographie est un système qui permet de restituer les trois dimensions d'un objet ou d'une personne. C'est un musée étonnant! Autour du Forum, il y a beaucoup d'animation: des musiciens, des chanteurs, des mimes. Le Forum des Halles est le point de rendez-vous de beaucoup de jeunes.

Métro: Les Halles, Châtelet-les-Halles

Le Panthéon, situé dans le 5ème, est destiné, depuis la Révolution, à recevoir les cendres des 'Grands Hommes' de la liberté française: Mirabeau, Voltaire, Rousseau, Victor Hugo, Emile Zola, Jean Moulin.

Métro: Cardinal Lemoine, Maubert-Mutualité, Jussieu
RER B: Luxembourg
Ouvert: - tous les jours de 10h à 17h30 du 1er octobre au 31 mars et de 9h30 à 18h30 du 1er avril au 30 septembre
- fermé les jours de fête

Plein tarif: 7€
Tarif réduit (*chômeurs, étudiants, mineurs*): 4,5€

Le Louvre est situé dans le 1er arrondissement. C'était un château médiéval puis le palais des rois de France avant de devenir un musée. Fondé en 1793 par la République française, le musée du Louvre est l'un des tout premiers musées européens. Il accueille plus de trois millions de visiteurs chaque année.

⟶

Métro: Palais Royal-Musée du Louvre
Ouvert: – tous les jours de 9h à 18h (sauf le mardi)
            – samedi, dimanche et jours fériés de 10h à 22h
Tarif: 7,50€ jusqu'à 15h; 5€ après 15h et le dimanche
Gratuit pour les moins de 18 ans et le premier dimanche de chaque mois

La Sorbonne est située dans le 5ème, près des Jardins du Luxembourg. La
Sorbonne est la plus vieille université de France. Elle a été créée en 1253
par Jean de Sorbon. Cette université se trouve au cœur du Quartier Latin.
Jusqu'à la Révolution, on y parlait le latin, la langue universitaire de
l'époque. Depuis 1901, la Sorbonne est le principal centre
d'enseignement supérieur de France.
Métro: Cluny-La Sorbonne
Entrée et visites gratuites

Compréhension

1. *Répondez en anglais!*
   a. What facilities does the Centre Georges Pompidou offer?
   b. When is the centre closed?
   c. How long did it take to build Notre-Dame?
   d. What are the opening hours of Notre-Dame?
   e. How much does a guided tour of Notre-Dame cost?
   f. Notre-Dame is built on an island. True or false?
   g. List four things that one can do at the Forum des Halles.
   h. What are the opening hours of the Panthéon during the summer?
   i. How much would you pay for an entry ticket to the Panthéon?
   j. What was the Louvre before becoming a museum?
   k. How many visitors does the Louvre attract every year?
   l. On which day can one avail of free entry to the museum?
   m. Who originally founded the Sorbonne?
   n. Where does the name *Quartier Latin* come from?
   o. How much does it cost to visit the Sorbonne?

2. *Répondez en français!*
   a. Notre-Dame est située dans quel arrondissement?
   b. Est-ce qu'on peut acheter des livres au Centre Georges Pompidou?
   c. Qu'est-ce qu'on peut faire au Forum des Halles?
   d. Combien coûte l'entrée au musée du Louvre?
   e. Le Panthéon est fermé quand?

f. Où se trouve la Sorbonne?

g. Est-ce que le RER va jusqu'au Panthéon?

h. Est-ce que le Louvre est ouvert le mardi après-midi?

i. Pour aller à Notre-Dame, il faut descendre à quelle station de métro?

j. Qu'est-ce qu'on peut voir dans le 1er arrondissement?

Caroline visite Paris

Caroline is visiting Paris. Before she arrived, she wrote a list of things she intended to do. Look at her list and write down what she actually did or didn't do. Start as follows:
Pendant son séjour à Paris, Caroline a visité le musée du Louvre. Elle n'a pas visité le Collège irlandais. . . .

— visiter le musée du Louvre ✔

— visiter le Collège irlandais

— prendre le métro ✔

— monter sur la Tour Eiffel ✔

— aller sur les Champs-Elysées

— envoyer des cartes postales ✔

— voir Notre-Dame   ✔

— écrire à Paul

— téléphoner à la maison

— aller voir un match de football au
Stade de France ✔

— acheter des souvenirs ✔

— manger un plat français ✔

— acheter des cadeaux

12. Allons à Paris

Lisez!

Paris, le 3 août

Chère Marie,

Un petit bonjour de Paris où je passe mes vacances avec ma correspondante. Je suis arrivée lundi. Nous avons visité tous les endroits intéressants à Paris. C'est une ville magnifique! J'ai vu la Tour Eiffel, l'Arc de Triomphe et je suis allée au Stade de France. La famille est très sympa mais je n'aime pas trop la nourriture. Demain, j'irai dans un grand magasin et j'achèterai des cadeaux. Ici, il fait chaud et le soleil brille tous les jours. Chez toi aussi? Dis bonjour à tout le monde de ma part.

Salut!
Dominique

Compréhension

1. Who is Dominique spending her holidays with?
2. When did she arrive in Paris?
3. Mention three things she did.
4. What does she not like?
5. What are her plans for tomorrow?
6. What's the weather like?

Complétez la carte postale!

_____ (1), le 14 août

Cher Henri,

Bonjour _____ (2) Paris _____ (3) je passe de bonnes _____ (4). Ici, il _____ (5) beau et assez chaud. Je suis _____ (6) vendredi. Hier, je suis allé à la Géode et j'ai _____ (7) un film. C'était _____ (8). J'ai aussi _____ (9) les monuments de _____ (10). La cuisine est excellente. Hier soir, j'ai _____ (11) des escargots. _____ (12) délicieux! Demain, _____ (13) des souvenirs pour tout le monde et je _____ (14) visiter Beaubourg.

Dis _____ (15) à toutes et à tous.

À bientôt!
Philippe

Écrivez!

Imagine you are spending your holidays in Paris with your French penpal and his/her family. Write a postcard to either:

– your parents
– your penpal in Switzerland (André/Andrée)
– your French teacher.

Mention:
– the weather
– the food
– things you did and how it was
– things you will do.

12.8 **Complétez les dialogues!**

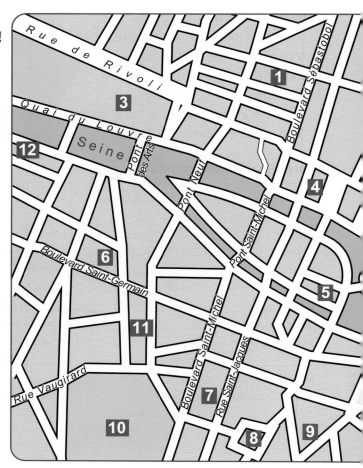

PARIS CENTRE

1. Forum des Halles
2. Centre Georges Pompidou
3. Musée du Louvre
4. Hôtel de Ville
5. Notre-Dame
6. Église Saint-Germain-des-Prés
7. Sorbonne
8. Panthéon
9. Collège irlandais
10. Jardin du Luxembourg
11. Théâtre de l'Odéon
12. Musée d'Orsay

12. Allons à Paris

You will hear tourists ask a policewoman for directions at the Place du Panthéon. Look at the plan opposite, listen to the tape and find out where these people want to go.

1. – _____?
   – Prenez la rue Saint-Jacques. Allez tout droit. Traversez le pont puis tournez à droite. C'est en face.

2. – _____?
   – C'est très facile! Continuez tout droit. Traversez la rue Saint-Jacques et allez jusqu'au boulevard Saint-Michel. Ensuite, tournez à droite et c'est à 100 mètres, sur la droite.

3. – _____?
   – Allez tout droit jusqu'au boulevard Saint-Michel. Tournez à droite et prenez la quatrième à gauche. Ensuite, allez jusqu'à l'église Saint-Germain-des-Prés et tournez à droite. Traversez le pont des Arts et c'est en face.

4. – _____?
   – Va tout droit et prends la rue Saint-Jacques. Continue tout droit. Traverse le pont. Passe devant Notre-Dame et va jusqu'à l'Hôtel de Ville. Ensuite, prends la deuxième à droite. C'est dans les environs.

Demandez le chemin!
Working with your partner, ask for and give directions to places listed on the map of Paris.

Allons en France

Jeux de rôles

1. *While on holidays in Paris with your parents, you book into a hotel just beside the church Saint-Germain-des-Prés. As your parents don't speak French, they ask you (B) to deal with the receptionist (A).*

A says hello and asks if he/she can help.
B says hello and says he/she wants a single room or a double room.
A asks for how many nights.
B says for three nights and asks how much it will cost.
A says 165€.
B asks if breakfast is included.
A says it isn't. Breakfast costs 5,40€ extra.
B asks if there is a lift.
A says that the lift is on the left and hands over the key to Room 207 on the second floor. A asks B his/her name.
B spells his/her name. B asks if there are any museums or monuments nearby.
A answers.
B asks for directions to the Louvre.
A answers.
B asks for the opening hours.
A answers.
B asks if the Forum des Halles is far away.
A gives directions.
B thanks A.
A replies and wishes B a happy stay.

2. *You are at the tourist office beside the Sorbonne. You ask the receptionist to tell you about places of interest nearby. Work with your partner. Here are examples of questions you could ask.*

– Ask if there are any museums nearby.
– Ask the receptionist to tell you about the Louvre.
– Ask how much it will cost to visit the Sorbonne.
– Say that you want to go shopping for clothes and presents and ask where you could do that.

- Ask the receptionist about the Centre Georges Pompidou and its opening hours.
- Ask in which district the Eiffel Tower is situated.
- Ask at what metro station you have to get off to go to Notre-Dame.
- Ask if the RER stops at the Musée d'Orsay.
- Ask for directions to go to the Forum des Halles.

12.9 Prononcez bien! '-tion'

1. *Écoutez et répétez!*

> une station   une question   une invitation

2. *Lisez à haute voix puis écoutez!*

> a. Donnez-moi l'addition, s'il vous plaît!
> b. Ces garçons font de l'équitation.
> c. Vous avez une réservation?
> d. Quelle est la direction?
> e. La station est loin?
> f. Merci pour l'invitation.
> g. Posez une question!
> h. Suivez mes indications!
> i. Faites de la natation!
> j. Est-ce qu'il y a une réduction?

12.10 Écoutez et répondez aux questions!

Alexandre raconte son séjour à Paris.

1. When did Alexandre arrive in Paris?
2. With whom is he travelling?
3. He is staying in a two-star hotel. True or false?
4. What did he visit on the first day?
5. Where did he go on the morning of the second day?
6. How did he get there?

7. In the afternoon, Alexandre bought
   - some clothes?
   - a pair of shoes?
   - some postcards?
   - some presents for his grandparents?
8. Mention three things Alexandre ate in the evening.
9. List the places he intends to visit.
10. At what time is his train leaving?

Lisez!

Angélique est en voyage d'étude à Paris avec sa classe.
Elle écrit à ses parents.

Paris, le 5 avril

Chers parents,

Nous sommes arrivés à la gare Montparnasse cet après-midi, à 2 heures. Ensuite, nous avons pris le métro pour aller jusqu'à l'auberge de jeunesse. Nous y avons déposé nos bagages. Après ça, nous avons visité le musée du Louvre. C'était long et ennuyeux! Ensuite, nous avons pris le métro jusqu'à la Tour Eiffel. Elle est immense! Nous y sommes montés par l'escalier. C'était difficile et fatigant mais lorsque nous sommes arrivés au deuxième étage, la vue de Paris était magnifique! J'ai pris beaucoup de photos.

À 7 heures, nous sommes retournés à l'auberge de jeunesse et nous avons dîné. C'était très bon! Demain, nous visiterons Notre-Dame et le Quartier Latin. Ici, il y a quelques nuages mais il fait assez beau.

Je vous téléphonerai jeudi soir. À la semaine prochaine!

Je vous embrasse

Angélique

Compréhension

1. When did Angélique arrive in Paris?
2. How did she get there?
3. Did she like visiting the Louvre?
4. What did she do on the Eiffel Tower?
5. What are her plans for tomorrow?
6. What's the weather like?
7. When will she ring her parents?

Dictée: écoutez et écrivez!

Écrivez!

Imagine you are spending four days in Paris. You arrived at 10 a.m. on Monday at the Gare du Nord and will be leaving on Thursday. On Wednesday, you write an account of your visit in your diary and make some plans for the next day. Mention:
- *when you arrived*
- *where you are staying*
- *who you are staying with*
- *the places you visited*
- *the things you bought*
- *the food*
- *the metro*
- *the weather*
- *your plans for tomorrow.*

Use the following verbs/expressions.

monter sur - manger - avoir - être - prendre le métro jusqu'à - aller à - repartir - arriver - marcher jusqu'à - acheter - visiter - faire

Dialoguez!

Ask your partner about his/her stay in Paris. Here are some questions you could ask:
- Tu es arrivé(e) quand?
- Le train est arrivé à quelle heure?
- Tu es allé(e) à l'hôtel ou à l'auberge de jeunesse?
- Qu'est-ce que tu as fait le premier jour? C'était bien?
- Qu'est-ce que tu as mangé? C'était bon?
- Qu'est-ce qu'on peut faire à Beaubourg?
- Est-ce que tu as acheté quelque chose?
- Tu as pris le métro?
- Il a fait quel temps?
- Hier, tu es allé(e) où?
- Où iras-tu, demain matin?
- Que feras-tu, demain après-midi?

Lisez!

PROMENADES ORIGINALES À PARIS

Pour explorer Paris, on connaissait les moyens de transport traditionnels comme le métro, le bus, la voiture ou bien tout simplement la marche à pied. Mais si vous en avez assez de marcher et que vous êtes lassés d'emprunter les transports en commun, il existe plusieurs solutions pour admirer Paris sous un angle original: le bateau, le vélo et les rollers.

Les bateaux-mouches (embarcadère pont de l'Alma, rive droite, 8ème) proposent une visite commentée d'une heure le long de la Seine. Départ tous les jours, toutes les 30 minutes de 10h à 23h pour un prix abordable: 8,40€ pour les adultes et 50% de réduction pour les enfants de 4 à 14 ans.

Si vous désirez davantage de liberté de mouvement, louez un vélo! Loin du brouhaha touristique, il existe à Paris des rues épargnées par la circulation automobile, des quartiers calmes et tranquilles qui ressemblent à des villages. Michel Noë propose une visite en vélo au cœur de Paris (1er, 2ème, 3ème, 4ème) pour 22€ (–26 ans: 19€). Le prix comprend l'excursion, le guide, le vélo et l'assurance. Lieu de départ: Métro Bastille dans le 4ème.

Enfin, vous pouvez également explorer Paris en patins à roulettes! S'adresser à Paris en Rollers, 18, rue Saint-Julien dans le 5ème. Vous serez accueillis par une équipe sympathique et détendue qui propose des prix raisonnables (location de rollers à 9,50€ la journée). La visite guidée n'est pas comprise dans ce prix.

Philippe Bessin

Compréhension

1. List three unusual ways of seeing Paris mentioned in the article.
2. Where do the *bateaux-mouches* leave from?
3. How often do they depart?
4. How much would you pay for a trip on a *bateau-mouche*?
5. List one advantage of the service being offered by Michel Noë.
6. What does the price include?
7. Where do Michel Noë's tours start from?
8. In which district is *Paris en Rollers* based?
9. What is the price of the service being provided?
10. What is not included in the price?

Trouvez le bon signe!

Which sign would you follow?

1. You want to buy a stamp and post a letter.

| BUREAU DE TABAC | BUREAU DES OBJETS TROUVÉS | BUREAU DE POSTE | BUREAU DE TOURISME |

2. You want to hire a bicycle.

| LOCATION/VENTE | LOCATION DE VÉLOS | VENTE DE VÉLOS | RÉPARATION DE VÉLOS |

3. You want to buy a few slices of ham.

| BOULANGERIE | CHARCUTERIE | PÂTISSERIE | BOUCHERIE CHEVALINE |

4. You are looking for toilets.

| LAVAGE VOITURES | LAVABOS | LAVOIR MUNICIPAL | À LOUER |

5. You are looking for the youth hostel.

| AUBERGE LEJEUNE | HÔTEL DE LA JOUTE | HOSTELLERIE D'ADÈLE | AUBERGE DE JEUNESSE |

6. You need some information on the locality.

| SYNDICAT D'INITIATIVE | HÔTEL DE VILLE | COMMISSARIAT | GENDARMERIE |

12.12 🎧 Écoutez!

You will hear four conversations, each of them taking place in a different location. Answer the questions in English.

Allons en France

1. a. Where does this conversation take place?
   b. What does the woman want to buy?
   c. How much does it cost?
2. a. Where does this conversation take place?
   b. Where does the man want to go to?
   c. What time of day is mentioned?
3. a. Where does this conversation take place?
   b. What size does the girl take?
   c. What does she ask the shop assistant to do?
   d. How much does the item cost?
4. a. Where does this conversation take place?
   b. What directions are given?

Lisez!

Paris, le 28 janvier

Cher Tomás,

Mon prof d'anglais m'a dit que tu cherchais un correspondant et il m'a donné ton adresse. Je me présente. Je m'appelle Alain Menton et j'aurai 15 ans le 16 mars prochain. Voici mon adresse: 8, rue Victor Hugo, 15034 Paris. J'habite dans un immeuble ancien, au septième étage. Heureusement, il y a un ascenseur!

J'ai un frère et une sœur. Mon frère s'appelle Patrick et il a 10 ans. Ma sœur s'appelle Sylvie. Elle a 19 ans. Elle va à l'université. Ma mère est infirmière et mon père est conducteur de bus.

Moi, je suis en 3ème et je voudrais être photographe. Je suis fort en maths, en histoire et en dessin. Et toi?

J'adore le sport. Je joue au foot. Mon équipe préférée est le Paris-Saint-Germain. Je vais voir tous les matchs du PSG. En hiver, je fais du ski dans les Alpes. J'aime aussi aller au cinéma. J'aime les films comiques et les films d'aventure. Est-ce que tu joues d'un instrument? Moi, je joue de la guitare mais je ne suis pas très bon!

Je t'envoie une photo. Est-ce que tu veux être mon correspondant? Écris-moi vite!

Salut!

Alain

Compréhension

1. How did Alain get Tomás's address?
2. What age is Alain?
3. On which storey is Alain's apartment?
4. What is his mother's profession?
5. List three of Alain's pastimes.
6. What kind of films does he like?

Lisez!
Annonces Classées

À louer R. Ballu 4 P. 135m^2
Imm. ancien, Plein sud,
Séj., cuis. 3 chbres. 1545€
ch. comp.
01.40.56.88.24.

TERNE
À vendre, 2 P. , 3e ét. sans
asc., s. à manger, cuis.,
balc. 89450€
01.23.63.42.41.

14, PLACE CLICHY
Part. vd gd studio, tt cft
cuis., balc., park., cave
ce jour 14h à 17h

Vue s/Seine 4P balc.
imm. moderne
séj. 3 chbres 2 bains
5e ét. asc. gardien
260.000 à débattre
01.40.29.72.64.

LAMARTINE
Dans villa privée, 6 P.,
194m^2, 3 belles réceptions,
3 chbres + chbre service,
2 caves, orient. sud, 4e ét.
asc., gardien. À débattre.
MIR IMMOBILIER
TEL 03.83.28.48.08.

Neuilly 2 P + park
TERRASSE 60m^2
verdure, soleil, rénové
5e, asc., 01.47.23.18.37.

Compréhension

1. Which number would you ring if you wanted:
   - a bedsit with a kitchen?
   - a south-facing apartment with a lift and a caretaker?
   - an apartment with two rooms and a parking space?
   - an apartment overlooking the river in Paris?
2. What is the meaning of the following abbreviations?
   - chbre.
   - tt. cft.
   - ét.

- imm.
- balc.

3. What is the French for:
   - greenery?
   - cellar?
   - for sale?
   - to let?

Lisez!

L'HISTOIRE DU PSG

Le Paris-Saint-Germain a été créé le 12 août 1972 grâce à l'appui de 20.000 souscripteurs qui voulaient voir renaître un grand club à Paris. Le club tire son nom de Saint-Germain-en-Laye, une ville située dans la banlieue de Paris. Après un début difficile (le PSG jouait en 2ème division et même 3ème division avec des joueurs amateurs!), le club a obtenu le statut professionnel en 1974.

Depuis lors, le PSG a toujours évolué en Première Division et se situe au troisième rang de la plus longue série en cours à ce niveau derrière Nantes (en Division 1 depuis 1963) et Metz (depuis 1967). Le PSG a fait parler de lui en se classant régulièrement dans le tableau supérieur du Championnat.

Mais c'est en Coupe de France qu'il a acquis ses premiers titres de noblesse. Le 15 mai 1982, il a remporté le trophée face à

l'AS Saint-Étienne où jouait un certain Michel Platini. Le 11 juin 1983, le PSG a récidivé contre Nantes tout en terminant troisième du Championnat. En 1986, le PSG est devenu Champion de France en établissant au passage un record de 26 matches consécutifs sans défaites. L'acquisition du deuxième titre de Champion de France s'est opérée en 1994 avec un record d'invincibilité: 27 matches sans défaites.

En 1995/96, saison du 25ème anniversaire du PSG, l'ambition était de remporter la première Coupe d'Europe de l'histoire du club. Le Celtic, Parme et la Corogne éliminés, le PSG est arrivé en finale face au Rapid de Vienne (Autriche) et a remporté son premier titre européen grâce à un but de Bruno Ngotty.

PALMARÈS

VAINQUEUR DE LA COUPE DE FRANCE **1981/82**

VAINQUEUR DE LA COUPE DE FRANCE **1982/83**

CHAMPION DE FRANCE **1985/86**

VAINQUEUR DE LA COUPE DE FRANCE **1992/93**

CHAMPION DE FRANCE **1993/94**

VAINQUEUR DE LA COUPE DE FRANCE **1994/95**

VAINQUEUR DE LA COUPE D'EUROPE DES VAINQUEURS DE COUPE **1995/96**

VAINQUEUR DE LA COUPE DE FRANCE **1997/98**

Compréhension

1. In what year was Paris-Saint-Germain founded?
2. Where did the club get its name from?
3. In what year did PSG become a professional club?
4. In what year did PSG win the Cup for the first time?
5. Which statement is true?
   - Michel Platini scored the winning goal.
   - Michel Platini played for Saint-Étienne.
   - Michel Platini trained PSG.
6. In what year did PSG win the Championship for the second time?
7. Name the team PSG beat in the 1996 European final.
8. Who scored the winning goal?

  Écoutez!

MONTMARTRE: UN VILLAGE DANS LA VILLE

Le village de Montmartre est situé au cœur du 18ème, sur une colline qui s'élève à 106 mètres au-dessus du niveau de la Seine. De là, le visiteur a une vue panoramique sans égale de Paris.

Montmartre accueille entre quatre et six millions de visiteurs chaque année mais a su garder son caractère de village du 19ème siècle. C'est le quartier des poètes, des sculpteurs et des peintres: Dali, Picasso, Rodin, Van Gogh ont tous habité à Montmartre. Dans le village, on trouve 27 galeries d'art, 18 théâtres et salles de concerts, 190 restaurants et 40 hôtels.

Montez sur la butte Montmartre par le funiculaire qui vous déposera au pied de la place du Tertre, véritable centre du village. Cette place a conservé le matin l'atmosphère du siècle dernier. L'après-midi et le soir, la place du Tertre est le rendez-vous de peintres de toutes les nationalités qui feront votre portrait ou

→

votre caricature! Visitez la basilique du Sacré-Cœur et admirez la vue de Paris. Découvrez le Clos Montmartre planté de deux mille pieds de vigne. En 2002, plus de 10.000 kg de raisin ont été récoltés! Le vin est vendu aux enchères tous les ans. Pour plus de renseignement, écrivez à:

Syndicat d'Initiative du Vieux Montmartre
21, place du Tertre
75018 Paris

Compréhension

1. In which area of Paris is Montmartre situated?
2. How many people visit Montmartre every year?
3. How can you get to the Place du Tertre?
4. What is the Sacré-Cœur?
5. According to the text, which statement is true?
   − Artists meet on the Place du Tertre all day long.
   − Artists meet on the Place du Tertre in the evening.
   − The Place du Tertre is a meeting place for people of all nationalities.
6. Name four artists who used to live in Montmartre.
7. What is the Clos Montmartre?

Réalisez une brochure!

Make a brochure of your town for French-speaking tourists. Find some interesting pictures and write your own text in French.

Your class could be divided into several groups who would share gathering information and writing it down in French. You could, for example, write about monuments, places of interest, hotels, restaurants, transport, propose a guided tour . . . Your own tourist office or development committee might be interested in it!

Avant d'aller plus loin . . . ?

Before moving on to Unit 13, make sure you can:
− ask for directions
− give directions
− recognise and use the imperative
− describe a visit to a town
− talk about Paris.

Now test yourself at www.my-etest.com

13

Les objectifs:

Communication:
- describing what you eat and drink
- ordering food and drink
- talking about your health
- buying medicine
- leaving a note

Grammar:
- the pronoun *en*
- interrogative forms

Pronunciation:
- intonation (questions)

Culture:
- the French and health

Santé!

Observez!

Pour être en bonne santé, mangez des repas équilibrés!

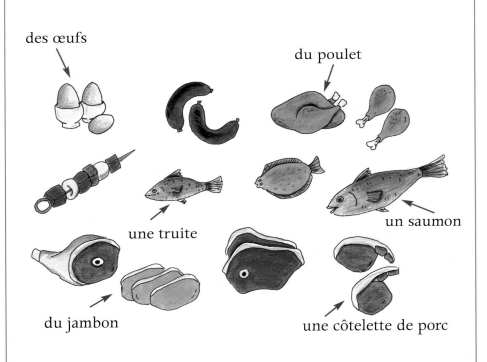

Premier groupe: la viande, le poisson, les œufs

des œufs

du poulet

une truite

un saumon

du jambon

une côtelette de porc

Deuxième groupe: les fruits et les légumes frais

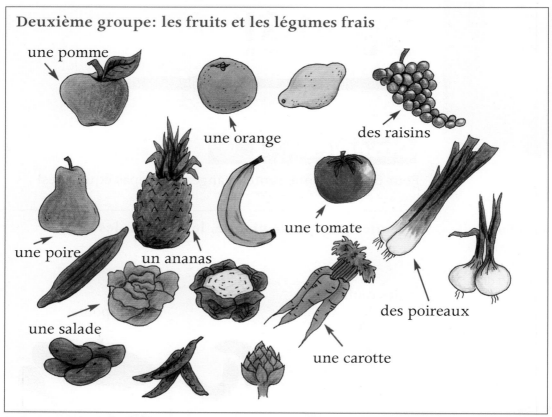

une pomme

une orange

des raisins

une poire

un ananas

une tomate

des poireaux

une salade

une carotte

Troisième groupe: le lait, le fromage, les produits laitiers

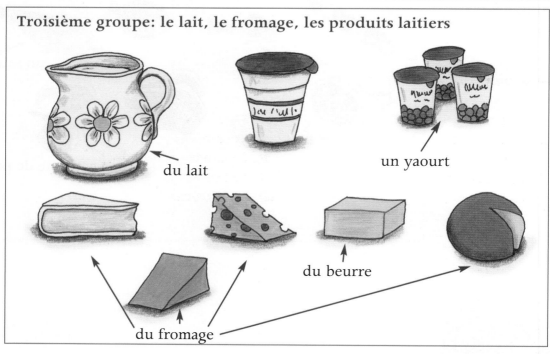

du lait

un yaourt

du beurre

du fromage

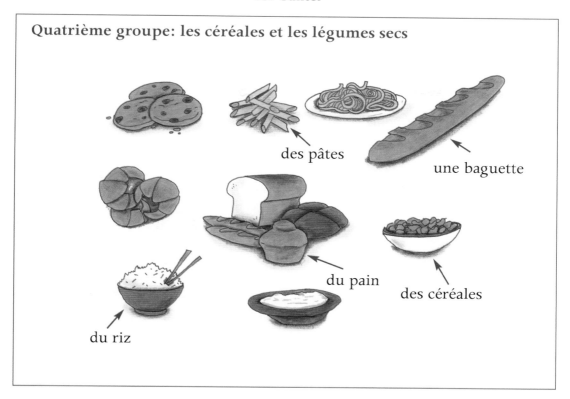

Quatrième groupe: les céréales et les légumes secs

des pâtes

une baguette

du pain

des céréales

du riz

Classifiez les aliments!

To what group do the following foods belong?

Exemple: Le poisson est un aliment du premier groupe.

1. Le pain
2. Le fromage
3. Le poulet
4. Le saumon
5. La tomate

6. Le beurre
7. Le jambon
8. L'ananas
9. Le riz
10. Les carottes

Écoutez!

13.1

Interview: Stéphane Souplet, athlète de haut niveau

'Pour réussir, il faut bien manger!'

Stéphane Souplet a remporté trois médailles lors des derniers Championnats d'Europe d'Athlétisme. Les clés de sa réussite? L'entraînement et la diététique, répond Stéphane Souplet dans un entretien avec Marcel Dubois.

– Pourquoi attachez-vous tant d'importance à la diététique?
– Pour réussir, il n'y a pas de secret: il faut s'entraîner et bien manger. La diététique fait partie intégrante de la vie du sportif de haut niveau. Il faut faire attention à tout ce que l'on mange.
– Qu'est-ce que vous prenez pour le petit déjeuner?
– Pour le petit déjeuner, je mange des céréales, des fruits frais. Je prends aussi un yaourt et je bois du jus d'orange.
– Est-ce que vous buvez du thé ou du café?
– Non, je n'en bois jamais.
– Est-ce que vous mangez beaucoup de légumes?
– Oui, j'en mange beaucoup. Les légumes contiennent beaucoup de vitamines essentielles. Je mange des légumes frais tous les jours. Je mange des tomates, des haricots verts, de la salade . . .

– Et vous mangez beaucoup de viande?
– Non, je n'en mange pas beaucoup mais j'en mange souvent. Tous les jours, je mange de petites quantités de steak grillé. Je mange aussi du poulet et du poisson.
– Mangez-vous beaucoup de sucre?
– Oui et non! Je ne mange pas beaucoup de chocolat ou de bonbons mais je mange beaucoup d'aliments qui contiennent du sucre: je mange des pâtes et des pommes de terre et je bois des jus de fruits.
– Vous buvez beaucoup d'eau?
– Oui, j'en bois beaucoup, c'est-à-dire six ou sept litres par jour. Je bois beaucoup d'eau parce que mon corps en perd beaucoup pendant l'entraînement et la compétition.
– Combien de repas mangez-vous par jour?
– Je mange comme tout le monde: le petit déjeuner, le déjeuner, le goûter et le dîner.
– Où mangez-vous généralement?
– Je prends le petit déjeuner chez moi. À midi et le soir, je mange à la cantine du complexe sportif.

– Qui prépare vos repas?
– Je prépare le petit déjeuner moi-même. Le déjeuner, le goûter et le dîner sont préparés par des spécialistes, des diététiciens.
– Vous vous entraînez, vous mangez et vous dormez! Quand avez-vous du temps libre?
– Je dois dire que je n'ai pas beaucoup de temps libre. Je m'entraîne tous les jours depuis un an. En effet, je me prépare pour les Jeux Olympiques.
– Comment se déroule la préparation?
– Tout va bien pour le moment. Je suis en bonne forme et tout marche comme prévu!

(Propos recueilli par Marcel Dubois)

Compréhension

1. Who is Stéphane Souplet?
2. Who is Marcel Dubois?
3. Stéphane Souplet drinks coffee. True or false?
4. Which of the following statements is true?
   – He eats a lot of meat every day.
   – He seldom eats meat.
   – He eats small amounts of meat on a regular basis.
   – He only eats chicken and fish.
5. How much water does he drink per day?
6. How many meals does he have every day? List them.
7. Where does he usually have dinner?
8. Why has he been training every day for the past year?

Découvrez les règles!

The pronoun 'en'

1. *Look at how 'some' and 'any' are used in English:*

   Do you want some chicken?
   Yes, please, I'll have some.

   Do you want some water?
   No, thanks, I don't want any.

   Are they verbs, nouns, pronouns, adjectives or articles? Explain your choice.
2. *Read over the interview and find out how to say 'some/of it' and 'any' in French.*
3. *Are these words placed after the verb as in English?*

Interrogative forms

1. *Read the interview and find different ways of saying 'Do you eat a lot of . . .?' in French.*
2. *How many ways are there in French to ask the same question?*
3. *Find the French for the following question words. Learn them by heart.*

What? _____   How? _____

Where? _____   How much? _____

When? _____   Why? _____

Who? _____

À vous!

/3.2 **Écoutez et remplissez la grille!**

Trois jeunes disent ce qu'ils ont mangé.

	Breakfast	**Lunch**	**Tea**	**Dinner**
Loïc				
Julie				
Marc				

Qu'est-ce que vous aimez?

Say whether you like the following items or not.

Exemple: les escargots
— **Oui, j'aime les escargots.**
— **Non, je n'aime pas les escargots.**

1. le poulet
2. la pizza
3. le thé
4. le café
5. le jus d'orange
6. les oranges
7. le lait
8. le porc
9. l'eau
10. les pâtes
11. les pommes de terre
12. le riz
13. les haricots verts
14. le poisson
15. les céréales
16. le yaourt
17. le fromage
18. la viande
19. les légumes
20. les frites

13. Santé!

Trouvez l'article partitif qui convient!

	du	de la	de l'	des	
Je mange	✓				bœuf
					salade
					haricots
					glace
					pâté
					soupe
					chips
					frites
					rôti de porc
					champignons
Je bois					eau
					jus de pomme
					limonade
					lait
					café au lait

/3.3 **Écoutez et complétez avec un déterminant!**

Pour le petit déjeuner, je prends _____ (1) thé au citron ou _____ (2) café au lait. Je bois aussi _____ (3) jus d'orange. Je mange aussi _____ (4) tartine avec _____ (5) beurre et _____ (6) confiture. Le week-end, je mange _____ (7) croissants. J'adore _____ (8) croissants!

À midi, je déjeune à la cantine. Pour le déjeuner, je prends _____ (9) entrée, _____ (10) plat principal, _____ (11) fromage et _____ (12) dessert. Je mange souvent _____ (13) viande ou _____ (14) poisson.

Quand je rentre du collège, je prends mon goûter. Je mange _____ (15) pain avec _____ (16) chocolat et je bois _____ (17) tasse de chocolat chaud. C'est délicieux!

Je dîne vers 8 heures. Pour le dîner, je mange souvent _____ (18) œufs avec _____ (19) riz ou _____ (20) pommes de terre.

Écrivez!

Write a few sentences describing what you had for breakfast, lunch and dinner yesterday. For each of the dishes, say whether it was nice or not.

Repérez!

Ce tableau indique le nombre de calories contenues dans les aliments.

INFO-SANTÉ: LES CALORIES

une tranche de Gruyère	234
une portion de Camembert	90
une portion de crème de Gruyère	70
un yaourt aux fruits	144
un yaourt nature	70
un grand verre de lait	160
une cuiller à café de beurre	50

une côte de porc	260
une saucisse de Francfort	160
une boîte de thon à l'huile	220
un bifteck	260
une tranche de jambon	75
un œuf	75
une cuisse de poulet	90
un petit morceau de pâté	300
une truite	100
une darne de saumon	180

une cuiller à café de sucre	20
une cuiller à café de confiture	23
une barre de chocolat	240
un biscuit sablé	30
un bol de muesli	100
une tranche de pain complet	60
une tranche de pain blanc	65
une tartine beurrée (pain blanc)	90

une banane	110
une pomme	70
une orange	65
100 g de pommes de terre	90
une assiette de carottes	55
une assiette de haricots verts	48
deux poireaux	40
une tomate	25
de la salade avec de l'huile	25

un verre d'eau	0
une tasse de thé	0
une tasse de café	0
un verre de limonade	210
un verre de jus de fruit sucré	200
un verre de jus de fruit frais	100

1. Répondez en anglais!

How many calories are

   a. in a glass of water?

   b. in a cup of tea?

   c. in a slice of brown bread?

   d. in a bar of chocolate?

   e. in one serving of French beans?

   f. in a pork chop?

   g. in a salmon steak?

   h. in a banana?

   i. in a piece of chicken?

   j. in a spoonful of jam?

2. Répondez en français!

Exemple: – Il y a combien de calories dans un verre de lait?

          – **Dans un verre de lait, il y en a 160.**

   a. Il y a combien de calories dans une tasse de café?

   b. Il y a combien de calories dans une portion de crème de Gruyère?

   c. Il y a combien de calories dans un biscuit sablé?

   d. Il y a combien de calories dans une saucisse de Francfort?

   e. Il y a combien de calories dans une pomme?

13.4 Prononcez bien! Intonation (questions)

1. Listen to questions that require 'yes' or 'no' as an answer. Does the voice generally fall or rise at the end of the sentence?

> – Tu es français?
> – Voulez-vous du sel?
> – Tu habites à Dublin?
> – Est-ce que tu joues au football?

2. *Listen to questions that require a specific answer other than 'yes' or 'no'. Does the voice generally fall or rise at the end of the sentence?*

> – Tu es français ou irlandais?
> – Voulez-vous du sel ou du poivre?
> – Où habites-tu?
> – Qu'est-ce que tu fais?

3. *Read the following sentences aloud, paying particular attention to the intonation. Then listen to the tape.*

> – Tu aimes les desserts?
> – Quel est ton plat préféré?
> – Est-ce que tu prends du sucre?
> – Tu as des frères et des sœurs?
> – Tu habites où?
> – Tu as quel âge?
> – Tu as quinze ans?

Répondez en utilisant 'en'!

Exemple: – Tu manges de la viande?
                 – **Oui, j'en mange./Non, je n'en mange pas.**

1. Est-ce que tu bois du thé, le matin?
2. Manges-tu du pain pour le déjeuner?
3. Tu prends du sucre?
4. Est-ce que tu bois du lait?
5. Tu manges beaucoup de bonbons?
6. Tu as des frères?
7. Bois-tu beaucoup de coca?
8. As-tu des disques chez toi?
9. Tu veux de la salade?
10. Est-ce que tu prends du lait dans ton thé?

Lisez!

DIÉTÉTIQUE
INFORMATIONS PRATIQUES

Besoins journaliers en calories
Adolescents (et adolescentes):
−13 à 15 ans, 2600 à 2900 (2350 à 2490)
−16 à 19 ans, 2900 à 3070 (2310)
Hommes: 2400 à 2700
Femmes: 2000 à 2400

Dépenses caloriques moyennes par demi-heure:

Station assise	20–25
Marche	40–50
Golf ou ping-pong	150
Randonnée	180
Tennis, canoë-cayak, football ou ski	300
Aviron	350
Natation	360
Cyclisme	380
Course à pied	390
Squash	450

Pour brûler

- une cuillère de mayonnaise (100 calories) il faut faire 1 heure de marche
- 10 sucres (200 calories) il faut 2 heures de marche ou 1 heure de tennis
- 2 tartines beurrées avec de la confiture (300 calories) il faut faire 3 heures de marche ou 1 heure de course à pied
- un grand verre de limonade, 5 biscuits, 40 noisettes et 10 chips de cocktail (500 calories), il faut faire 5 heures de marche ou 2 heures de danse.

(Adaptation de *Quid*, Éditions Robert Lafont)

Compréhension

1. How many calories per day does a 14-year-old boy need?
2. How many calories per day does a 17-year-old girl need?
3. How many calories does one burn up when playing soccer for half an hour?
4. A person rowing for half an hour burns up 180 calories. True or false?
5. According to the text, which food items make up 300 calories when added together?

Faites des menus!

Using the calorie chart on page 298, make up four menus (petit déjeuner, déjeuner, goûter, dîner) *totalling between 2300 and 3000 calories.*

Posez des questions!

1. **Exemple**: – Tu aimes les épinards?
   – **Est-ce que tu aimes les épinards?**

   a. Il habite en France?
   b. Tu joues au foot?
   c. Elles vont au cinéma?
   d. Tu es française?
   e. Ils boivent du café?
   f. Vous faites de l'équitation?
   g. Tu parles irlandais?
   h. Elle aime sortir?
   i. Tu es fort en maths?
   j. Vous mangez à la cantine?

2. **Exemple**: – Tu veux de la soupe?
   – **Veux-tu de la soupe?**

   a. Tu dois rester à la maison?
   b. Elle est grande ou petite?
   c. Tu as faim?
   d. Ils habitent à Paris?
   e. Tu peux venir chez moi?
   f. Vous avez soif?
   g. Il sait sa leçon?
   h. Tu fais de la natation?
   i. Vous voulez manger ici?
   j. Elle aime les escargots?

Trouvez la question!

1. _____ ? Oui, je collectionne les timbres.
2. _____ ? Non, je n'habite pas dans le comté de Cavan.
3. _____ ? Non, je ne suis pas irlandais.
4. _____ ? Ce pull coûte 25€.
5. _____ ? Elle s'appelle Claire.
6. _____ ? D'accord, on se retrouve à la piscine.
7. _____ ? C'est l'Arc de Triomphe.
8. _____ ? Le week-end, je fais beaucoup de sport.
9. _____ ? C'est un ami.
10. _____ ? Non, je ne peux pas.

Lisez!

Au Chat Perché
36, RUE DE LA CERISAIE, PARIS 11ᵉ

Ouvert tous les jours
jusqu'à minuit

Menu à 16,50€ *

ENTRÉE
Pâté de foie maison
Melon
Assiette de charcuterie
Assiette de crudités
Œufs mayonnaise
Potage de légumes

PLAT PRINCIPAL
Poulet rôti
Escalope de veau
Truite meunière
Côtelettes d'agneau
Rôti de bœuf
Choix de légumes
(petits pois, haricots verts,
carottes, pommes de terre
sautées, frites . . .)

FROMAGE

DESSERT
Salade de fruits
Crêpes Suzette
Glaces et sorbets
Crème caramel
Pâtisseries

*Service compris + 1/4 vin ou 1/2 eau minérale

Compréhension

1. How many days per week is this restaurant open?
2. At what time does the restaurant close?
3. Is service included in the price of the meal?
4. Which of the following items are included in the starters?
   – raw vegetables
   – egg
   – chicken soup
   – vegetable soup
5. Which of the following items are *not* included in the main course?
   – pork chops
   – lamb chops
   – roast beef
   – fish
   – peas
6. Is cheese included in the set menu?

13.5 Écoutez et répondez!

Monsieur Martin invite des amis au restaurant.

1. Mr. Martin wants a table for how many?
2. What is the price of the set menu he chooses?
3. What does he order?
   – starter
   – main course
   – vegetables
   – dessert

13.6 Complétez le dialogue!

Match each question with the appropriate answer. Then listen to the tape to see if you were right!

1. – Vous avez choisi?

   – _____

2. – Qu'est-ce que vous prenez comme entrée?

   – _____

3. – Et comme plat principal?

   – _____

4. – Le steak, vous le voulez saignant, à point ou bien cuit?

   – _____

5. – Voulez-vous du fromage?

   – _____

6. – Est-ce que vous prenez un dessert?

   – _____

7. – Et comme boisson?

   – _____

8. – Vous prenez un café?

   – _____

a. Oui, je voudrais de la tarte aux pommes.
b. Oui, je prends le menu à 12,95€.
c. Bien cuit, s'il vous plaît.
d. Oui, un café noir et l'addition, s'il vous plaît!
e. Je voudrais du pâté de campagne, s'il vous plaît.
f. Oui, un peu de Camembert, s'il vous plaît.
g. Je prends une bouteille d'eau minérale.
h. Je vais prendre un steak avec des frites.

Jeux de rôles

A (le serveur/la serveuse) et B (le client/la cliente)

A asks if B is ready to order.
B says yes.
A asks what B would like as a starter.
B chooses from the menu and answers.
A writes down the order and asks what B would like as a main dish.
B chooses from the menu and answers.
A writes down the order and asks if B wants some cheese.
B says no, thank you.
A asks if B will have a dessert.
B chooses from the menu and answers.
A writes down the order and asks what B would like to drink.
B chooses from the menu and answers.
A writes down the answer.
B asks for the bill.
A gives the bill and says the total price.
B says thank you.

Lisez!

Maison classée, fondée en 1904

Cuisine traditionnelle et du marché

Service continu TLJ du midi à 1h du matin
142, bd Saint-Germain – 01.43.26.68.18

La Farandole
À la carte

HORS-D'ŒUVRES
Œufs durs mayonnaise 2,60€
Salade de tomates 2,10€
Crudités 2,25€
Saucisson 2,30€

PLAT PRINCIPAL
Canard au poivre vert 8,20€
Rôti de porc 7,80€
Poulet à l'estragon 7,50€
Escalope de veau à la crème 9,60€
Steak au poivre 10,50€
Saumon sauvage grillé 10,90€

FROMAGE
Le plateau de fromage 3,40€

DESSERTS
Glace à la fraise 2,90€
Corbeille de fruits 2,60€
Tarte aux pommes 3,10€
Pêche Melba 3,20€
Mousse au chocolat 2,40€

BOISSONS
Vin (verre) 1€
Vin (carafe) 6,45€
$^1/_2$ eau minérale 1,55€
Café 1,25€
Thé 1,65€

Le Clos Saint Honoré
Frédéric Joulin et Fabrice Dupuy
Vous propose une cuisine inventive dans un décor de charme
(cave voutée du XVIIe siècle)
Menus 22,56€ et 27,14€ ou carte
3, rue Saint Hyacinthe Paris 1er – Rés.:01.40.15.09.36.
— F. dimanche et lundi —

Compréhension

1. Which restaurant has live music at weekends?
2. In which restaurant is duck a speciality?
3. How many dishes are on offer on the set menu of *Nos ancêtres les gaulois*?
4. Which restaurant offers superb views of Paris?
5. Which restaurant is open every day except Sunday and Monday?
6. Which restaurant is located on the banks of the Seine?

13. Santé!

7. Which restaurant is open every day until one o'clock in the morning?
8. Which restaurant is air-conditioned?
9. Near what landmark is *La Frégate* situated?
10. Which restaurant is located in a cellar?

Écrivez!

You are on holidays in Paris. Write a postcard to your penpal in Strasbourg.
Include the following points:
− *where you are and with whom*
− *how long you are staying*
− *where you are staying*
− *you went to a restaurant (give details)*
− *the kind of weather you are having.*

Lisez!

SALADE NIÇOISE
POUR 4 À 5 PERSONNES
PRÉPARATION: 15 MN

1 concombre moyen
4 tomates
3 poivrons verts
2 oignons blancs
1 grain d'ail
1 boîte de 150 g de thon
3 œufs durs
50 g d'olives noires

1. Épluchez le concombre, les oignons et les tomates et coupez-les en rondelles fines ainsi que les poivrons.
2. Mettez dans un bol 2 cuillerées à soupe de vinaigre, 1 cuillerée à café de moutarde, 1 bonne pincée de sel et de poivre fraîchement moulu puis ajoutez 4 cuillerées à soupe d'huile d'olive, le grain d'ail écrasé et les œufs durs passés à la moulinette. Mélangez le tout et versez-le sur la salade.
3. Ouvrez la boîte de thon et arrangez-le joliment au centre, sur la salade. Dressez en couronne les olives noires qu'il n'est pas indispensable de dénoyauter.

Compréhension

1. How long does it take to prepare this dish?
2. Which of the following items are *not* mentioned in the recipe?
   − tuna fish
   − eggs
   − garlic
   − potatoes
   − rice

3. State one thing that should be done with the vegetables in the first step.

4. At what stage should the olives be added to the salad?

CÔTES DE PORC GRAND-MÈRE	Lavez, essuyez et hachez finement les champignons. Brassez bien ensemble la mie de pain et les champignons et ajoutez du sel et du poivre.
4 côtes de porc 200 g de champignons de Paris 50 g de beurre 50 g de mie de pain	Prenez un plat allant au four. Posez les côtes de porc et couvrez-les avec le mélange de pain et de champignons. Parsemez de beurre. Mettez à cuire à four moyen pendant une heure. Servez dans le plat de cuisson et garnissez de persil, de carottes, de haricots verts et de pommes de terre vapeur.

Compréhension

1. Which of the following items is *not* mentioned in the receipe?
    - peas
    - salt
    - mushrooms
    - breadcrumbs
2. What should the pork chops be topped with?
3. How long is the cooking time?
4. List three vegetables this dish can be served with.

Écrivez!

Your Swiss penfriend wants you to prepare a typical Irish dish. He/she asks you to write down the ingredients so that he/she can go and buy them.

 Écoutez et remplissez la grille!

Huguette parle de ses repas.

	Food	Beverage
Breakfast		
Lunch		
Tea		
Dinner		

 **Écoutez!** *13.8*

SPÉCIAL ADOLESCENTS

DOSSIER: LES JEUNES ET L'ALIMENTATION

Depuis quelques années, on constate que les habitudes alimentaires des adolescents se détériorent. Le Docteur Simiès tire la sonnette d'alarme.

- Est-ce que les adolescents que vous rencontrez mangent des repas **équilibrés**?
- La majorité des jeunes ne surveillent pas leur nourriture. Ils ne prennent pas de petit déjeuner. À midi, ils mangent souvent un sandwich ou un hamburger. Le soir, il mangent beaucoup trop de matières grasses, comme des frites et des pâtisseries.

- **Pourquoi les adolescents ne font-ils pas attention à ce qu'ils mangent?**
- Il y a trois raisons principales, selon moi. Premièrement, l'adolescent veut imiter ses pairs et préférera donc prendre un hamburger/coca plutôt qu'un plat cuisiné à la maison. Deuxièmement, les adolescents sont victimes du stress. Ils doivent beaucoup travailler pour passer leurs examens et la nourriture n'est donc pas leur priorité. Ils mangent quand ils en ont le temps. Troisièmement, de plus en plus de parents travaillent toute la journée et ne peuvent donc pas préparer les repas de leurs enfants.
- **La situation est-elle alarmante selon vous?**
- Oui, bien sûr. Le fait de mal manger a des répercussions

sur la santé des adolescents. Cela peut entraîner des maladies cardio-vasculaires par la suite. Par ailleurs, on constate qu'il y a de plus en plus de cas d'obésité chez les moins de 20 ans.
- **Quels conseils pouvez-vous donner aux adolescents?**
- On ne répétera jamais assez l'importance du petit déjeuner. Il faut choisir des éléments de trois des quatres groupes alimentaires (produits céréaliers, légumes et fruits, produits laitiers, viandes et substituts). Pour le petit déjeuner, mangez donc un morceau de fromage sur du pain grillé avec un jus d'orange, et le tour est joué!

Pour plus de renseignements, vous pouvez contacter le Docteur Simiès sur Internet. http://www.santéplus.com

---

Compréhension

1. According to Dr Simiès, what do teenagers generally eat
   – for breakfast?
   – for lunch?
   – for dinner?
2. Which of the following statements are true?
   According to Dr Simiès, many teenagers don't eat a healthy diet because
   – they find fast food more attractive than home-cooked meals.
   – parents often don't have the time to cook for them.
   – food isn't a priority for them.
   – they can't afford the price of a meal.
3. According to Dr Simiès, why is the situation alarming?
4. What example of a healthy breakfast does Dr Simiès give?

13.9  Le corps humain

Écoutez et répétez!

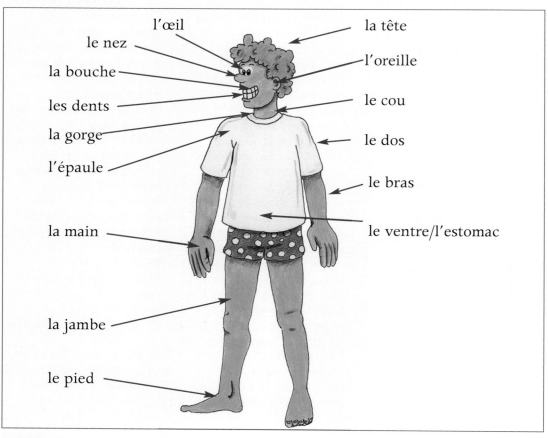

l'œil

le nez

la bouche

les dents

la gorge

l'épaule

la main

la jambe

le pied

la tête

l'oreille

le cou

le dos

le bras

le ventre/l'estomac

13.10 Écoutez et reliez!

Listen to ten people talking about their ailments. What is wrong with them?

1.	toothache
2.	headache
3.	sore throat
4.	earache
5.	sore feet
6.	stomachache
7.	sore arms
8.	sore eyes
9.	sore legs
10.	backache

13. Santé!

Vous avez mal où?

J'ai mal au dos.

J'ai mal à la tête.

J'ai mal aux dents.

J'ai mal à l'estomac.

Qu'est-ce que vous avez?

Je suis malade.

Je ne me sens pas bien.

Je tousse.

J'ai froid.

J'ai chaud.

J'ai de la fièvre.

J'ai la grippe.

J'ai une angine.

J'ai un rhume.

J'ai envie de vomir.

13. Santé!

Qu'est-ce qui ne va pas?

Complete the sentences with au, à la, à l', aux.

1. J'ai mal _____ ventre.
2. J'ai mal _____ main.
3. J'ai mal _____ yeux.
4. J'ai mal _____ oreilles.
5. J'ai mal _____ gorge.
6. J'ai mal _____ dos.
7. J'ai mal _____ dents.
8. J'ai mal _____ tête.
9. J'ai mal _____ jambes.
10. J'ai mal _____ jambe.

Quels sont les symptômes?

Exemple: J'ai mangé une tarte et deux gâteaux. **J'ai mal au ventre.**

1. Mon cartable pèse huit kilos.
2. J'ai couru pendant deux heures.
3. J'ai bu deux litres de limonade.
4. J'ai regardé la télévision toute la journée.
5. Mes chaussures sont trop petites.
6. Je suis allée à un concert de heavy metal.
7. Il faisait très froid et je suis sorti sans anorak.
8. J'ai vomi toute la nuit.
9. Tout le monde fume dans le salon.
10. Je suis tombé à vélo.

Lisez!

Docteur Isabelle Stéphan
MÉDECINE GÉNÉRALE
Pavillon Gabriel, Houdemont, Meurthe-et-Moselle
Téléphone: 03.67.54.43.43.

CONSULTATIONS

Lundi:	9h–11h
Mardi:	14h–17h
Mercredi:	14h –17h; 18h–19h
Jeudi:	14h–17h
Vendredi:	9h–11h
Samedi:	9h–11h

En cas d'absence, téléphoner au 03.67.54.32.25.

Compréhension

1. When is this doctor available on Mondays?
2. This doctor specialises in a particular field of medicine. True or false?
3. When is this doctor available on Thursdays?
4. If this doctor is not available, what number should you ring?

13.11 📼 Écoutez et remplissez la grille!

Listen to three people making an appointment to see the doctor. Note their symptoms as well as the day and the hour of their appointment.

	Symptoms	Day	Hour
1			
2			
3			

Jeux de rôles

A (le médecin) et B (le patient/la patiente)

A: Bonjour!
B answers.
A: Qu'est-ce qui ne va pas?
B doesn't feel well and got sick during the night.
A: Vous êtes malade depuis quand?
B feels sick since yesterday.
A: Où avez-vous mal?
B has a stomachache as well as a headache.
A: Qu'est-ce que vous avez mangé hier?
B had a cup of coffee for breakfast, a hamburger and chips for lunch, and chips and cake for dinner.
A: Et qu'est-ce que vous avez fait hier?
B played football and went swimming.
A: Je vois. Allez à la pharmacie et achetez des médicaments. Je vous donne une ordonnance. Ensuite, restez au lit toute la journée et buvez beaucoup d'eau.

Voici une ordonnance!

Choose the appropriate medication for each of the following ailments. There are several possibilities!

1. J'ai le mal de mer!

2. J'ai pris un coup de soleil!

3. J'ai mal à la gorge et je tousse!

4. J'ai de la fièvre!

6. Je me suis blessée au genou!

5. J'ai mal aux yeux!

a. Appliquez de la crème solaire!
b. Prenez un comprimé une heure avant de partir!
c. Appliquez un pansement sur la blessure!
d. Prenez un cachet d'aspirine trois fois par jour, avant chaque repas!
e. Mettez un sparadrap!
f. Prenez du sirop pour la toux: quatre cuillers à soupe par jour!
g. Prenez des gouttes pour les yeux le matin et le soir!
h. Prenez une pastille pour la gorge après chaque repas!

|3.12| **Écoutez et complétez!**

Écoutez trois personnes parler avec leur médecin.

	Symptoms	Since when?	Doctor's advice
1			
2			
3			

Repérez!

Doulimax ®
PARACÉTAMOL

Forme pharmaceutique:
Comprimé – boîte de 16

INDICATIONS:
– États fébriles
– Douleurs dentaires
– Maux de tête
– Fièvre
– Affections rhumatismales

CONTRE-INDICATIONS:
– Dernier trimestre de la grossesse
– Allergie à l'aspirine
– Ulcères
– Risques hémorragiques

POSOLOGIE:
6 à 8 comprimés par jour

CODOTUSSIL®
SIROP

Indications
– toux et bronchite

Posologie
Adultes et adolescents: une cuiller à soupe trois fois par jour à prendre avant les repas.
Enfants: une cuiller à café trois fois par jour à prendre avant les repas.

ATTENTION!
Ce médicament est réservé à l'adulte et à l'enfant de plus de 16 kg (soit environ 4 ans). Ne pas donner au nourrisson!

OREILTAM®
Traitement des douleurs oriculaires

POSOLOGIE

Adultes: 10 à 15 gouttes 3 fois par jour

Adolescents: 7 à 10 gouttes 3 fois par jour

Enfants: 4 à 7 gouttes 3 fois par jour

Nourrissons: 1 à 4 gouttes 3 fois par jour

VALDAC®
PASTILLES CONTRE LE MAL DE GORGE

Prendre de 6 à 12 pastilles par jour

LISEZ ATTENTIVEMENT LA NOTICE D'EMPLOI!

NE PAS LAISSEZ À LA PORTÉE DES ENFANTS!

Compréhension

1. Which medicine would you take if you had an earache?
2. When would you take Valdac?
3. What form does Codotussil come in?
4. How often should one take Codotussil?
5. When would you take Doulimax?
6. What form does Doulimax come in?
7. In what case is it recommended not to take Doulimax?
8. What is the recommended dosage of Oreiltam for a teenager?

13.13 **Écoutez et remplissez la grille!**

Trois personnes achètent des médicaments à la pharmacie.

	Items purchased	Dosage	Price
1			
2			
3			

Lisez!

LA BONNE SANTÉ DES DENTS DÉPEND DE L'ALIMENTATION ET DE L'HYGIÈNE

1. De façon générale, il faut éviter de manger des aliments sucrés tout au long de la journée car des dents qui baignent constamment dans une salive sucrée sont en danger.

2. L'hygiène dentaire est primordiale. Il faut se brosser les dents deux fois par jour: le matin après le petit déjeuner et le soir avant de se coucher. Toute brosse à dents doit être individuelle. Chaque membre de la famille doit en avoir une pour éviter le risque de contamination. Changez de brosse à dents tous les trois mois.

3. Allez régulièrement chez le dentiste! Il est recommandé de le consulter tous les six mois pour détecter les caries dès leur début et éviter ainsi les traitements longs et coûteux.

Compréhension

1. What is the first advice given in relation to healthy teeth?
2. When should you brush your teeth?
3. How often should you change your toothbrush?
4. How often should you go to the dentist?

Lisez!
Laisser des mots

11 heures

Chère Sophie,

Je suis passé chez toi mais il n'y avait personne. Je vais à la piscine avec des copains cet après-midi. Est-ce que tu veux venir avec nous? Rendez-vous à 5 heures au café.

À tout à l'heure, j'espère,
Romain

6 h

Cher Philippe,
Merci de ton invitation pour ta boum. J'écris ce mot pour te dire que je ne peux pas y aller. Malheureusement, j'ai la grippe et je dois garder le lit. Je suis désolée. Je te téléphonerai demain après-midi.
À bientôt,
Justine

Madame Labouré,
J'écris ce mot parce que votre soeur a téléphoné. Elle dit qu'elle ne pourra pas aller au restaurant ce soir. Elle a mal à la tête et doit rester au lit. Elle téléphonera dans l'après-midi.
À tout à l'heure,
Sophie

3 heures

Chers Maman et Papa,
Je vous laisse ce petit mot pour vous dire que je suis allé à la piscine avec mes amis. J'ai fait mes devoirs et j'ai rangé le salon. Je rentrerai vers cinq heures pour mon goûter.
À tout à l'heure,
Richard

Compréhension

1. What is the purpose of Romain's message?
2. Where and at what time does he suggest to meet Sophie?
3. Why can't Justine go to Philippe's party?
4. When does she intend to ring him?
5. Why does Richard leave a message?
6. What did Richard do before leaving the house?
7. What time will Richard be back at?
8. Who rang Madame Labouré?
9. What was the purpose of the call?

Remplissez les blancs!

8 h

Madame Garance,

Je vous laisse ce _____ (1) parce
que votre amie, Madame Lemaître, est
_____ (2) à 9 heures.
Elle a rendu vos livres. Je les ai mis sur
la _____ (3) de la cuisine.
Madame Lemaître vous passera un coup
de fil plus tard.

Marion

15 h

Julien,

Je suis _____ (1) chez
toi mais tu n'étais pas là. J'organise
_____ (2) boum, samedi
prochain. Tu veux _____ (3)?
Tu _____ (4) apporter des
disques et un gâteau? Rendez-vous
chez _____ (5) à 8 heures.
J'espère que tu seras là.
À _____ (6)

Simone

Chers parents,

Juste un _____ (1) mot pour vous dire que je
suis _____ (2) au cinéma avec Marc.
Le film se termine à 6 heures. J'ai _____ (3)
ma chambre. Je serai de retour à 6h30.
À _____ (4) à l'heure,

Michel

Écoutez!

Listen to three conversations and answer the questions in English.

1. a. What are Nathalie's plans?
   b. Where and at what time is it being held?
   c. Why can't Jean-François come?
2. a. On what day do they arrange to go to the pictures?
   b. What time will the film be starting at?
   c. Where do they finally agree to meet?
3. a. Why does Robert ring up Sylviane?
   b. What happened to Robert's brother?
   c. What arrangements do Robert and Sylviane finally make?

Écrivez!

1. *You are on holidays in Paris and are staying with your penpal. He/she has gone out and is not due back for some time. You have decided to go for a walk and visit a place of interest. Write a note in French explaining:*
   – *where you have gone*
   – *that you will be back at around 5 o'clock*
   – *that you have eaten a sandwich*
   – *that there are some ham sandwiches left in the fridge.*

2. *You are staying with the Pialat family in Nancy. Mme Pialat has gone shopping and you are on your own in the house. Leave a note for Mme Pialat saying that:*
   – *her sister phoned and won't be able to come to dinner tonight*
   – *she doesn't feel well and will see the doctor*
   – *you have gone out to play football*
   – *you'll be back at 6 o'clock.*

3. *You would like to go to the pictures with your friend but he isn't home. Leave a note saying that:*
   – *you invite your friend to come with you*
   – *the film starts at 7.00*
   – *you'll meet him at 6.30 in front of the youth club.*

Avant d'aller plus loin . . .   **?**

Before moving on to Unit 14, make sure you can:
- describe food
- describe what you eat and drink
- describe ailments
- buy medicine
- leave a note
- use the pronoun en
- use interrogative forms.

Now test yourself at www.my-etest.com

14

Les médias

Observez!

SÉLECTION JEUNE
WEEK-END DE PÂQUES

j'aime   j'aime beaucoup   j'adore

2 SAMEDI	DIMANCHE	LUNDI

 SAMEDI

13.50 COUSTEAU: L'OCÉAN INDIEN
Documentaire

 TF1

14.05 MACGYVER
Série américaine

CANAL+

18.45 INFO JEUNE
Le journal télévisé des jeunes présenté par Gérald Roux

 2

20.30 FOOTBALL: CAEN-NANTES
Championnat de France D1
4e journée

 M6

20.35 LE RETOUR
Feuilleton
français
5e épisode

DIMANCHE

 TF1

11.05 CLUB DOROTHÉE
Max et compagnie - L'école des champions - Le clip - Documentaire animalier: Les animaux disparus au XXe siècle

 3

14.20 LES INCORRUPTIBLES
Feuilleton américain
Elliot Ness s'attaque à un dangereux gangster.

 M6

18.20 SALUTS LES COPAINS!
Émission de variétés présentée par Christophe Crenel

 2

18.35 QUESTIONS POUR UN CHAMPION
Jeu animé par Julien Lepers

 arte

20.30 CYRANO DE BERGERAC
Film français avec Gérard Depardieu

LUNDI

 M6

12.30 BOULEVARD DES CLIPS
Tous les derniers clips

 3

15.25 TOUT LE SPORT
Magazine sportif présenté par Jean-Paul Brouchon

 3

15.40 FLIPPER LE DAUPHIN
Série américaine

 2

19.00 MICHEL STROGOFF
Feuilleton
français
3e épisode

 TF1

20.35 LA BOUM
Film français avec Sophie Marceau

Compréhension

1. Name the six main television channels in France.
2. Which programmes have the highest ratings?
3. Give the day, time and channel on which the following programmes are shown:
   - a French series
   - a game show
   - a news bulletin
   - a nature programme

Lisez!

SONDAGE: LES JEUNES ET LA TÉLÉVISION

En trente ans, la télévision est devenue le principal loisir des jeunes Français. Interrogés sur leurs goûts en matière de films, les adolescents affichent une préférence pour le comique et l'aventure. Les jeunes plébiscitent des acteurs français: Gérard Depardieu et Sophie Marceau arrivent en tête de tableau. Voici les résultats complets de notre enquête.

(Sondage réalisé du 15 au 23 octobre auprès d'un échantillon représentatif de 1000 adolescents de 14 à 16 ans.)

QUELS FILMS AIMES-TU?

	Oui (%)	Non (%)
les films comiques	91	9
les films d'aventure	86	14
les films de science-fiction	75	25
les westerns	58	42
les films de guerre	44	66
les dessins animés	29	71
les films d'horreur	22	78
les films romantiques	24	76

QUELLES ÉMISSIONS AIMES-TU REGARDER?

	Oui (%)	Non (%)
les films	84	16
les feuilletons/les séries	82	18
les émissions sportives	77	23
les jeux	67	33
la publicité	62	38
les programmes musicaux/ variétés	58	22
les émissions sur les animaux	46	54
la météo	25	75
le journal télévisé	23	77
les documentaires	13	87

QUEL EST TON ACTEUR PRÉFÉRÉ?	%	QUELLE EST TON ACTRICE PRÉFÉRÉE?	%
1. Gérard Depardieu	21	1. Sophie Marceau	17
2. Jean-Paul Belmondo	16	2. Catherine Deneuve	16
3. Leonardo Di Caprio	14	3. Sandra Bullock	12
4. Alain Delon	13	4. Julia Roberts	10
5. John Travolta	10	5. Emmanuelle Béart	10
6. Christophe Lambert	7	6. Demi Moore	9
7. Brad Pitt	4	7. Isabelle Adjani	7
8. Tom Cruise	3	8. Nicole Kidman	6
9. Arnold Schwarzenegger	3	9. Wynona Ryder	4
10. Bruce Willis	2	10. Whoopi Goldberg	4
Autres	7	Autres	5

Compréhension

1. What are the favourite television programmes of French teenagers? List the top four.
2. What percentage of teenagers does not like watching the news?
3. What percentage of teenagers likes cartoons?
4. When was this opinion poll conducted?
5. How many teenagers were interviewed?
6. What age were they?

Écoutez!

Quels sont vos goûts?

14.1 Moi, j'aime bien regarder la télé. J'aime surtout les films d'amour et les films romantiques. J'aime aussi les dessins animés. Ils sont amusants. Par contre, je n'aime pas tellement les films de science-fiction. Je trouve qu'ils sont ennuyeux.

Georgette

14.2 À la maison, on n'est jamais d'accord sur les programmes. Moi, je veux voir des films d'action ou d'aventure. Mes parents veulent regarder les informations et la météo ou des magazines d'actualité. Quant à ma sœur, elle veut toujours regarder les feuilletons.

Fabien

14.3 Moi, j'adore regarder les spots publicitaires parce qu'ils sont très drôles quelquefois. J'aime aussi les documentaires et les émissions sur la nature. Ils sont souvent passionnants. Par contre, je déteste les jeux télévisés parce qu'ils sont stupides et ennuyeux.

Patrick

14.4 Je suis une fervente de télévision. Le week-end, je m'installe devant le petit écran et je regarde la télé toute la journée. Je regarde les émissions sportives. J'aime aussi les films d'épouvante et les films de science-fiction. Mon émission préférée s'appelle *X-files*. Par contre, je n'aime pas les films d'amour.

Marissa

Compréhension

1. Répondez en anglais!
   a. What kind of films does Georgette not like and why?
   b. What kind of programmes do Fabien's parents enjoy watching?
   c. What kind of programmes does Patrick not like and why?
   d. Name Marissa's favourite programme.

2. Répondez en français!
   a. Georgette aime quels genres de films?
   b. Pourquoi aime-t-elle les dessins animés?
   c. Est-ce que Fabien aime regarder le journal?
   d. La sœur de Fabien aime quels genres d'émissions?
   e. Pourquoi Patrick aime-t-il les documentaires?
   f. Est-ce que Patrick aime les jeux? Pourquoi?
   g. Que fait Marissa le week-end?
   h. Quels genres de films aime-t-elle?

Découvrez les règles!

Interrogative adjectives

1. In French, one single word translates 'which', 'what' and 'who'. This word can be spelled in four different ways. Read the opinion poll on page 324/325 and find these four different spellings.

2. *In your opinion, why are there four different ways of spelling 'which/what/who' in French?*

3. *Complete the following grid and learn the words by heart.*

	Singular	Plural
Masculine	quel	
Feminine		

À vous!

Complétez avec un adjectif interrogatif!

1. _____ heure est-il?

2. _____ est ta matière préférée?

3. Tu as _____ âge?

4. _____ est votre nationalité?

5. _____ matières aimes-tu?

6. Vous pratiquez _____ sport?

7. _____ sont tes films préférés?

8. _____ livre lis-tu?

9. _____ est ton actrice préférée?

10. Tu as acheté _____ disques?

Trouvez la question!

1. _____ ? Mes émissions préférées sont les documentaires et les variétés.

2. _____ ? Je suis irlandais.

3. _____ ? C'est le basket.

4. _____ ? Il est midi.

5. _____ ? Mon acteur préféré est Liam Neeson.

6. _____ ? J'ai 15 ans.

7. _____ ? J'adore les mathématiques.

8. _____ ? J'ai acheté le dernier disque de U2.

9. _____ ? Mes actrices préférées sont Meryl Streep et Julia Roberts.

10. _____ ? C'est le 01.94.56.43.73.

Allons en France

Reliez!

A

B

C

D

E

F

G

H

I   J

1. un western
2. un programme de sport
3. un concert de musique classique
4. un documentaire sur les animaux
5. le journal télévisé

6. une pièce de théâtre
7. une émission de variétés
8. un film policier
9. un film de science-fiction
10. un dessin animé

Match each picture with the appropriate caption!

 14.5 **Écoutez et complétez la grille!**

Un journaliste interroge six adolescents sur leurs goûts en matière de télévision.

	Likes and reason given	**Dislikes and reason given**
Agnès		
Bertrand		
Sophie		
Louis		
Irène		
Jean-François		

Parlez!

Posez les questions suivantes à votre partenaire!

1. Quelles émissions aimes-tu regarder? Pourquoi?
2. Tu n'aimes pas quels genres d'émissions? Pourquoi?
3. Tu préfères quels genres de films? Pourquoi?
4. Tu n'aimes pas quels genres de films? Pourquoi?
5. Quel est ton acteur préféré? Pourquoi?
6. Quelle est ton actrice préférée? Pourquoi?

Écrivez!

*Write a letter to your French penpal telling him/her about your favourite pastimes.
Include in particular:*
– your favourite and your least favourite television programmes and explain why
– your favourite and your least favourite type of films and explain why
– your favourite actors and actresses and explain why.

Lisez!

UNE AVALANCHE DE NOUVELLES ÉMISSIONS À MCM!
La chaîne musicale MCM rénove ses programmes à partir du 13 décembre. MCM s'adresse aux 15-34 ans. Elle est reçue par câble et satellite dans plus de deux millions de foyers.

Martin. Feuilleton américain, inédit en France. C'est l'histoire d'un disc-jockey d'une radio de Détroit. Du lundi au vendredi à 12h35 en version originale sous-titrée.

Blah Blah Rap. Magazine quotidien sur le rap, à 17 heures.
Cinémascope. Magazine hebdomadaire sur le cinéma, présenté par Mallaury Nataf à 23 heures.
Private Jack. Magazine hebdomadaire sur les instruments de musique rock, présenté par Alex Jauffray. Tous les samedis, à 20 heures.
X-Treme TV. Magazine hebdomadaire des sports de glisse (surf, roller, ski . . .). Tous les dimanches, à 11 heures.

100% live. Magazine hebdomadaire, composé uniquement de clips live, animé par Christian David. Tous les samedis, à 11 heures.

Compréhension

1. The channel MCM shows mostly films. True or false?
2. What age category does MCM cater for?

3. What kind of programme is *Martin*?
4. Which programme would you watch if you wanted to find out about the latest films?

Lisez!

6.30 **Télématin** avec Jean Wany

6.30, 7.00, 7.30 et 8.00 Flashes d'informations. 8.35 Amoureusement votre. 9.30 Les beaux matins. Invitée: Carole Laure. Thème: les arnaques du garagiste. 10.55 Flash infos. 11.05 Motus. 11.40 Les z'amours. 12.20 Pyramide. 12.55 Météo.

13.00 **Journal**

13.45 **Le dessin animé**

13.55 **Un cas pour deux.** Feuilleton allemand.

15.00 **Dans la chaleur de la nuit.** Série américaine.

15.50 **La chance aux chansons.** Variétés avec Pascal Sevran. Thème: Génération accordéon.

16.40 **Des chiffres et des lettres.** Jeu animé par Laurent Romejko.

17.15 **Le prince de Bel Air.** Série américaine.

17.40 **Les années collège.** Série américaine.

18.10 **Seconde B.** Série française.

18.45 **Qui est quiz?** Jeu animé par Marie-Ange Nardi.

19.25 **Terre.** Documentaire de Patrick Menu tourné en Israël. Olivier Marchand a suivi les traces de l'aventurier Françis Garpand qui est parti, il y a plus d'un siècle, explorer la Terre Sainte.

20.00 **Journal**

20.55 **Cinéma: Le bonheur est un mensonge.** Film d'aventure de Patrick Dewolf.

22.35 **Spécial sport.** Les temps forts du Championnat du Monde d'Athlétisme. La Coupe de France de Football. Les Championnats de France de Natation à Strasbourg.

0.10 **Journal**

0.30 **Le cercle de minuit.** Magazine présenté par Laure Adler.

1.45 **Histoires courtes.** 2.10 Le Corbusier. 3.10 Les inconnus du Mont-Blanc. 4.00 24 heures d'info 4.15 Moins sale que les larmes. 4.40 D'un soleil à l'autre 5.45 Histoires naturelles. Documentaire sur les animaux.

Compréhension

1. At what time is the lunchtime news being shown?
2. A cowboy film is being shown at 6.30 a.m. True or false?
3. At what time is a programme on animals being shown?
4. The evening news is at 9.00 p.m. True or false?
5. At what time is a weather forecast being shown?
6. In which country was Patrick Menu's documentary shot?
7. At what time can you see a French series?
8. List the three sporting events being shown on the sports programme.
9. At what time is a cartoon being shown?
10. There is a quiz show at 4.40 p.m. True or false?

Lisez!

VOS OPINIONS: LES ADOLESCENTS REGARDENT-ILS TROP LA TÉLÉVISION?

Les chiffres sont clairs: en moyenne, chaque adolescent européen passe 3 heures par jour devant le petit écran (contre 4 heures par jour aux États-Unis). Et cette durée ne cesse d'augmenter. Qu'en pensent les intéressés eux-mêmes?

Catherine, 15 ans *(Strasbourg)*
Je ne suis pas d'accord. Je pense que les adolescents ne regardent pas trop la télévision. Grâce à la télé, on peut apprendre beaucoup de choses et découvrir le monde. Le problème, selon moi, c'est que beaucoup de jeunes sont passifs devant la télévision et regardent absolument tous les programmes, bons et mauvais.

Marie, 16 ans *(Montpellier)*
C'est vrai que les jeunes regardent trop la télé . . . moi la première! Je regarde Télématin dès que je me lève. Quand j'arrive chez moi le soir, la télé est déjà allumée. Nous regardons même la télévision pendant le dîner! Je dois avouer que la plus grande partie des programmes que je regarde n'est pas intéressante. Mais c'est difficile de changer les habitudes!

Gaëtan, 15 ans *(Maubeuge)*
Moi, je suis d'accord. Selon moi, les adolescents regardent trop la télévision. Beaucoup de mes copains allument la télé à 6 heures le soir quand ils rentrent du collège et ils restent devant le petit écran jusqu'à 10 heures ou 11 heures. Je pense que c'est triste parce que les jeunes ne dialoguent plus avec leurs parents et leurs amis. Ils ne font pas beaucoup de sport, ils ne sortent pas beaucoup. Ce sont des légumes! Je n'aime pas la télévision. Je trouve qu'il y a trop de violence.

Compréhension

1. What question is being asked in this opinion poll?
2. How many hours per day on average does a European teenager watch television?
3. Why can television according to Catherine be beneficial?
4. What is Marie's opinion on television?
5. Why is Gaëtan against watching too much television?

14. Les médias

14.6 **Écoutez et remplissez la grille!**

Trois jeunes se présentent.

	Age	Birthday	Colour of hair	Brothers/ sisters	Pastimes	Favourite kind of film
Pascal						
Alice						
André						

Écrivez!

Write a letter to your new Swiss penfriend introducing yourself. Also write about your pastimes and tell him/her about a film or programme you have seen recently. Include some details and say why you enjoyed it.

14.7 **Prononcez bien! Intonation (exclamation)**

1. Écoutez et répétez!

Point (.)	Point d'interrogation (?)	Point d'exclamation (!)
Il est français.	Il est français?	Il est français!
Tu es grand.	Tu es grand?	Tu es grand!
La station est loin.	La station est loin?	La station est loin!
Je suis content.	Est-ce que je suis content?	Je suis content!
	Quel pays?	Quel pays!
	Quelle émission?	Quelle émission!

2. Listen to the following sentences being read out. Add a full stop, a question mark or an exclamation mark, depending on the intonation used!

a. Quel film____
b. J'ai froid____
c. Il habite à Paris____
d. C'est un film magnifique____
e. C'est loin____
f. J'adore les films d'aventure____
g. Elle est sympa____
h. Quelle actrice____

3. Read out the above sentences using three different intonations (statement, question, exclamation).

Allons au cinéma!

While on holidays in France, you ring up a cinema to find out about the programme. Listen to the answering machine and write down the details.

Title	Genre	Times	Other information
L'île au trésor			
Mars attaque			
Le seigneur du lac			
Les bronzés à Paris			
La nuit des zombies			

Lisez!

Cinéma les Artels

Tél. 03.44.34.28.32.
Plein tarif 8,60€.
Tarif réduit 6,20€ pour chômeurs, étudiants et moins de 8 ans.

GANGSTERS (2001. Policier français. Int –12 ans)
séances: 9h30(sauf jeudi), 11h50, 14h30 et 17h15

TOSCA (2000. Film musical franco-allemand)
séances: 13h30, 15h45, 19h50

LA CHUTE DU FAUCON NOIR (2001. Film de guerre)
séances: 9h55(sauf mercredi), 14h30, 22h20

EXCALIBUR (1980. Film d'aventure américain)
séances: 16h, 18h40, 21h05

SCREAM (1997. Film d'horreur)
séances: 11h15(sauf dimanche), 13h45, 16h15, 18h45, 21h15

LA GUERRE DES BOUTONS (1961. Comédie française)
séances: 10h45, 13h30, 16h15, 19h, 21h45

LE MACHINE À EXPLORER LE TEMPS (2002. Film de science-fiction américain)
séances: 17h20, 19h20, 21h20

WHEN WE WERE KINGS (1996. Documentaire américain avec Mohamed Ali et George Foreman)
séances: 15h50, 18h25, 21h

ASTÉRIX CHEZ LES BRETONS (1986. Dessin animé français)
séances: 10h20, 12h30 (sauf lundi), 14h05(sauf jeudi), 16h35

14. Les médias

Compréhension

1. Which film would you go to if you wanted to see a cartoon?
2. Which film is strictly for over 12s?
3. At what times is *Gangsters* being shown?
4. Who can avail of a ticket at a reduced price?

 **Écoutez!**

You will hear two conversations between teenagers making plans for the weekend. Answer the questions in English!

1. a. What kind of film does Jean-François want to see?
   b. At what time is it being shown?
   c. Where are they going to meet?
2. a. Why can't Éric meet Sylvie?
   b. When is Éric going to meet Sylvie?
   c. What are their plans?

14.10 **Écoutez et complétez le dialogue!**

— Je vais au cinéma _____ (1) après-midi. Tu veux venir?
— Oui, je _____ (2) bien. Qu'est-ce que tu veux _____ (3)?
— On passe *Le retour du Jedi*.
— C'est quel _____ (4) de film?
— C'est un vieux film de science-fiction.
— Chouette, j'adore les _____ (5) de science-fiction! La séance est à _____ (6) heure?
— La séance est à quatre heures. Le film _____ (7) à quatre heures et _____ (8).
— On se retrouve où?
— On se retrouve _____ (9) le cinéma à quatre heures moins cinq?
— _____ (10). À tout à l'heure!

14.11   **Dictée: écoutez et écrivez!**

Jeux de rôles

> ## UGC ODÉON
> 124, Bd Saint Germain
> Place: 8,50€ (Tarif réduit 6,30€)
> Les films débutent 10 minutes après l'heure affichée.
>
> **Astérix et Obélix: Mission Cléopâtre**, séances à 14h10 et 16h50
> **La planète des singes**, séances à 15h30 et 17h45
>
> **Pearl Harbour**, séances à 11h15, 15h40, 18h20, 20h20, 22h40
> **La guerre des étoiles**, séances à 16h10, 18h50, 21h45
> **Titanic**, séances à 15h40 et 18h

1. *While you are on holidays in France, a friend you have met (A) rings you (B) at your hotel. Act out the dialogue with your partner, using the above advertisement.*

A says hello on the phone, introduces him/herself and asks how B is.

B says hello and says he/she is well. B asks how A is.

A is very well. A is going to the pictures and asks if B wants to join him/her.

B asks which film A wants to see.

A wants to see *Astérix et Obélix*. A says what kind of film it is.

B asks at what time it is on.

A answers.

B says he/she can't go at these times because he/she has to visit the Louvre museum with his/her family. B will be back at 5.00 p.m.

A makes alternative arrangements. A mentions another film which is being shown at a time that suits B.

B agrees and asks where they should meet.

A answers.

2. *A wants to go to the pictures and rings B. A likes adventure films while B prefers science fiction films. Write a dialogue using the above advertisement.*

Écrivez!

You are on holidays in France and are staying at your penfriend's home. He/she has gone out and is not due back for several hours. A friend of his/her just rang and has invited you to go to the pictures. Leave a note in French including the following points:

— *It is 3 p.m.*
— *You are going to the pictures with Paul/Paule.*
— *Say what kind of film you are going to see.*
— *You'll be back at 6.30 p.m.*
— *You have eaten a sandwich.*

Les informations

Classify each of the following words under the appropriate heading.

Météo	Sport	Crime	Accident	Incendie	Catastrophe naturelle
_____	_____	_____	_____	_____	_____

nuageux   malfaiteur   glissement de terrain
séisme   tremblement de terre   but
pompier   brume   hold-up
collision   stade   inondation
éruption

14.12  Écoutez!

Listen to the news bulletin on France Inter. You will hear nine news items. Match each news item with one of the headings on page 337.

1. Accident
2. _____
3. _____
4. _____
5. _____

6. _____
7. _____
8. _____
9. _____

Lisez!

The following is the script of the news bulletin you have just heard, but the news items have been mixed up. Rearrange them in the correct order.

Le plan Épervier a été déclenché cet après-midi dans le département des Pyrénées-Atlantiques pour tenter de retrouver les auteurs d'un hold-up commis tôt ce matin dans une agence de la Banque Nationale de Paris, à Bayonne. Les malfaiteurs se sont emparés de plus de cinquante mille euros. Ils ont pris la fuite à bord d'une Peugeot 406 rouge.

Incendie dans un hôtel de Tours, la nuit dernière. Les cinquante clients qui séjournaient à l'hôtel Moncourt ont été évacués par les pompiers. Une personne a été légèrement blessée. Les dégâts matériels sont peu importants.

Collision entre un train de marchandises et un poids lourd, hier soir, près de Strasbourg. Une locomotive a heurté de plein fouet un camion qui était immobilisé sur le passage à niveau. Le chauffeur routier a été transporté à l'hôpital. Il est mort des suites de ses blessures. Une enquête a été ouverte pour déterminer les circonstances précises de l'accident.

La météo pour demain, mercredi: après la levée des brumes matinales, il fera généralement beau sur l'ensemble du pays. L'après-midi, il pleuvra sur la Bretagne et la Normandie. Le temps sera assez nuageux sur l'Île-de-France. Des orages sont à prévoir en début de soirée dans le Midi.

En Espagne, de violents orages ont provoqué des inondations et des glissements de terrain la nuit dernière, dans le nord du pays. Une cinquantaine de personnes ont été blessées dont quatre grièvement. Les dégâts matériels sont importants.

Éruption volcanique sur l'île de Monserrat, dans les Caraïbes. Quatre mille personnes ont dû être évacuées. Une centaine d'habitations ont été détruites. Les spécialistes redoutent une nouvelle éruption dans les jours qui viennent.

Au Japon, un tremblement de terre a fait douze morts et quarante blessés, hier, dans la banlieue de Tokyo. Le séisme n'a duré que quelques secondes. Plusieurs quartiers ont été gravement endommagés. Un nouveau tremblement de terre est à craindre dans les prochaines heures.

Accident de la route, ce matin, sur l'autoroute A1 à hauteur du péage de Senlis. Une voiture est entrée en collision avec un camion. Les quatre occupants de la voiture ont été tués sur le coup. Le chauffeur du camion a été transporté à l'hôpital dans un état grave. Le brouillard et la vitesse seraient à l'origine de l'accident.

Football: La 16ᵉ journée du Championnat de France, le Paris-Saint-Germain a été battu à Caen 3 buts à 0, au stade Malherbe.

Compréhension

1. a. Where and when did the accident occur?
   b. What vehicles were involved?
   c. What were the casualties?
   d. What is thought to be the cause of the accident?
2. a. Where and when did the accident occur?
   b. What happened to the lorry driver?
3. a. In which part of Spain did the floods occur?
   b. What caused the floods?
   c. How many people were injured?
4. a. Where precisely did the earthquake occur?
   b. How long did it last for?
   c. How many people lost their lives?

5. a. How many people were evacuated?
   b. How many homes were destroyed?
   c. What do the authorities fear?
6. a. Where and when did the hold-up take place?
   b. What was held up?
   c. How much money was stolen?
   d. How did the bank robbers escape?
7. a. Where and when did the fire occur?
   b. How many people were staying in the hotel?
   c. What happened to them?
   d. How many people were injured?
8. a. Who won the match?
   b. Where was the match played?
9. a. What day of the week is the weather forecast for?
   b. What will the weather be like in the morning?
   c. What is likely to happen in the evening in the south of France?

Lisez le journal!

LE PARISIEN
aujourd'hui:

Which page would you look up if you were interested in:
— local news?
— the weather?
— recipes?
— foreign news?
— looking for a job?

ACCIDENT SUR L'A 13

Le cocktail 'vitesse et brouillard' a encore tué. Hier matin vers 10 heures, neuf personnes ont trouvé la mort dans un gigantesque carambolage qui a également fait plus de quatre-vingts blessés dont trois graves. La collision s'est produite à la hauteur de Bourg-Achard dans l'Eure, sur l'autoroute A 13 qui relie Rouen à Paris. Le plan rouge a immédiatement été déclenché par les sapeurs-pompiers qui ont mobilisé plus de cent vingt hommes. Une centaine de véhicules étaient impliqués dans l'accident.

1. Where and when did the accident happen?
2. How many people were injured?
3. What caused the accident?
4. How many firemen were involved in the rescue operation?
5. How many vehicles were involved in the accident?

MACABRE DÉCOUVERTE

Le corps sans vie d'un homme, dont l'identité n'a pas encore pu être déterminée, a été découvert hier matin par un passant, dans un square du XVIIIe arrondissement de Paris.

Apparemment âgée d'une cinquantaine d'années, la victime, vraisemblablement un sans domicile fixe, portait plusieurs traces de blessures profondes au niveau du ventre.

Une enquête a été ouverte par la brigade criminelle qui privilégie l'hypothèse d'une bagarre d'après-boire.

1. When and by whom was the body discovered?
2. How old was the victim?
3. On what part of the body did he sustain injuries?
4. What does the police think might have happened?

AVALANCHE MEURTRIÈRE

Drame à Val d'Isère. Cinq jeunes skieurs ont été emportés hier dans l'après-midi par une avalanche meurtrière. Skieurs confirmés, les jeunes gens, trois garçons et deux filles âgés de 17 à 22 ans et originaires de la région parisienne, s'étaient aventurés en dehors des pistes balisées. Leurs corps n'ont été retrouvés qu'à la nuit tombée. Malgré les efforts des secouristes, aucun n'a pu être ramené à la vie.

La gendarmerie rappelle que le ski hors piste est particulièrement dangereux en cette période de l'année.

1. When did the accident happen?
2. How many skiers were swept away by the avalanche?
3. State their age and where they came from.
4. When were their bodies discovered?
5. What advice does the gendarmerie give to skiers?

TROIS KG D'HÉROÏNE

Trois ressortissants tunisiens ont été arrêtés ces derniers jours à Paris et en banlieue par les policiers de la Brigade des Stupéfiants. Pas moins de trois kg d'héroïne pure ont été saisis à leurs domiciles respectifs, ainsi qu'une somme de 60.000 euros que proviendrait, selon la police, de ce trafic.

L'enquête se poursuit pour tenter d'arrêter d'éventuels complices et fournisseurs.

1. How many suspects did the drug squad arrest?
2. What did the police seize at the suspects' homes?
3. What do the investigators now hope to do?

AU FEU!

Grave incendie la nuit dernière, rue de la Fontaine-au-Roy dans le XIe arrondissement de Paris. Tous les occupants d'un hôtel bon marché 'Le Versailles' ont dû être évacués par les pompiers qui ont reçu le premier appel sur le 18 à 3h05.

À 5 heures, le feu était maîtrisé. Trois personnes, dont deux enfants en bas âge, intoxiquées par les fumées, ont été hospitalisées. L'immeuble a été entièrement détruit par les flammes. L'origine du sinistre reste pour l'instant indéterminée. Une enquête a été ouverte par les policiers du commissariat du XIe.

1. Where and when did the fire occur?
2. The fire broke out in a luxury hotel. True or false?
3. How many people were injured?
4. What happened to them?

À VOTRE SANTÉ!

La police n'a pas eu trop de difficultés pour arrêter, dans la soirée de jeudi, l'auteur du dernier cambriolage en date commis rue du Général-de-Gaulle à Nogent-sur-Marne. L'homme, qui avait volé argent, bijoux et objets de valeur, s'était tout simplement endormi après avoir sérieusement arrosé son forfait en vidant deux bouteilles de bon vin. Connaisseur, le cambrioleur avait porté son choix sur un 'Château Margaux 79' et sur un 'Cheval blanc 76' trouvés dans la cave des propriétaires du pavillon visité. De retour chez eux après une sortie au cinéma, ces derniers ont découvert leur voleur endormi dans la cuisine. La police a procédé à son interpellation quelques minutes plus tard.

1. When and in which town was the thief arrested?
2. What had he stolen?
3. Why was it so easy to arrest him?

HOLD-UP RUE DE FLANDRE

En l'espace de cinq minutes, trois malfaiteurs se sont emparés de la coquette somme de 500.000 euros au cours d'un braquage qui s'est déroulé hier dans l'agence du Crédit Lyonnais située rue de Flandre dans le XIXe arrondissement.

Les trois hommes, qui portaient perruques et fausses moustaches, ont fait irruption dans la banque peu avant 10 heures. Armés de revolvers de gros calibre, ils ont aussitôt menacé les rares clients et le personnel avant de se faire remettre le contenu des caisses et du coffre-fort. Le butin est estimé pour l'heure à près de 500.000 euros.

Aucun coup de feu n'a été tiré, mais une employée a été prise en otage un court moment par le trio qui l'a libérée quelques centaines de mètres plus loin une fois sa fuite assurée.

C'est la troisième fois depuis le début de l'année que cette agence bancaire du nord de Paris est victime d'un vol à main armée. La B.R.B. (Brigade de Répression du Banditisme) a été chargée de l'enquête.

1. Where and at what time did the robbery take place?
2. What was held up?
3. How many robbers were involved?
4. How much money was stolen?
5. Who was taken hostage?
6. How many times was the same place held up since the beginning of the year?

TRAFIC DANS LA CITÉ

Antoine, 16 ans, Stéphane, 17 ans, et Fabrice, 17 ans également, sont depuis mercredi placés en garde à vue dans les locaux de la police judiciaire. Ces trois garçons, tous domiciliés dans la même cité de Montreuil (Seine-Saint-Denis) et déjà bien connus des services de police, ont été interpellés dans une cave qui servait de QG à la petite bande.

Après de longues surveillances, la police a établi que les trois jeunes gens se livraient, sans doute depuis plus d'un an, à divers trafics: autoradios, matériel hi-fi, blousons en cuir, cigarettes . . . Une petite quantité de cannabis a également été saisie.

'Au volant de leur BMW, ils se comportaient comme de vrais caïds et exerçaient une très mauvaise influence sur les plus jeunes dans la cité' commente un enquêteur qui estime à plus de 80.000 euros la valeur de la marchandise retrouvée dans la cave de la cité des Alouettes à Montreuil. Une marchandise dont les trois mis en cause n'ont pu justifier l'origine. L'enquête se poursuit.

1. How many teenagers did the police arrest?
2. List four items seized by the police.
3. Where exactly were the seized items found?
4. The police never had to deal with these particular teenagers before. True or false?

DEUX ALPINISTES INTERPELLÉS

Deux étudiants canadiens ont été interpellés par la police, à 4 heures hier matin, après avoir tenté d'escalader la cathédrale de Strasbourg, haute de 142 mètres. Armés de matériel d'alpinisme, la fille et le garçon, âgés d'une vingtaine d'années, ont expliqué qu'ils voulaient 'prendre des photos du lever du soleil'.

1. What is the occupation of the people the police arrested?
2. Why were they arrested?
3. What is the height of the cathedral in Strasbourg?

U2 AU PARC DES PRINCES!

Après quatre années de silence, U2 retrouvera la scène à l'occasion d'une tournée internationale qui fera halte en France: le samedi 6 septembre au Parc des Princes à Paris et le 15 septembre à Montpellier, à l'espace Grammont. Les billets seront disponibles dans les points de ventes habituels dès le 25 février pour le concert parisien et deux jours plus tard pour le concert de Montpellier. La formation emmenée par Bono sort à cette occasion son nouvel album.

1. On what date will U2 be playing in Paris?
2. When will the tickets be available for the Montpellier concert?

SAMEDI ROUGE EN PROVINCE

Bison futé a classé 'rouge' en province la journée du samedi 15 février, en raison du chassé-croisé des vacances d'hiver, des départs de la zone B et des retours de la zone C. C'est la région Rhône-Alpes qui devrait connaître les plus grandes difficultés, samedi en début d'après-midi. Les poids lourds de marchandises supérieurs à 7,5 tonnes ne pourront pas circuler de samedi soir à dimanche soir.

1. When and why are traffic jams expected in France?
2. Which will be the most affected area?
3. To which type of vehicles will traffic restrictions apply?

80 PNEUS CREVÉS APRÈS UNE DISPUTE AVEC SA COPINE

Strasbourg. – Un adolescent va comparaître demain devant le juge des enfants pour vandalisme. Il a été arrêté lundi par la police. Il est soupçonné d'avoir crevé 80 pneus au cours de la nuit de dimanche à lundi, pratiquement dans la même rue du quartier de la Robertsau à Strasbourg. Il a expliqué aux policiers qu'il s'était disputé avec sa copine et que cela l'avait mis dans une rage folle.

1. Why will the teenager be brought before the judge?
2. When was he arrested?
3. What explanation did he give to the police for his behaviour?

ATTENTAT À NICE

Une explosion s'est produite dans la nuit de vendredi à samedi dans un bar de Nice, endommageant sérieusement l'établissement, fermé lors de la déflagration. L'explosion, qui a eu lieu samedi à 3h dans un quartier de l'ouest de la ville, n'a fait aucune victime. La charge explosive, évaluée à 300 grammes de dynamite, avait été déposée sur la porte d'entrée du bar 'L'Olympique', situé dans le quartier Saint-Augustin.

1. What happened in Nice and when?
2. How many people were injured?

INTEMPÉRIES

Un violent orage avec de fortes pluies s'est abattu, hier après-midi, sur le littoral des Pyrénées-Orientales proche de Perpignan provoquant d'importants dégâts. Un touriste a été foudroyé alors qu'il effectuait la visite du château cathare de Quéribus. Les secours n'ont pu ranimer la victime, âgée de 50 ans. Par ailleurs, les pompiers du département ont dû intervenir une centaine de fois pour dégager des routes coupées par les inondations.

1. When and where did the storm occur?
2. How did the 50-year-old man die?
3. Why did the firemen have to intervene?

CHASSE AU CROCODILE DANS LA RUHR

La police allemande a lancé une chasse au crocodile, jeudi soir, à Wickede, une petite ville de la Ruhr, afin de récupérer deux crocodiles qui s'étaient échappés d'un cirque. Le plus petit des crocodiles, qui mesurait tout de même 2,5 m de long, a été rattrapé facilement. Mais les policiers ont eu quelques difficultés à retrouver Santos, le plus grand – 5 m de long –, qui avait disparu dans un lac.

Après des recherches en bateau, pompiers et policiers ont découvert l'animal à proximité d'une rive. Sa dompteuse s'est alors avancée dans l'eau et lui a passé une laisse autour du cou.

1. In which country did this story happen?
2. Why was it difficult to catch the second crocodile?
3. Who finally caught the animal and how?

VOITURE CONTRE MOTOCYCLETTE

Une collision s'est produite hier après-midi sur la R.N 25 à la sortie de Breuil en Chasseline. Une voiture conduite par M. Jean Ducourt, 45 ans, demeurant à Juissac, a percuté la motocyclette de M. Guy Arcant, 55 ans, domicilié à Lanspuy. Ce dernier a été transporté à l'hôpital de Douai dans un état grave. Il souffre d'une triple fracture de la jambe ainsi que d'une fracture du bras. Le conducteur de la voiture est indemne.

1. Which vehicles were involved in the accident?
2. Where and when did the accident happen?
3. What injuries did the 55-year-old man sustain?

1. What is the forecast for Saturday? Give three details.
2. What information is given about the wind on Sunday?

LA MÉTÉO DU WEEK-END

Samedi: Après la dissipation des brouillards et autres grisailles matinales, le ciel se dégagera laissant place au soleil durant l'après-midi. Des nuages aborderont la côte en soirée et des orages pourront se développer çà et là. Les températures seront stationnaires.

Dimanche: Des ondées orageuses se produiront dans la matinée. L'après-midi, le ciel restera partagé entre soleil et nuages. Le vent sera faible et soufflera de sud-ouest. Il fera environ 23°.

 **Écoutez!**

Listen to the news bulletin on France Inter and answer the questions in English.

1. a. When was the girl kidnapped?
    b. In which city was she kidnapped?
    c. What is her father's occupation?
    d. What is the ransom demanded?
2. a. How many passengers were injured?
    b. When and where did the accident occur?
    c. What is thought to have caused the accident?
3. a. What happened?
    b. When and where did it happen?
    c. How many people were injured or killed?
    d. How many homes were destroyed?
4. a. Who won the match?
    b. What was the score?
    c. Where was the match played?
    d. Which club will the winning team play in its next fixture?
5. a. What day is the weather forecast for?
    b. Describe the weather in the region around Paris in the morning.
    c. Which areas will have fine weather in the afternoon?
    d. How strong will the winds be?

Avant d'aller plus loin . . .   ?

Before moving on to Unit 15, make sure you can:
– give your opinion about a film or a programme
– say why you like or dislike particular programmes
– agree or disagree with someone's opinion
– use interrogative adjectives
– name French radio and television stations and newspapers.

Now test yourself at <u>www.my-etest.com</u>

15

Qu'aimeriez-vous faire?

Lisez!

ENQUÊTE:
QUEL EST LE PLUS BEAU MÉTIER?

Nous avons mené une enquête auprès de collégiens et de collégiennes de la région parisienne pour connaître leurs préférences en matière d'emploi. Notre sondage révèle que les jeunes préfèrent les métiers qui permettent d'aider les autres et ceux par lesquels ils peuvent se développer eux-mêmes.

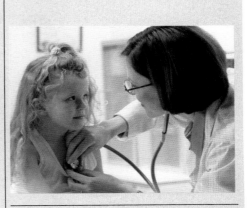

Selon vous, quel est le métier le plus intéressant?

	%
1. Médecin	18
2. Journaliste	16
3. Enseignant/enseignante	14
4. Acteur/actrice	12
5. Artiste	11
6. Avocat/avocate	10
7. Assistant/assistante social(e)	9
8. Vétérinaire	6
9. Sportif/sportive de haut niveau	2
10. Pilote de ligne	1
Autres réponses	1

Selon vous, quel est le métier le plus utile?

	%
1. Infirmier/infirmière	32
2. Médecin	21
3. Ouvrier/ouvrière	7
4. Enseignant/enseignante	6
5. Agriculteur/agricultrice	6
6. Ingénieur	5
7. Policier	4
8. Avocat/avocate	3
9. Dentiste	3
10. Vétérinaire	1
Autres réponses	4

→

Selon vous, quel est le métier le moins populaire?

	%
1. Homme/femme politique	28
2. Policier	21
3. Directeur/directrice commercial(e)	20
4. Militaire	19
5. Journaliste	6
Autres réponses	6

Compréhension

1. According to the poll, what is
   - the most interesting job?
   - the most useful job?
   - the least popular job?
2. What percentage of students believe that lawyers have the most useful job?
3. What do students think about journalists?

Écoutez!

Qu'aimeriez-vous faire après vos études?

15.1 **Frédéric, 16 ans**

Après le bac, j'aimerais aller à la fac pour faire des études. Je voudrais devenir informaticien parce que j'adore les ordinateurs. D'après moi, c'est un métier difficile mais passionnant.

15.2 **Carole, 15 ans**

J'aimerais être assistante sociale ou infirmière parce que je voudrais aider les personnes en difficulté et en plus, j'adore le contact avec les gens. Je pense que le métier d'infirmière est plus difficile que le métier d'assistante sociale parce qu'il faut travailler de longues heures.

15.3 **Anne, 16 ans**

Je voudrais être institutrice parce que j'aime les enfants. C'est un métier très difficile. J'aimerais aussi être hôtesse de l'air parce que j'adorerais voyager dans le monde entier. Je pense que le métier d'hôtesse de l'air est moins difficile que le métier d'institutrice parce qu'il y a moins de responsabilités.

15.4 **Bruno, 15 ans**

J'aimerais devenir agriculteur, comme mes parents, ou bien alors vétérinaire parce que j'aime les animaux et la nature. Selon moi, le métier d'agriculteur est aussi difficile que le métier de vétérinaire parce qu'il faut travailler à des heures irrégulières.

Compréhension

1. Why does Frédéric want to work in IT?
2. Which two reasons does Carole give for wanting to become a social worker or a nurse?
3. According to Carole, which of the two jobs is the more difficult? Why?
4. Why would Anne like to be an air hostess?
5. Why does she think that being an air hostess is less difficult than being a primary school teacher?
6. What would Bruno like to do?
7. Why does Bruno say that one job is as difficult as the other?

Découvrez les règles! abc

Comparative and superlative

Read over the passages on pages 349–51 and find out how to say:

– *more difficult than:* _____

– *less difficult than:* _____

– *as difficult as:* _____

– *the most interesting:* _____

– *the least popular:* _____

Conditional

1. *Give examples of verbs conjugated in the conditional tense in English. Is the conditional made up of one or two parts?*
2. *Read over Sections 15.1–15.4 and find three verbs conjugated in the conditional tense in French. Are they made up of one or two parts?*
3. *Look at the following verb conjugated in the conditional. What is its stem? What are its endings?*

je	mangerais	nous	mangerions
tu	mangerais	vous	mangeriez
il/elle	mangerait	ils/elles	mangeraient

4. *Complete the following rule and learn it by heart:*

Conditionnel = stem of the _____ tense + endings of the _____ tense

 À vous!

Complétez les phrases!

Read the survey on pages 349–50 and complete the following sentences, using comparatives and superlatives!

D'après les adolescents français,

1. le métier de médecin est _____ intéressant _____ le métier de journaliste.
2. les ouvriers sont _____ utiles _____ les dentistes.
3. les directeurs commerciaux sont _____ populaires _____ les militaires.
4. le métier d'enseignant est _____ utile _____ le métier d'agriculteur.
5. les infirmières ont le métier _____ utile.
6. le métier d'avocat est _____ intéressant _____ le métier d'acteur.
7. les hommes et femmes politiques ont le métier _____ populaire.
8. le métier de médecin est le métier _____ intéressant.

Faites des comparaisons!

1. Le métier de militaire est _____ dangereux _____ le métier de facteur.
2. Le comté de Cavan est _____ grand _____ le comté de Kerry.
3. Danny deVito est _____ petit _____ Arnold Schwarzenegger.
4. La Tour Eiffel est _____ grande _____ l'Arc de Triomphe.
5. Les films d'aventure sont _____ populaires _____ documentaires.
6. Waterford est _____ petit _____ Limerick.
7. Le Mont Blanc est _____ élevé _____ l'Everest.
8. La géographie est _____ intéressante _____ les maths.

15.5 **Écoutez et complétez la grille!**

Quatre jeunes parlent de ce qu'ils aimeraient faire plus tard.

	Name	Age	Choice of career	Reasons given
1				
2				
3				
4				

Qu'est-ce qu'ils font?

1. Choisissez la bonne réponse.

a. – Il est fonctionnaire. ☐
– Il est sapeur-pompier. ☐
– Il est pompiste. ☐
– Il est gendarme. ☐

b. – Elle est médecin. ☐
– Elle est vétérinaire. ☐
– Elle est pharmacienne. ☐
– Elle est au chômage. ☐

c. – Il est plombier. ☐
– Il est électricien. ☐
– Il est maçon. ☐
– Il est mécanicien. ☐

d. – Elle est vendeuse. ☐
– Elle est caissière. ☐
– Elle est épicière. ☐
– Elle est factrice. ☐

15. Qu'aimeriez-vous faire?

e. – Il est facteur. ☐
   – Il est policier. ☐
   – Il est charpentier. ☐
   – Il est au chômage. ☐

f. – Elle est comptable. ☐
   – Elle est ménagère. ☐
   – Elle est fonctionnaire. ☐
   – Elle est architecte. ☐

g. – Il est employé de bureau. ☐
   – Il est chauffeur routier. ☐
   – Il est conducteur de bus. ☐
   – Il est chauffeur de taxi. ☐

h. – Elle est employée de bureau. ☐
   – Elle est mère de famille. ☐
   – Elle est ouvrière. ☐
   – Elle est institutrice. ☐

2. Classez chaque profession dans la grille!

Passionnant	**Intéressant**	**Utile**	**Difficile**	**Fatigant**	**Ennuyeux**
_____	_____	_____	_____	_____	_____

Écrivez au conditionnel!

1. Je veux être vétérinaire.
2. Je gagne peu d'argent mais le travail est intéressant.
3. Je travaille à l'étranger.
4. Je vais en Australie.
5. J'aime mon travail.
6. Je suis en contact avec les gens.
7. Je soigne les animaux.
8. Je fais beaucoup de choses différentes.
9. Je m'occupe de personnes en difficulté.
10. J'ai un travail passionnant.
11. Nous voyageons dans le monde entier.
12. Avez-vous des timbres à 40 centimes?
13. Nous voulons deux chambres.
14. Elles veulent être journalistes.
15. Il aimera ce travail.

Parlez!

Que feriez-vous si votre oncle d'Amérique vous payait un voyage en France? Vous pourriez répondre à cette question en utilisant les verbes suivants.

voyager, aller, faire, rendre visite à, acheter, visiter, manger, voir, prendre, rester . . .

15. Qu'aimeriez-vous faire?

  Écoutez et reliez!

Match each picture with the appropriate text!

> Moi, je fabrique des vêtements avec une machine à coudre. J'aime mon métier mais parfois, c'est un peu ennuyant parce que c'est répétitif.

1.

A Guy Landru, menuisier

B Julie Bourdon, boulangère

> Mon mari travaille la nuit pour préparer le pain et moi, je le vends le matin. J'aime ce travail parce que je suis en contact avec les gens mais c'est parfois difficile parce que je dois rester debout toute la journée.

2.

...aston Lebrun, douanier

D Laurence Kappa, photographe

> Moi, j'adore mon travail. Je travaille dans un grand restaurant parisien. Je prépare des plats et j'en invente également. C'est un métier passionnant mais il faut travailler dur.

3.

> Je fabrique des tables, des armoires et des meubles en général. J'adore mon métier parce que je suis indépendant et je crée des choses moi-même. C'est un métier passionnant.

4.

> Je voyage beaucoup en France et à l'étranger pour faire des reportages sur des questions d'actualité. D'après moi, c'est un métier intéressant parce que je rencontre souvent des gens intéressants.

5.

...Chantal Garnier, couturière

> Je contrôle les marchandises à la frontière et je lutte contre le trafic de drogue. C'est un travail difficile parce qu'il faut travailler à des heures irrégulières. Parfois, c'est dangereux. Selon moi, c'est un métier utile.

6.

F Rémy Pierre, cuisinier

15.7 Écoutez et remplissez la grille!

Trois jeunes se présentent.

	Father's occupation	Mother's occupation	Choice of career	Reasons given
Laure				
Henri				
Pascale				

Dialoguez!

Ask your partner the following questions.

1. Que fait ta mère dans la vie? C'est comment?
2. Que fait ton père comme métier? C'est comment?
3. Qu'aimerais-tu faire plus tard? Pourquoi?

Écrivez!

Your teacher has given you the name and address of your new penpal, André/Andrée, who lives in Brussels. Write a letter including the following points:

— *Describe yourself.*
— *Talk about your parents and your brothers and sisters.*
— *Mention some of your interests.*
— *Tell him/her about your plans for the future.*
— *Ask him/her questions about school, hobbies, family . . .*

Lisez!

Ch. secrétaire parlant français, anglais, allemand. Bonne maîtrise de l'informatique. Exp. prof. exigée. Tél. 03.29.54.44.75.

Ch. appr. vendeur(se) boulangerie. Bon niveau. Réf. exigées. Tél: pour R.V. 03.48.49.53.32.

Ch. boulanger-pâtissier pour Belgique. Tél: (00.32) 96.67.43.42. Demander Mr Brunet.

Ch. comptable, dynamique, souriant pour CDD de 3 mois du 1.1 au 1.4. Formation supérieure essentielle. Env. CV à UTHA L-2659 Luxembourg

Société de Transport de Metz recherche temps partiel 30/45 ans chauffeurs transports scolaires 03.20.39.43.23.

VOG COIFFURE rech. pour son expansion dans métropole lilloise un(e) coiffeur(se) confirmé(e). 03.35.22.17.08. entre 10h et 18h.

Compréhension

1. a. What vacancy is available in Luxembourg?
   b. What profile should the successful candidate have?
   c. What is the duration of the contract?
2. a. What kind of job is available in Metz?
   b. Is it a full-time position?
3. Which number would you ring if you were interested in taking up a position as sales assistant?
4. Who is looking for a baker?

15.8 **Écoutez et complétez la grille!**

Listen to four people describing their job. Can you find out what they do?

	Age	Occupation
Patrice Bertin		
Caroline Lessieur		
Michel Polacco		
Nathalie Fernand		

Lisez!

CRÉER SA PROPRE ENTREPRISE

3 idées de création

LA BOULANGERIE AMBULANTE

Gérard Targui était chômeur. Il a pensé se reconvertir dans la boulangerie ambulante. Au volant de sa camionnette, il fait tous les jours sa tournée et vend la baguette moins chère. Ses clients sont essentiellement des personnes âgées pour qui le trajet entre la maison et la boulangerie est un problème.

MÉDECIN DES ARBRES

Un diplôme en production forestière en poche, complété par une expérience professionnelle dans le secteur, et, bien sûr, l'amour des arbres. Les trois ingrédients étaient réunis pour que Dominique Gorisse, fille d'agriculteur, se décide à créer sa société de traitement des arbres. Dominique Gorisse consulte les arbres comme un docteur et établit des diagnostics à la demande de ses clients, essentiellement des maires de petites villes.

LE RECYCLAGE

Le marché de la récupération et du recyclage pèse son poids dans l'économie avec ses quelques 5 milliards d'euros de chiffre d'affaires.

Marcel Privat était au chômage. Il a eu l'idée de transformer les déchets alimentaires des producteurs en aliments pour les porcs. Son entreprise se charge de récupérer les déchets auprès des restaurants avant de les analyser, de les broyer, de les transformer en soupe, puis de les vendre aux éleveurs de cochons seulement! Son chiffre d'affaires dépasse aujourd'hui 2 millions d'euros.

Compréhension

Remplissez la grille en anglais!

	Type of business	Main Clients
Gérard Targui		
Dominique Gorisse		
Marcel Privat		

Lisez et répondez!

TEST PSYCHOLOGIQUE
Avez-vous de l'ambition?

Pour savoir si vous êtes ambitieux ou ambitieuse, répondez aux questions suivantes. Plusieurs réponses sont possibles!

1. Lorsque vous faites un match, vous jouez
   a. pour gagner.
   b. pour vous amuser.
   c. pour être avec les copains et les copines.
2. Parmi la liste suivante, quels métiers choisiriez-vous?
   a. Ministre
   b. Artiste
   c. Infirmier/infirmière
   d. Comptable
   e. Agent de police
3. Pensez-vous que les riches devraient aider les pauvres?
   a. Oui
   b. Non
4. Quelles seraient vos priorités dans la vie?
   a. L'amour
   b. Le travail
   c. L'argent
   d. Le bonheur
   e. La santé
5. Selon vous, les gens riches
   a. sont plus heureux que les gens pauvres.
   b. sont plus intéressants que les gens pauvres.
   c. sont aussi heureux et aussi intéressants que les gens pauvres.
6. Vous choisiriez un certain métier
   a. parce qu'il intéressant.
   b. parce qu'il est utile.
   c. parce qu'il est bien payé.
7. Selon vous, il faut travailler pour
   a. gagner de l'argent.
   b. être heureux.
   c. servir la société.
8. Est-ce que vous voudriez gagner plus d'argent que vos parents?
   a. Oui
   b. Non

Résultats

1. a: 3 points	b: 0	c: 0
2. a: 3 points	b: 1	c: 0 d: 2 e: 1
3. a: 0 points	b: 5	
4. a: 0 points	b: 2	c: 4 d: 0 e: 0
5. a: 3 points	b: 0	c: 0 points
6. a: 0 points	b: 0	c: 2 points
7. a: 3 points	b: 0	c: 0 points
8. a: 5 points	b: 0 points	

0 points: Vous n'êtes pas du tout ambitieux ou ambitieuse. Vous pensez plus aux autres qu'à vous-même.

1–5 points: Vous avez un peu d'ambition mais pas trop. Vous voulez réussir dans la vie sans écraser les autres.

6–16 points: Vous êtes très ambitieux ou ambitieuse. La réussite sociale et l'argent vous intéressent souvent plus que les autres.

17–37 points: Vous êtes trop ambitieux ou ambitieuse. Vous ne pensez qu'à vous-même et voulez réussir à tout prix!

Lisez!
Les petits boulots

EMPLOIS JEUNES

Famille française
cherche jeune fille
au pair pour s'occuper
de 2 enfants 3 et 5 ans.
Non-fumeuse entre 18 et 25
ans. Réf. exigées.
Envoyer lettre manuscrite,
photo + CV à:
Famille Chevalier
146, Bd Voltaire, 37000 Tours

Ch. pompiste pour l'été
(15.6 au 15.8). Conviendrait
à collégien(ne) sérieux(se)
et motivé(e). 8€/heure.
Tél: 01.21.32.33.33.
après 19h

Ch. vendangeurs/vendangeuses
à partir du 25/9, 10h par jour,
région Bordeaux. Possibilité
hébergement sur place + repas.
Salaire à négocier selon
expérience.
Tél. 05.48.54.25.39.

Restaurant parisien
ch. plongeur/serveur
dynamique pour l'été.
Débutant accepté. 7€/heure
Tél: 01.21.45.12.57.

Compréhension

1. a. List two requirements for the position of au pair.
   b. What should the applicant supply?
2. a. What does the job in the region of Bordeaux involve?
   b. What is the salary?
3. a. List three requirements for the position of petrol pump attendant.
   b. When should the applicant contact the employer?
4. a. What position is available in a restaurant in Paris?
   b. What should be the profile of the successful candidate?

 **Écoutez!**

Tu as un petit boulot?

1. Je m'appelle Renaud. J'ai quinze ans. En été, j'ai un petit boulot. Je distribue des journaux. J'aime bien mon petit boulot et en plus, c'est très bien payé: je gagne dix-huit euros par semaine. Avec cet argent, je vais au cinéma ou j'achète des vêtements. Je n'économise pas beaucoup! Pendant l'année scolaire, je ne travaille pas. Mes parents me donnent de l'argent de poche. Je reçois dix euros par semaine.

2. Je m'appelle Élodie et j'ai quinze ans. Moi, je n'ai pas de petit boulot mais je travaille beaucoup à la maison. J'aide mes parents. Je fais la vaisselle, je fais le ménage, je fais les courses. Le week-end, je travaille dans le jardin et je tonds la pelouse. Mes parents me donnent dix euros d'argent de poche par semaine. Avec cet argent, je sors avec mes copines ou j'achète des magazines.

3. Moi, je m'appelle Philippe. J'ai seize ans. L'été, je travaille dans un restaurant. Je suis plongeur, c'est-à-dire que je fais la vaisselle ou 'la plonge'. C'est un peu ennuyeux mais l'ambiance est bonne! Je gagne environ cent cinquante euros par semaine. J'économise la moitié de mon salaire. Avec l'autre moitié, je sors avec mes copains et mes copines et je vais au cinéma. Je ne reçois pas d'argent de poche.

4. Je m'appelle Odile et j'ai quinze ans. De temps en temps, je fais du baby-sitting pour les voisins. Je m'occupe des enfants quand les parents ne sont pas là. Parfois, c'est difficile mais, en général, c'est assez facile. Je reçois environ douze euros par soirée. Je fais des économies parce que je veux m'acheter un nouveau vélo.

Compréhension

1. Répondez en anglais!

    a. When does Renaud deliver newspapers?

    b. How much money does he earn per week?

    c. How does Élodie help her parents?

    d. How much pocket money does Élodie receive from her parents?

    e. How does she spend it?

    f. Explain Philippe's job.

    g. What does he do with his wages?

    h. Who does Odile babysit for?

    i. What does she think of the job?

    j. Why does she save her money?

2. Répondez en français!

    a. Quel âge a Philippe?

    b. Qu'est-ce qu'il a fait l'été dernier?

    c. C'était comment?

    d. Il a gagné combien d'argent?

    e. Qu'est-ce qu'il a fait avec cet argent?

    f. Est-ce qu'il a beaucoup économisé?

    g. Est-ce qu'il a gagné moins d'argent que Renaud?

    h. Philippe reçoit-il de l'argent de poche?

 15.10 Écoutez et complétez la grille!

Trois jeunes parlent de leur petit boulot.

	Type of work	Money received	How it was spent
Delphine			
Éric			
Barbara			

15.11 **Prononcez bien! Opposition oui/huit**

Oui *starts with 'ou' as in* vous.
Huit *starts with 'u' as in* tu.

1. Écoutez et répétez!

a.	enfui - huit - lui
b.	Louis – oui - enfoui
c.	Louis - lui
	enfoui– enfui
	oui - huis

2. Listen carefully and tick the word you hear!

a.	Louis	☐	lui	☐
b.	Louis	☐	lui	☐
c.	oui	☐	huit	☐
d.	enfoui	☐	enfui	☐
e.	oui	☐	huis	☐
f.	enfoui	☐	enfui	☐

 15.12 **Dictée: écoutez et écrivez!**

Jeux de rôles
Dialoguez avec votre partenaire!
1. A and B

— Tu as un petit boulot?
— *Say that you have a job for the summer. You work in a petrol station.*
— Tu aimes ton travail?
— *Say that it is tiring and sometimes boring but that it is well paid.*
— Tu gagnes combien?
— *Say that you earn 60€ per week.*
— Tu travailles beaucoup?
— *Say that you work on Wednesday mornings and on Saturdays.*
— Qu'est-ce que tu fais avec cet argent?
— *Say that you save some of it and that you buy clothes, sweets and go to the cinema with the rest.*

— Est-ce que tu reçois de l'argent de poche?
— *Say that you get 6€ per week.*

2. A and B

A asks B if he/she has a part-time job.
B babysits for the neighbours.
A asks if it is well paid.
B gets 10€ for an evening.
A asks what B does with his/her money.
B goes to the cinema and goes out with friends.
A asks if B likes his/her job.
B loves it although it is somewhat tiring. B asks if A has a part-time job.
A doesn't have any but helps his/her parents and goes shopping, mows the lawn, does the washing-up.
B asks if A gets any pocket money from his/her parents.
A gets 8€ per week.
B asks A how he/she spends the money.
A saves it because he/she would like to go on a trip to Paris.

Lisez!

JOB MODE D'EMPLOI

Pour trouver un petit boulot pendant l'été, le Centre d'initiative pour l'emploi des jeunes, 42, rue Étienne-Marcel, 75002 Paris, initie les jeunes à la recherche d'un emploi. Vous y trouverez des moyens matériels et un tas de conseils pour faciliter votre recherche.

Il existe mille idées de petits boulots pour l'été: le baby-sitting, où il suffit de posséder un peu de psychologie; cours particuliers en maths, anglais, allemand etc. pour lesquels il faudra passer des annonces dans le journal ou chez le commerçant du coin. La Poste et la S.N.C.F. ou la SERNAM embauchent quelques jeunes durant l'été et il faudra s'adresser aux bureaux les plus proches de chez vous. Les agriculteurs ont, eux aussi, besoin de main-d'œuvre pour la cueillette des fruits et légumes: les chambres d'agriculture vous informeront sur les possibilités locales. Si travailler toute la journée dans une petite cabine de verre ne vous ennuie pas, vous pouvez déposer votre candidature pour devenir receveur d'autoroute à la SANEF, B.P. 73, 60304 Senlix CEDEX, qui dispose d'environ cent cinquante postes sur les autoroutes A1 et A2. Demandez d'autre part dans les restaurants qui ont souvent besoin de plongeurs ainsi que dans les grands magasins ou les camps de vacances . . . Bon courage!

Ces informations proviennent du magazine *L'Étudiant* de janvier dans lequel vous pouvez donc trouver de plus amples renseignements.

Compréhension

1. Name five potential employers listed in the article.
2. What is the name of the company operating the tollbooths on the motorway?
3. How many summer jobs do they provide approximately?

LES PETITS BOULOTS DE L'ÉTÉ

Suite de notre série de reportages sur les emplois d'été: cette semaine, Marcel Cantien a suivi Laurence et François, deux adolescents amoureux de leur travail.

Laurence a 19 ans et travaille pour la seconde année consécutive à l'hôpital de Denain. Elle tient le poste d'aide-soignante dans la maison de santé des personnes âgées. D'ailleurs, c'est la filière qu'elle veut suivre plus tard. Laurence entre cette année en Terminale F8, une section qui prépare un bac de sciences médicales. Son ambition est de devenir infirmière.

Son emploi d'été consiste à transporter les personnes âgées, à les aider à faire leur toilette, leur parler, les entourer, ce qui demande une très grande disponibilité. Laurence travaille de longues heures et en alternance: une semaine, le matin et la semaine suivante, l'après-midi. Elle ne compte pas prendre de vacances. 'J'aime trop mon métier' dit-elle simplement. Passionnant mais difficile!

François est un passionné. Il aime le grand air, les travaux dans les champs, les vaches et les moutons. Et il n'a pas peur du travail: il se

lève à 6 heures et demie et travaille toute la journée. Car il n'y a pas d'horaires à la ferme, tous travaillent jusqu'à ce que les travaux soient effectués.

François abreuve les vaches, il ramasse les pommes de terre, il aide à réparer les bâtiments, il travaille dans les champs. Ce séjour à la ferme lui est bénéfique car il suit des études dans une école d'agriculture, à Pecquencourt, et prépare un brevet de consultant agricole. Son opinion? 'C'est très difficile mais c'est passionnant!'

Suite de la série: mercredi prochain avec Jean-Christophe et Maryam, deux adolescents qui ont décidé de travailler en mer.

Lisez!

Compréhension

1. Where does Laurence work?
2. What are her duties? Give three examples.
3. Describe her timetable in detail.
4. At what time does François get up?
5. What are his duties? Give three examples.
6. What kind of studies does he wish to pursue?

Lisez!

Irishtown, le 11 mai

Alice Freeley
Irishtown
Claremorris
Co. Mayo
Irlande

Monsieur le Directeur
Hôtel du Loup Blanc
11000 Carcassonne
France

Monsieur le Directeur,

Suite à votre annonce parue dans l'*Irish Times* du 28 avril, je désire poser ma candidature au poste de serveuse bilingue. L'été dernier, j'ai travaillé dans un hôtel irlandais pendant deux mois.

Pourriez-vous m'indiquer le montant du salaire ainsi que les horaires de travail? Pourrais-je loger sur place?

Veuillez trouver ci-joint mon curriculum vitae ainsi qu'une lettre de recommandation de mon ancien employeur.

Dans l'attente de votre réponse, je vous prie d'agréer, Monsieur le Directeur, l'expression de mes sentiments distingués.

Alice Freeley

15. Qu'aimeriez-vous faire?

Compréhension

1. To whom is the letter addressed?
2. Where did the sender get the address of the recipient?
3. What kind of job is the sender applying for?
4. What information does the sender wish to receive?
5. What documents does the sender enclose in the letter?

Lisez!

<u>CURRICULUM VITAE</u>

NOM: Freeley

PRÉNOM: Alice

ADRESSE: Irishtown,
Claremorris,
Co. Mayo, Irlande

TÉLÉPHONE: (00.353) 9.44.16.49.

DATE DE NAISSANCE: 10 avril 1988

LIEU DE NAISSANCE: Castlebar, Co. Mayo, Irlande

NATIONALITÉ: Irlandaise

OCCUPATION: Collégienne

EXPÉRIENCE: Serveuse au Friendly Hotel, Castlebar, durant l'été 2003

LOISIRS: Lecture, marche, cinéma, basket, camogie

Compréhension

1. Comment s'appelle-t-elle?
2. Elle habite où?
3. Quel est son numéro de téléphone?
4. Quelle est sa date de naissance?
5. Elle est née où?
6. Que fait-elle?
7. A-t-elle déjà travaillé?
8. Quels sont ses loisirs?

Écoutez et répondez aux questions!

Trois jeunes décrivent leurs copains et copines.

1. Name: Antoine

Age: _____

Colour of hair: _____

Hobbies: _____

Part-time job: _____

Future career: _____

2. Name: Caroline

Date of birth: _____

Colour of eyes: _____

Favourite sport: _____

Mother's occupation: _____

Future career: _____

3. Name: Christian

Date of birth: _____

Hobbies: _____

Father's occupation: _____

Future career: _____

Part-time job: _____

Écrivez!

1. *You are on school holidays and are working in a shop or a supermarket. Write a letter in French to your Swiss penpal including the following points:*
   - *Say how you like the work.*
   - *Mention the people you work with.*
   - *Say how much you earn and how you spend it.*
   - *Describe something interesting you did recently.*
   - *Mention your plans for the coming days.*
   - *Ask about your penpal's family and his/her summer plans.*

2. *You are staying with your aunt in the country for your holidays. Write a postcard to your French penpal and mention the following details:*
   - *Say where you are and how long you are staying.*
   - *Say that you are helping with the farm work.*
   - *Describe the work and express an opinion.*
   - *You go swimming every day with your cousins.*
   - *The weather is very good.*

At the end of this unit, make sure you can:
– say what job you would like
– ask someone about his/her career plans
– make comparisons
– explain the use and formation of the conditional
– use the comparative and superlative
– talk about some aspects of employment in France.

Now test yourself at <u>www.my-etest.com</u>

Grammar supplement

Nouns

A noun is a word that names a person, an animal, a place or a thing.

A noun that names a specific person or place is called a **proper noun**. A proper noun always begins with a capital letter.

John is a student. I live in **Paris.**

A noun that doesn't name a specific person, place or thing is called a **common noun**. A common noun doesn't begin with a capital letter unless it is the first word of a sentence.

Gender
In French, every noun has a gender. This means that every noun is either **masculine** or **feminine**. More than half of all nouns ending with the letter '-e' are feminine. But in many cases, there isn't any way of knowing whether a noun is masculine or feminine. Therefore, when learning a new noun, you should always learn its gender.

Number
Every noun has a number. This means that every noun is either **singular** or **plural**.

When a noun refers to one person, one place, or one thing, the noun is singular.

When a noun refers to more than one person, place or thing, it is plural and has to take a plural form.

Singular	Plural
Delia Finnegan	the Finnegans
a man	men
a house	houses
a family	families

To make a French noun plural, the most common change is to add an '-s' unto the singular form.

Singulier	Pluriel
homme	hommes
maison	maisons
famille	familles

Determiners

A determiner is a word like 'the', 'a', 'some', 'this', 'my' . . . and is placed in front of a noun.

French nouns must always be preceded by a determiner, except in a few cases.

Definite articles (the)
The word for 'the' depends on the gender and number of the noun.

for masculine singular nouns:	**le**	le père, le cahier
for feminine singular nouns:	**la**	la mère, la géographie
for singular nouns beginning with a vowel or 'h':	**l'**	l'ami, l'amie, l'homme, l'hôtel
for all plural nouns:	**les**	les amies, les hôtels, les cahiers

A definite article is used before a noun to show that the noun refers to a specific person, place or thing. But in some cases, definite articles can be used to refer to nouns in general terms:

- leisure activities:	la musique, le football, le hurling …
- countries:	l'Irlande, la France, les États-Unis …
- school subjects:	le français, les maths, l'allemand …

Note the contraction when a definite article is used after the prepositions *à* and *de*:

à + le = **au** (Je vais au cinéma.)   à + les = **aux** (Je vais aux États-Unis.)
de + le = **du** (Elle joue du violon.) de + les = **des** (Il arrive des États-Unis.)

Indefinite articles (a, an)

for masculine singular nouns:	**un**	un père, un cahier, un ami
for feminine singular nouns:	**une**	une mère, une amie
for all plural nouns:	**des**	des mères, des pères, des amies, des cahiers

An indefinite article is used before a noun which isn't specific. As with definite articles, indefinite articles must agree with the noun in gender and in number.

Note that in French, the indefinite article is omitted before a profession:

My mother is a doctor.   Ma mère est docteur.
My father is a carpenter. Mon père est charpentier.

Partitive articles (some)

A partitive article is used before a non-count noun, i.e. a noun that can't be counted, like butter (you can't say one butter, two butters …). Partitive articles are mainly used when talking about food and drink.

As with definite and indefinite articles, partitive articles agree with the noun's gender and number.

masculine singular:	**du**	du fromage, du steak, du café
feminine singular:	**de la**	de la limonade, de la bière, de la gelée
singular noun beginning with a vowel:	**de l'**	de l'eau, de l'argent
all plural non-count nouns:	**des**	des petits pois, des céréales

Possessive adjectives (my, your, his, her, our, your, their)

A possessive adjective is a determiner placed before a noun to show the possessor of the noun. As with all determiners, possessive adjectives agree with the noun's gender and number.

my	for masculine singular nouns	**mon**	mon ami
	and feminine nouns beginning with a vowel		mon amie
	for feminine singular nouns	**ma**	ma lettre
	for all plural nouns	**mes**	mes amis
your	for masculine singular nouns	**ton**	ton frère
	and feminine nouns beginning with a vowel		ton amie
	for feminine singular nouns	**ta**	ta sœur
	for all plural nouns	**tes**	tes parents
his/her	for masculine singular nouns	**son**	son frère
	and feminine nouns beginning with a vowel		son amie
	for feminine singular nouns	**sa**	sa correspondante
	for all plural nouns	**ses**	ses livres

our	for masculine singular nouns	**notre**	notre père
	and feminine singular nouns		notre mère
	for all plural nouns	**nos**	nos parents
your	for masculine singular nouns	**votre**	votre journal
	and feminine singular nouns		votre chambre
	for all plural nouns	**vos**	vos cahiers
their	for masculine singular nouns	**leur**	leur cousin
	and feminine singular nouns		leur cousine
	for all plural nouns	**leurs**	leurs cousines

Note that possessive adjectives always agree with the thing possessed and not with the owner: *son frère* can mean *his brother* or *her brother*.

Demonstrative adjectives (this, that, these, those)

	Singular	**Plural**
Masculine	ce	ces
	cet	
Feminine	cette	ces

Example:

Ce livre	**This/that** book
Cet homme	**This/that** man
Cette femme	**This/that** woman
Ces élèves	**These/those** students

Note: Use *cet* instead of *ce* before a masculine noun beginning with a vowel or 'h'.

Adjectives

An adjective is a word that describes a noun or a pronoun.

In French, adjectives agree with the noun/pronoun they refer to in gender (masculine or feminine) and in number (singular or plural).

The dictionary will always give you the masculine singular form:

le correspondant **allemand**

In most cases,

 − to make adjectives feminine add -e:
 la correspondant**e** alleman**de**

 − to make adjectives masculine plural add -s:
 les correspondant**s** allemand**s**

 − to make adjectives feminine plural add -es:
 les correspondant**es** allemand**es**

However, many adjectives make up their feminine form in other ways.

Example:
x/se   Il est généreu**x**. / Elle est généreu**se**.
f/ve   Mon frère est sporti**f**. / Ma sœur est sporti**ve**.
on/onne   Il est b**on**. / Elle est b**onne**.

Adjectives that end in -e do not change in the feminine form.

> Example: Il est sympathique. / Elle est sympathique.
> Il est jeune. / Elle est jeune.

Comparative and superlative of adjectives

plus	more
le/la/les plus	the most
moins	less
le/la/les moins	the least
aussi	as

In all three cases, *que* is used to complete the comparison. It can mean 'as' or 'than'.

> Example:
> Laure est **plus grande que** Pierre.   Laure is **taller than** Pierre.
> Pierre est **plus petit que** Laure.   Pierre is **smaller than** Laure.
> Pierre est **aussi grand que** Jean.   Pierre is **as tall as** Jean.
>
> Laure est **la plus grande**.   Laure is **the tallest**.
> Pierre est **le plus grand**.   Pierre is **the tallest**.

Interrogative form

In French, there are three ways to ask the same question:

1. Place a question mark at the end of the sentence:
   Tu aimes le football?
2. Invert the verb and the pronoun and link both words with a hyphen:
   Aimes-tu le football?
3. Add the expression 'est-ce que' before the sentence:
   Est-ce que tu aimes le football?

To ask a question, you can also use a question word:

Qui?	Who?
Que?	
Qu'est-ce que?	What?
Quoi?	
Quand?	When?
Comment?	How?
Pourquoi?	Why?
Où?	Where?
Combien?	How much/many?

There are three ways of using a question word:

1. Put the question word after the verb, usually at the end of the sentence:
   C'est **combien**?
   Tu habites **où**?
   Il s'appelle **comment**?
   C'est **quand**, ton anniversaire?

2. Put the question word before the inversion form:
   Où habites-tu?
   Comment allez-vous?
   Qui est-ce?
   Quand est-ce, ta fête?

3. Add *est-ce que* after the question word:
   Où est-ce que tu vas?
   Qu'est-ce que tu fais?
   Quand est-ce qu'il part en vacances?
   Comment est-ce qu'il s'appelle?

Interrogative adjectives

There are four ways in French to translate 'which' and 'what'.

	Singular	**Plural**
Masculine	quel	quels
Feminine	quelle	quelles

Example: **Quel** âge as-tu?

Quelle heure est-il?

Quels acteurs aimes-tu?

Quelles actrices aimes-tu?

Negative form

ne . . . pas	not
ne . . . plus	not any more
ne . . . jamais	never
ne . . . que	only

The most common negative is *ne . . . pas*.

In the present tense, *imparfait, futur simple* and conditional, *ne* is placed directly in front of the verb and *pas* directly after it.

ne + verb + **pas**

Example: Je **ne** travaille **pas**.

Quand j'étais jeune, je **n'**aimais **pas** les carottes.

Je **ne** partirai **pas** en vacances cet été.

With a compound tense, as in the *passé composé* and in the *futur proche*, *ne* is placed in front of the helping verb and *pas* directly after it.

Example:	J'ai travaillé.	Je **n'**ai **pas** travaillé.
	Je suis allée à Paris.	Je **ne** suis **pas** allée à Paris.
	Je vais jouer au foot.	Je **ne** vais **pas** jouer au foot.

Note: With reflexive verbs in the *passé composé*, *ne* is placed before the reflexive pronoun.

Example: Je me suis levé tôt.   Je **ne** me suis **pas** levé tôt.

Pronouns

A pronoun is a word used in place of a noun.

Subject pronouns

A subject pronoun is a pronoun used as the subject of a verb. The subject pronoun 'does' the action of the verb.

French subject pronouns are divided into 3 persons, singular and plural.

I	1st person singular	je
you	2nd person singular	tu
he	3rd person masculine singular	il
she	3rd person feminine singular	elle
we	1st person plural	nous
you	2nd person plural	vous
they	3rd person masculine plural	ils
they	3rd person feminine plural	elles

In French, there are two ways to address a person. You can use *tu* or *vous*.

Use *tu* when you are addressing a child, a teenager, a family member or a friend. This is called the familiar form.

Use *vous* when you are addressing an adult with whom you are not on familiar terms. This is called the formal form.

Object pronouns

me (m')	me
te (t')	you
le (l')	him/it
la (l')	her/it
nous	us
vous	you
les	them

Example: Je **le** vois.   I see **him**.
Je **t'**invite.   I'm inviting **you**.
Il **les** achète.   He buys **them**.

Note: In French, pronouns are always placed before the verb.

'en' pronoun

The pronoun *en* can mean 'some', 'any', 'of it' or 'of them'. It is mainly used to avoid repeating a noun introduced by *du, de la, de l', des.*

Example: Vous voulez **du thé**? Oui, j'**en** veux.

Vous avez **de la limonade**? Oui, j'**en** ai.

Tu fais **de l'athlétisme**? Oui, j'**en** fais.

Il achète **des disques**? Oui, il **en** achète.

'y' pronoun

The pronoun *y* means 'there'. It is used to avoid repeating nouns introduced by *à, en, chez.*

Example: Tu habites **à Paris**? Oui, j'**y** habite.

Vous allez **au marché**? Oui, j'**y** vais.

Tu es née **à Dublin**? Oui, j'**y** suis née.

Vas-tu **chez Marie**? Oui, j'**y** vais ce soir.

Verbs

A verb is a word that indicates the action of the sentence.

The verb says what is happening, what is taking place. The person or thing 'doing' the action is called the **subject**. The subject is either a noun or a pronoun.

The present tense of regular verbs

Verbs are composed of two parts: the stem and the ending.

Regular verbs are divided into three groups: *-er* ending verbs, *-ir* ending verbs, *-re* ending verbs. Each group has its own set of endings.

To conjugate a regular verb, follow two steps: remove the infinitive ending (-er, -ir, or -re) and add the ending that agrees with the subject.

1st group **-er (parler)**	2nd group **-ir (finir)**	3rd group **-re (descendre)**
je parle	je finis	je descends
tu parles	tu finis	tu descends
il/elle parle	il/elle finit	il/elle descend
nous parlons	nous finissons	nous descendons
vous parlez	vous finissez	vous descendez
ils/elles parlent	ils/elles finissent	ils/elles descendent

Reflexive verbs

Reflexive verbs have a double set of pronouns: one subject pronoun followed by one reflexive pronoun.

se laver (to wash oneself)

je	**me**	lave	I wash myself
tu	**te**	laves	you wash yourself
il/elle	**se**	lave	he/she washes him/herself
nous	**nous**	lavons	we wash ourselves
vous	**vous**	lavez	you wash yourself/yourselves
ils/elles	**se**	lavent	they wash themselves

Reflexive verbs refer back to the subject of the sentence.

J'appelle means 'I call'.
Je m'appelle literally means 'I call myself' (my name is).

Je lève	I lift.
Je **me** lève	I lift myself (I get up).

Je lave	I wash (something)
Je **me** lave	I wash myself.

Je réveille	I wake up (somebody)
Je **me** réveille	I wake up (myself)

se réveiller
se laver
se reposer
s'amuser

Most reflexive verbs are regular *-er* ending verbs:

Passé Composé (Perfect Tense)

The *passé composé* is used to describe what 'has happened' as opposed to what 'used to happen' or what 'was happening'.

To form the *passé composé* of a verb, use the helping verb *avoir* or *être* in the present tense plus the past participle of the verb in question.

Passé composé = avoir or **être + participe passé**

Example:

j'	ai	mangé	je	suis	allé(e)
tu	as	mangé	tu	es	allé(e)
il/elle	a	mangé	il/elle	est	allé(e)
nous	avons	mangé	nous	sommes	allé(e)s
vous	avez	mangé	vous	êtes	allé(e)(s)
ils/elles	ont	mangé	ils/elles	sont	allé(e)s

1. How do you form the past participle of a regular verb?

   -er verbs = **é**

   Example: travailler = j'ai travaillé

   -ir verbs = **i**

   Example: finir = j'ai fini

   -re verbs = **u**

   Example: perdre = j'ai perdu

Some past participles are irregular and have to be learned off by heart.
Here is a list of some common irregular verbs.

Infinitive	Past participle
avoir	eu
être	été
faire	fait
écrire	écrit
lire	lu
naître	né
mourir	mort
prendre	pris
boire	bu
venir	venu
devenir	devenu
voir	vu
vouloir	voulu

2. Which verbs take *avoir*?
Most verbs take *avoir*.

Example:

J'**ai** mangé.
Tu **as** vu.
Il **a** fait.

3. Which verbs take *être*?
  a. The 14 '*être*' verbs. (Remember DRAPER'S VAN MMTR!)

descendre	D
rester	R
arriver	A
partir	P
entrer	E
rentrer	R
sortir	S
venir	V
aller	A
naître	N
mourir	M
monter	M
tomber	T
retourner	R

b. The reflexive verbs

se laver	je me **suis** lavé
se réveiller	je me **suis** réveillée
s'amuser	elle s'**est** amusée
se lever	il s'**est** levé
se coucher	je me **suis** couchée

4. Agreement rule

Note that with the so-called '*être*' verbs, the past participle agrees with the subject in gender (masculine/feminine) and in number (singular/plural).

	Singular	Plural
Masculine	—	-s
Feminine	-e	-es

Therefore
— a boy would write, 'Je suis allé' (*je* is masculine singular);
— a girl would write, 'Je suis allée' (*je* is feminine singular);
— two or more boys would write, 'Nous sommes allés' (*nous* is masculine plural);
— two or more girls would write, 'Nous sommes allées' (*nous* is feminine plural).

For reflexive verbs, there is a particular rule of agreement, as you will learn later.
For now, just learn the agreement rule which applies to the *être* verbs.

Imparfait (Imperfect Tense)

The *imparfait* is used to express what 'used to happen' and to describe 'how things/people were'. To form the *imparfait* of a verb, take the 'nous' form of the present tense, remove the '-ons' ending and add the following endings:

je	**-ais**
tu	**-ais**
il/elle	**-ait**
nous	**-ions**
vous	**-iez**
ils/elles	**-aient**

Example:

Infinitive: finir
'nous' form: (nous) finissons
Imparfait stem: finiss-
Imparfait: je finiss**ais**
                      tu finiss**ais**
                      il/elle finiss**ait**
                      nous finiss**ions**
                      vous finiss**iez**
                      ils/elles finiss**aient**

Note: *être* is the only verb that is irregular in the *imparfait*.

être
j'étais
tu étais
il/elle était
nous étions
vous étiez
ils/elles étaient

Futur Proche (Immediate Future)

The *futur proche* is used to express what you 'are going to do' as opposed to what you 'will do'.

Futur proche = aller + infinitive

Example:

Je **vais faire** mes devoirs.	I am going to do my homework.
Tu **vas aller** au cinéma, demain?	Are you going to the cinema tomorrow?
Il/elle **va acheter** un disque.	He/she is going to buy a record.
Nous **allons visiter** la région.	We are going to visit the area.
Vous **allez prendre** le train?	Are you going to take the train?
Ils/elles **vont aller** manger au restaurant.	They are going to eat at the restaurant.

Futur Simple (Future Tense)

The *futur simple* is used to express what you 'will do' or what 'will happen'. To form the *futur simple*, add the following endings to the infinitive:

je	**-ai**
tu	**-as**
il/elle	**-a**
nous	**-ons**
vous	**-ez**
ils/elles	**-ont**

Example:

Je finir**ai**	I will finish
Tu travailler**as**	You will work
Il/elle manger**a**	He/she will eat
Nous jouer**ons**	We will play
Vous arriver**ez**	You will arrive
Ils/elles prendr**ont**	They will take

Note: To form the *futur simple* of regular *-re* verbs, drop the last '-e' from the infinitive.

Example: descend**re** − je descendr**ai**

Some verbs have an irregular stem in the *futur simple*:

être	je **ser**ai	I will be
avoir	j'**aur**ai	I will have
aller	j'**ir**ai	I will go
faire	je **fer**ai	I will do
venir	je **viendr**ai	I will come
envoyer	j'**enverr**ai	I will send
falloir	il **faudr**a	It will be necessary to
vouloir	je **voudr**ai	I will want
pleuvoir	il **pleuvr**a	It will rain

Conditionnel (Conditional)

The *conditionnel* is used, as in English, to express a wish or an intention, i.e. what you 'would like/do' or what 'would happen'.

Conditionnel = stem of the futur simple + endings of the imparfait

Example:

Je voud**rais** un café.	I would like a cup of coffee.
Tu aime**rais** Paris.	You would like Paris.
Il/elle i**rait** à Galway.	She would go to Galway.
Nous reste**rions** deux jours.	We would stay two days.
Vous se**riez** d'accord?	Would you agree?
Ils/elles prend**raient** le train.	They would take the train.

Impératif (Imperative)

The imperative is used to give orders and instructions or to make suggestions. To form the imperative, take the 'tu', 'nous' or 'vous' form of a verb in the present tense and drop the pronouns 'tu', 'nous' and 'vous'.

Example:

Finis!	Finish!
Allons en France!	Let's go to France!
Écrivez dans votre cahier!	Write in your copies!

Note: For -*er* verbs, the '-s' of the 'tu' form is also dropped.

Example:

Ferme la porte!   Close the door!

Verb tables

Infinitif	Présent	Passé composé	Imparfait	Futur simple
aimer (to like, to love)	j'aime tu aimes il/elle aime nous aimons vous aimez ils/elles aiment	j'ai aimé tu as aimé il/elle a aimé nous avons aimé vous avez aimé ils/elles ont aimé	j'aimais tu aimais il/elle aimait nous aimions vous aimiez ils/elles aimaient	j'aimerai tu aimeras il/elle aimera nous aimerons vous aimerez ils/elles aimeront
choisir (to choose)	je choisis tu choisis il/elle choisit nous choisissons vous choisissez ils/elles choisissent	j'ai choisi tu as choisi il/elle a choisi nous avons choisi vous avez choisi ils/elles ont choisi	je choisissais tu choisissais il/elle choisissait nous choisissions vous choisissiez ils/elles choisissaient	je choisirai tu choisiras il/elle choisira nous choisirons vous choisirez ils/elles choisiront
vendre (to sell)	je vends tu vends il/elle vend nous vendons vous vendez ils/elles vendent	j'ai vendu tu as vendu il/elle a vendu nous avons vendu vous avez vendu ils/elles ont vendu	je vendais tu vendais il/elle vendait nous vendions vous vendiez ils/elles vendaient	je vendrai tu vendras il/elle vendra nous vendrons vous vendrez ils/elles vendront
avoir (to have)	j'ai tu as il/elle a nous avons vous avez ils/elles ont	j'ai eu tu as eu il/elle a eu nous avons eu vous avez eu ils/elles ont eu	j'avais tu avais il/elle avait nous avions vous aviez ils/elles avaient	j'aurai tu auras il/elle aura nous aurons vous aurez ils/elles auront
être (to be)	je suis tu es il/elle est nous sommes vous êtes ils/elles sont	j'ai été tu as été il/elle a été nous avons été vous avez été ils/elles ont été	j'étais tu étais il/elle était nous étions vous étiez ils/elles étaient	je serai tu seras il/elle sera nous serons vous serez ils/elles seront
faire (to do)	je fais tu fais il/elle fait nous faisons vous faites ils/elles font	j'ai fait tu as fait il/elle a fait nous avons fait vous avez fait ils/elles ont fait	je faisais tu faisais il/elle faisait nous faisions vous faisiez ils/elles faisaient	je ferai tu feras il/elle fera nous ferons vous ferez ils/elles feront
aller (to go)	je vais tu vas il/elle va nous allons vous allez ils/elles vont	je suis allé(e) tu es allé(e) il/elle est allé(e) nous sommes allé(e)s vous êtes allé(e)(s) ils/elles sont allé(e)s	j'allais tu allais il/elle allait nous allions vous alliez ils/elles allaient	j'irai tu iras il/elle ira nous irons vous irez ils/elles iront

→

Grammar supplement

Infinitif	Présent	Passé composé	Imparfait	Futur simple
se laver (to wash oneself)	je me lave tu te laves il/elle se lave nous nous lavons vous vous lavez ils/elles se lavent	je me suis lavé(e) tu t'es lavé(e) il/elle s'est lavé(e) nous nous sommes lavé(e)s vous vous êtes lavé(e)(s) ils/elles se sont lavé(e)s	je me lavais tu te lavais il/elle se lavait nous nous lavions vous vous laviez ils/elles se lavaient	je me laverai tu te laveras il/elle se lavera nous nous laverons vous vous laverez ils/elles se laveront
se lever (to get up)	je me lève tu te lèves il/elle se lève nous nous levons vous vous levez ils/elles se lèvent	je me suis levé(e) tu t'es levé(e) il/elle s'est levé(e) nous nous sommes levé(e)s vous vous êtes levé(e)(s) ils/elles se sont levé(e)s	je me levais tu te levais il/elle se levait nous nous levions vous vous leviez ils/elles se levaient	je me lèverai tu te lèveras il/elle se lèvera nous nous lèverons vous vous lèverez ils/elles se lèveront
boire (to drink)	je bois tu bois il/elle boit nous buvons vous buvez ils/elles boivent	j'ai bu tu as bu il/elle a bu nous avons bu vous avez bu ils/elles ont bu	je buvais tu buvais il/elle buvait nous buvions vous buviez ils/elles buvaient	je boirai tu boiras il/elle boira nous boirons vous boirez ils/elles boiront
devoir (to have to)	je dois tu dois il/elle doit nous devons vous devez ils/elles doivent	j'ai dû tu as dû il/elle a dû nous avons dû vous avez dû ils/elles ont dû	je devais tu devais il/elle devait nous devions vous deviez ils/elles devaient	je devrai tu devras il/elle devra nous devrons vous devrez ils/elles devront
dire (to say)	je dis tu dis il/elle dit nous disons vous dites ils/elles disent	j'ai dit tu as dit il/elle a dit nous avons dit vous avez dit ils/elles ont dit	je disais tu disais il/elle disait nous disions vous disiez ils/elles disaient	je dirai tu diras il/elle dira nous dirons vous direz ils/elles diront
dormir (to sleep)	je dors tu dors il/elle dort nous dormons vous dormez ils/elles dorment	j'ai dormi tu as dormi il/elle a dormi nous avons dormi vous avez dormi ils/elles ont dormi	je dormais tu dormais il/elle dormait nous dormions vous dormiez ils/elles dormaient	je dormirai tu dormiras il/elle dormira nous dormirons vous dormirez ils/elles dormiront
écrire (to write)	j'écris tu écris il/elle écrit nous écrivons vous écrivez ils/elles écrivent	j'ai écrit tu as écrit il/elle a écrit nous avons écrit vous avez écrit ils/elles ont écrit	j'écrivais tu écrivais il/elle écrivait nous écrivions vous écriviez ils/elles écrivaient	j'écrirai tu écriras il/elle écrira nous écrirons vous écrirez ils/elles écriront
lire (to read)	je lis tu lis il/elle lit nous lisons vous lisez ils/elles lisent	j'ai lu tu as lu il/elle a lu nous avons lu vous avez lu ils/elles ont lu	je lisais tu lisais il/elle lisait nous lisions vous lisiez ils/elles lisaient	je lirai tu liras il/elle lira nous lirons vous lirez ils/elles liront
mettre (to put)	je mets tu mets il/elle met nous mettons vous mettez ils/elles mettent	j'ai mis tu as mis il/elle a mis nous avons mis vous avez mis ils/elles ont mis	je mettais tu mettais il/elle mettait nous mettions vous mettiez ils/elles mettaient	je mettrai tu mettras il/elle mettra nous mettrons vous mettrez ils/elles mettront

→

Infinitif	Présent	Passé composé	Imparfait	Futur simple
partir (to leave)	je pars tu pars il/elle part nous partons vous partez ils/elles partent	je suis parti(e) tu es parti(e) il/elle est parti(e) nous sommes parti(e)s vous êtes parti(e)(s) ils/elles sont parti(e)s	je partais tu partais il/elle partait nous partions vous partiez ils/elles partaient	je partirai tu partiras il/elle partira nous partirons vous partirez ils/elles partiront
pleuvoir (to rain)	il pleut	il a plu	il pleuvait	il pleuvra
pouvoir (to be able to)	je peux tu peux il/elle peut nous pouvons vous pouvez ils/elles peuvent	j'ai pu tu as pu il/elle a pu nous avons pu vous avez pu ils/elles ont pu	je pouvais tu pouvais il/elle pouvait nous pouvions vous pouviez ils/elles pouvaient	je pourrai tu pourras il/elle pourra nous pourrons vous pourrez ils/elles pourront
prendre (to take)	je prends tu prends il/elle prend nous prenons vous prenez ils/elles prennent	j'ai pris tu as pris il/elle a pris nous avons pris vous avez pris ils/elles ont pris	je prenais tu prenais il/elle prenait nous prenions vous preniez ils/elles prenaient	je prendrai tu prendras il/elle prendra nous prendrons vous prendrez ils/elles prendront
recevoir (to receive)	je reçois tu reçois il/elle reçoit nous recevons vous recevez ils/elles reçoivent	j'ai reçu tu as reçu il/elle a reçu nous avons reçu vous avez reçu ils/elles ont reçu	je recevais tu recevais il/elle recevait nous recevions vous receviez ils/elles recevaient	je recevrai tu recevras il/elle recevra nous recevrons vous recevrez ils/elles recevront
sortir (to go out)	je sors tu sors il/elle sort nous sortons vous sortez ils/elles sortent	je suis sorti(e) tu es sorti(e) il/elle est sorti(e) nous sommes sortie(e)s vous êtes sorti(e)(s) ils/elles sont sorti(e)s	je sortais tu sortais il/elle sortait nous sortions vous sortiez ils/elles sortaient	je sortirai tu sortiras il/elle sortira nous sortirons vous sortirez ils/elles sortiront
venir (to come)	je viens tu viens il/elle vient nous venons vous venez ils/elles viennent	je suis venu(e) tu es venu(e) il/elle est venu(e) nous sommes venu(e)s vous êtes venu(e)(s) ils/elles sont venu(e)s	je venais tu venais il/elle venait nous venions vous veniez ils/elles venaient	je viendrai tu viendras il/elle viendra nous viendrons vous viendrez ils/elles viendront
voir (to see)	je vois tu vois il/elle voit nous voyons vous voyez ils/elles voient	j'ai vu tu as vu il/elle a vu nous avons vu vous avez vu ils/elles ont vu	je voyais tu voyais il/elle voyait nous voyions vous voyiez ils/elles voyaient	je verrai tu verras il/elle verra nous verrons vous verrez ils/elles verront
vouloir (to wish, to want to)	je veux tu veux il/elle veut nous voulons vous voulez ils/elles veulent	j'ai voulu tu as voulu il/elle a voulu nous avons voulu vous avez voulu ils/elles ont voulu	je voulais tu voulais il/elle voulait nous voulions vous vouliez ils/elles voulaient	je voudrai tu voudras il/elle voudra nous voudrons vous voudrez ils/elles voudront

Vocabulaire thématique

L'école	School
les matières	subjects
le français	French
l'anglais	English
l'irlandais/le gaélique	Irish
l'allemand	German
l'espagnol	Spanish
l'italien	Italian
l'histoire	History
la géographie	Geography
les sciences physiques/la chimie	Chemistry
les sciences naturelles/la biologie	Biology
les sciences ménagères	Home Economics
les mathématiques	Maths
l'éducation physique/le sport	P.E.
l'éducation artistique/le dessin	Art
l'éducation manuelle et technique (E.M.T)	Technical drawing/woodwork/ metalwork
la musique	Music
le catéchisme	Religion
l'emploi du temps	timetable
la récréation	break
le cours	lesson
les devoirs	homework
le cartable	schoolbag
le livre	book
le cahier	copy
la trousse	pencil-case
le stylo	biro
le crayon	pencil
la règle	ruler
la gomme	eraser

N.B: In French, school subjects always take a definite article!

Example:

I like French. = J'aime le français.
I study Irish. = J'étudie l'irlandais.
I hate maths. = Je déteste les maths.

Les métiers   ## Professions

Note that in French you don't use an article as you do in English when giving someone's profession.

My father	is	a farmer.	Mon père	est	fermier.
She	is	a doctor.	Elle	est	docteur.
I	am	a teacher.	Je	suis	professeur.

un acteur/une actrice	actor/actress (cinema)
un auteur/un(e) écrivain	author/writer
un agriculteur/une agricultrice	farmer
un avocat/une avocate	lawyer/solicitor/barrister
un boucher/une bouchère	butcher
un boulanger/une boulangère	baker
un caissier/une caissière	cashier
un chanteur/une chanteuse	singer
un chauffeur de taxi	taxi driver
un charpentier	carpenter
un chômeur/une chômeuse	unemployed person
un comédien/une comédienne	actor/actress (theatre)
un/une comptable	accountant
un conducteur de bus/ une conductrice de bus	bus driver
un docteur	doctor
un directeur/une directrice	director
un(e) employé(e) de bureau	office worker
un(e) employé(e) de banque	bank clerk
un enseignant/une enseignante	teacher
un épicier/une épicière	grocer
un facteur/une factrice	postman/postwoman
une femme au foyer	housewife
une femme de ménage	cleaner
un fermier/une fermière	farmer
un/une fonctionnaire	civil servant
un gendarme	policeman/policewoman
un infirmier/une infirmière	nurse
un/une ingénieur	engineer

Vocabulaire thématique

un/une journaliste	journalist
un maçon	bricklayer
un mécanicien	mechanic
un médecin	doctor
un militaire (un soldat)	soldier
un musicien/une musicienne	musician
un ouvrier/une ouvrière	factory worker
un pêcheur	fisherman
un peintre	painter
un pharmacien/une pharmacienne	pharmacist
un/une pilote	pilot
un plombier	plumber
un professeur	teacher
un représentant/une représentante	sales person
un retraité/une retraitée	pensioner
un/une secrétaire	secretary
un technicien/une technicienne	technician
un travailleur indépendant	self-employed
un vendeur/une vendeuse	shop assistant
être au chômage	to be unemployed
travailler à la maison	to work at home
travailler à l'usine	to work in a factory

Le sport et la musique — Sport and Music

jouer à + team sport	**to play a game**
le football	soccer
le football gaélique	gaelic football
le hurling	hurling
le camogie	camogie
le basket	basketball
le tennis	tennis
le rugby	rugby

faire de + individual sport	**to do a sport**
le ski	skiing
l'athlétisme	athletics
la gymnastique	gymnastics
le cyclisme	cycling
la natation	swimming
la boxe	boxing
la voile	sailing
la planche à voile	wind-surfing

le surf	surfing
le terrain	pitch
le stade	stadium
la course	race
la compétition	competition
gagner	to win
perdre	to lose
battre	to beat
l'équipe	team

jouer d'un instrument	**to play an instrument**
la guitare	guitar
la guitare électrique	electric guitar
la basse	bass guitar
la batterie	drums
le piano	piano
le violon	violin
la flûte	flute
l'accordéon	accordion

Le logement — Housing

la maison	house
l'appartement	apartment/flat
le pavillon	bungalow
l'immeuble	block of flats
l'HLM	local authority housing
la cave	basement/cellar
le sous-sol	basement
le grenier	attic
le toit	roof
le mur	wall
la fenêtre	window
la porte	door
la pièce	room
la chambre à coucher	bedroom
le salon	sitting-room
la salle de séjour	living-room
la salle à manger	dining-room
la cuisine	kitchen
la salle de bains	bathroom
les toilettes	toilets
le rez-de-chaussée	ground floor
le premier étage	first floor

Vocabulaire thématique

La météo / Weather

La météo	Weather
Il fait beau.	It is nice.
Il fait mauvais.	It is bad.
Il fait chaud.	It is hot.
Il fait froid.	It is cold.
Il pleut.	It is raining.
Il neige.	It is snowing.
Il gèle.	It is freezing.
Il grêle.	It is hailing.
Il y a du soleil.	It is sunny.
Il y a des nuages.	It is cloudy.
Il y a du vent.	It is windy.
Le temps est couvert.	It is overcast.
ensoleillé	sunny
pluvieux	rainy
nuageux	cloudy
brumeux	foggy
du verglas	black ice
une averse	shower
un orage	storm
du tonnerre	thunder
un éclair	lightning
un ouragan	hurricane
des inondations	floods
le nord	North
le sud	South
l'est	East
l'ouest	West

Les animaux / Animals

Les animaux	Animals
un animal domestique	pet
un chat	cat
un chien	dog
un lapin	rabbit
un oiseau	bird
un canari	yellow canary
un perroquet	parrot
une perruche	budgie
un poisson rouge	goldfish
un hamster	hamster
une souris blanche	white mouse
une tortue	turtle
un cheval	horse

un âne	donkey
une vache	cow
une poule	chicken
un mouton	sheep
une chèvre	goat

La nourriture — Food

l'entrée/les hors d'œuvre	starter
les crudités	raw vegetables (starter)
la salade verte	green salad
le pâté	paté
le saucisson	salami
le jambon	ham
les escargots	snails
le plat de résistance/le plat principal	main course
le poisson	fish
le saumon	salmon
la truite	trout
la viande	meat
le steak/le bifteck	steak
l'entrecôte	rib steak
le rôti	roast
le bœuf	beef
le veau	veal
le lapin	rabbit
le mouton	mutton
l'agneau	lamb
le porc	pork
le poulet	chicken
la dinde	turkey
les saucisses	sausages

les légumes — vegetables

la tomate	tomato
la carotte	carrot
les champignons	mushrooms
l'artichaut	artichoke
le chou	cabbage
le chou-fleur	cauliflower
les haricots	beans
les haricots verts	French beans
les pommes de terre/les patates	potatoes
les petits pois	peas

Vocabulaire thématique

le concombre	cucumber
le radis	radish
l'oignon	onion
l'ail	garlic

les fruits — **fruit**

la pomme	apple
l'orange	orange
l'abricot	apricot
l'ananas	pineapple
la banane	banana
les cerises	cherries
le citron	lemon
la pêche	peach
le melon	melon
la poire	pear
les raisins	grapes
les fraises	strawberries

le fromage — **cheese**

le camembert	Camembert
le brie	Brie
le roquefort	Roquefort
le fromage de chèvre	goat's cheese
le gruyère	Gruyère
le dessert	dessert
le yaourt	yoghurt
le fromage frais	fromage frais/cottage cheese
la crème	cream
le flan	custard tart
la glace	ice cream
le gâteau	cake
la tarte	tart

le petit déjeuner — **breakfast**

le déjeuner	lunch
le goûter	afternoon snack
le dîner	dinner
le souper	supper
le pain	bread
la baguette	French bread
le croissant	croissant
la tartine	slice of bread
un oeuf	egg

la tartine grillée	toast
le café	coffee
le thé	tea
le chocolat	hot chocolate
le sucre	sugar
le lait	milk
le beurre	butter
la confiture	jam
le miel	honey

les ingrédients	**ingredients**
la farine	flour
le sel	salt
le poivre	pepper
la moutarde	mustard
le vinaigre	vinegar

les boissons	**drinks**
l'eau	water
le lait	milk
le jus de fruit	fruit juice
le vin rouge/blanc	wine (red/white)
la bière	beer
le cidre	cider

Les couleurs	**Colours**
noir	black
blanc	white
gris	grey
rouge	red
rose	pink
violet	purple
bleu	blue
vert	green
jaune	yellow
marron	brown

L'heure	**Time**
midi	midday
minuit	midnight
moins le quart	quarter to
et quart	quarter past
et demi(e)	half past
l'an	year

Vocabulaire thématique

le mois	month
la semaine	week
le jour	day
la nuit	night
le matin	morning
l'après-midi	afternoon
le soir	evening
le week-end	week-end
aujourd'hui	today
hier	yesterday
avant-hier	the day before yesterday
demain	tomorrow
après-demain	the day after tomorrow
la veille	the night before
tous les jours	every day
la semaine prochaine	next week
la semaine dernière	last week
tôt	early
tard	late

Les jours — Days

Note that days don't take a capital letter in French.

lundi	Monday
mardi	Tuesday
mercredi	Wednesday
jeudi	Thursday
vendredi	Friday
samedi	Saturday
dimanche	Sunday
le lundi	on Mondays

Les mois — Months

Note that months don't take a capital letter in French.

janvier	January
février	February
mars	March
avril	April
mai	May
juin	June
juillet	July
août	August
septembre	September
octobre	October
novembre	November
décembre	December
en janvier	in January

Les saisons

le printemps	spring
l'été	summer
l'automne	autumn
l'hiver	winter

Seasons

N.B.
en été = in the summer
en automne = in the autumn
en hiver = in the winter
but
au printemps = in the spring

Les pays

Countries

l'Europe	Europe
la France	France
l'Irlande	Ireland
la Grande Bretagne	Great Britain
le Royaume-Uni	the United Kingdom
l'Ecosse	Scotland
le Pays de Galles	Wales
l'Angleterre	England
l'Allemagne	Germany
la Belgique	Belgium
le Luxembourg	Luxembourg
les Pays-Bas/la Hollande	the Netherlands/Holland
le Danemark	Denmark
la Suède	Sweden
la Norvège	Norway
la Finlande	Finland
l'Autriche	Austria
la Suisse	Switzerland
l'Italie	Italy
la Grèce	Greece
l'Espagne	Spain
le Portugal	Portugal
la Russie	Russia
la Pologne	Poland
la République Tchèque	the Czech Republic
la Slovaquie	Slovakia
la Roumanie	Romania
la Bulgarie	Bulgaria
l'Albanie	Albania

Vocabulaire thématique

la Slovénie	Slovenia
la Macédoine	Macedonia
la Moldavie	Moldova
l'Ukraine	Ukraine
la Biélorussie	Byelorussia
la Lithuanie	Lithuania
la Lettonie	Latvia
l'Estonie	Estonia
l'Amérique	America
les États-Unis	the United States
le Canada	Canada
l'Australie	Australia
l'Asie	Asia
l'Afrique	Africa

a. Countries always take a definite article.
I visit Ireland. = Je visite **l'**Irlande.
I like France. = J'aime **la** France.
I love Portugal. = J'adore **le** Portugal.

b. Prepositions used for countries vary. There are several ways of saying 'in' or 'to' a country in French, depending on the gender and number of the country.
When the country is feminine, use **en**.
I am going **to** France. = Je vais **en** France. (**la** France)
I live **in** Ireland. = J'habite **en** Irlande. (**l'**Irlande)

When the country is masculine, use **au** (contracted form of **à+le**).
I live **in** Canada. = J'habite **au** Canada. (**le** Canada)
She lives **in** Portugal. = Elle habite **au** Portugal. (**le** Portugal)

When the country is plural, use **aux** (contracted form of **à+les**).
I live **in** the United States. = J'habite **aux** États-Unis. (**les** États-Unis)

c. The preposition used for towns is **à**.
He goes **to** Paris. = Il va **à** Paris.
I live **in** Galway. = J'habite **à** Dublin.

La géographie / Geography

la forêt	forest
la campagne	countryside
le champ	field

la terre	earth
l'eau	water
la rivière	river
le fleuve	main river
le lac	lake
la mer	sea
la plage	beach
la côte	coast
le port	harbour
la montagne	mountain
la colline	hill
la ville	town/city
la banlieue	suburb
le village	village

Glossary

A

acheter: to buy

acteur (m): actor

actrice (f): actress

actualités (f pl): news

addition (f): bill

adorer: to like very much; to love

agence de voyage (f): travel agency

agneau (m): lamb

agréable: pleasant

ail (m): garlic

ailleurs: elsewhere

aimer: to like

Allemagne (f): Germany

aller: to go

aller retour, un –: a return ticket

aller simple, un –: a one-way ticket

allumette (f): a match

alouette (f): lark

ami (m): friend

amie (f): friend

amitiés à: love to

amuser, s'–: to enjoy oneself

âne (m): donkey

anglais (m): English

animation (f): activity

anniversaire (m): birthday

annuaire (m): 'phone book

apporter: to bring

apprendre: to learn

après-midi (m): afternoon

arbitre (m): referee

arbre (m): tree

argent de poche (m): pocket money

armoire (f): wardrobe

arranger: to arrange

arrêt d'autobus (m): bus stop

arrêter: to stop

arrière (m): back (in football)

ascenseur (m): lift

aspirateur (m): vacuum cleaner

assiette (f): plate

assis: sitting

attendre: to wait for

attirer: to attract

au-dessous: below

au revoir!: goodbye!

auberge de jeunesse (f): youth hostel

aussi: also

auto (f): car

autobus (m): bus

automne (m): autumn

autoroute (f): motorway

autour de: around

avant (m): forward (football)

aveugle: blind

avoir: to have

avoir besoin de: to need

avoir chaud: to be warm

avoir faim: to be hungry

avoir froid: to be cold

avoir honte: to be ashamed

avoir lieu: to take place

avoir rendez-vous avec: to meet

avoir soif: to be thirsty

avoir sommeil: to be sleepy

B

baigner, se –: to go for a dip

baignoire (f): bath

balle (f): ball

ballon (m): ball

banc (m): bench

banlieue (f): suburb

banque (f): bank

bar (m): bar

barbe (f): beard

basse-cour (f): farmyard

bateau (m): boat

bâtiment (m): building

bâtir: to build

battre: to beat

bavarder: to chat

beau: lovely

beaucoup de: lots of

beurre (m): butter

bibliothèque (f): library

bicyclette (f): bicycle

Bien sûr!: Sure!

bientôt: soon

à –!: see you!

bière (f): beer

billet (m): ticket, banknote

billet de train (m): train ticket

blanc: white

blesser, se –: to injure oneself

blouson (m): light jacket

boeuf (m): beef

boire: to drink

bois (m): wood

boisson (f): drink

boîte (f): box

bon: good

bonbon (m): sweet
Bonjour!: Hello!
boucherie (f): a butcher's
boulangerie (f): a baker's
boulot (m): work (slang)
boum (f): party
bout de, au –: after
bouteille (f): bottle
brebis (f): ewe
Brie (m): type of cheese
bronzer, se –: to tan oneself
brouillard (m): fog
bruit (m): noise
brûler: to burn
brun: brown
bruyant: noisy
bureau (m): office; desk
bureau de change (m):
    bureau de change
but (m): goal

C

Ça va?: How are things?
cadeau (m): present
café (m): coffee
cahier (m): copybook
caisse (f): checkout
caissière (f): checkout girl
calendrier (m): calendar
Camembert (m): type of
    cheese
camion (m): lorry
camionette (f): van
campagne, à la –: in the
    countryside
canard (m): duck
car (m): coach
car: because
cartable (m): schoolbag
carte (f): map; menu
carte postale (f): postcard
casque (m): helmet
casser: to break
casserole (f): saucepan

cave (f): cellar
ce: this, that
cendrier (m): ashtray
cerise (f): cherry
chagrin (m): sorrow
chaise (f): chair
chambre (f): bedroom
champ (m): field
chanter: to sing
chanteur (m): singer
chapeau (m): hat
chaque: each
chat (m): cat
château (m): castle
chaud: warm
chaumière (f): thatched
    cottage
chaussettes (f pl): socks
chaussures (f pl): shoes
chemin (m): path
cheminée (f): chimney;
    fireplace
chemise (f): shirt
chemisier (m): blouse
cher: dear (adjective)
cheval (m): horse
monter à –: to ride a horse
cheveux, les (m): hair
chèvre (f): goat
chien (m): dog
chiffre (m): figure, number
chose (f): thing
chouette!: super!
circulation (f): traffic
clef (f): key
cochon (m): pig
cognac (m): brandy
coin (m): corner
collège (m): secondary school
colline (f): hill
combien de?: how many?
    how much?
commander: to order
commencer: to begin

complet: full
comprendre: to understand
conducteur (m): driver
confiture (f): jam
connaître: to know
construire: to build
contrôleur (m): conductor
    (bus, train)
copain (m): pal
copine (f): pal
corriger: to correct
côte (f): coast
côté, à – de: beside
cou (m): neck
coucher, se: to go to bed
coucou (m): cuckoo; cowslip
couette (f): quilt
couper: to cut
cour (f): yard
courir: to run
cours (m): lesson
couteau (m): knife
coûter: to cost
cravate (f): tie
crayon (m): pencil
crème (f): cream
crier: to shout
croix (f): cross
cuiller (f): spoon
cuisine (f): kitchen; cooking
cuisinière (f): cooker

D

D'accord!: OK! Agreed!
dame (f): lady
dans: in
danser: to dance
de bonne heure: early
de temps en temps: from
    time to time
débarquement (m): landing
débarquer: to land
décoller: to take off (plane)
découvrir: to discover

Glossary

dégustation (f): sampling
déjeuner, (m): lunch
    le petit −: breakfast
demain: tomorrow
    à −: see you tomorrow
demander: to ask for
dépêcher, se −: to hurry
dépenser: to spend (money)
dernier: last
derrière: behind
des: some (plural of un, une)
descendre: to go down; to
    get out of (train; plane)
désolé: sorry
dessin (m): art
dessiner: to design, to draw
detester: to hate
dévaliser: to rob
devant: in front of
devenir: to become
deviner: to guess
devise (f): motto
devoir: to have to, must,
    ought
devoirs (m pl): homework
difficile: difficult
disque (m): record
donner: to give
dormir: to sleep
douane (f) −: Customs
douanier (m): customs
    officer
douche (f) : shower
doux: soft, gentle
drap (m): sheet
drapeau (m): flag
droite, à −: on the right
drôle: funny
dur: hard

E

eau (f): water
échanger: to exchange
école (f): school

Écosse (f): Scotland
écouter: to listen to
écrire: to write
église (f): church
élève (m & f): pupil
élever: to raise
embouteillage (m): traffic jam
émission (f): programme
emmener: to bring
emploi du temps (m):
    timetable
en route: on the way
enchanté: delighted
enfant (m & f): child
enfin: finally
ennuyeux: boring
ensemble: together
ensuite: next
entendre: to hear
entier: entire; whole
entre: between
entrée (f): entrance
entrer: to go in
envoyer: to send
épeler: to spell
épicerie, une −: a grocer's
épicier (m): grocer
équipe (f): team
équitation (f): horse riding
escalade (f): rock climbing
escalier (m): stairs
espérer: to hope
étage (m): storey
étagère (f): shelf
étang (m): pond
États-Unis (m pl): United
    States
été (m): summer
étranger, à l': abroad
être: to be
être fort en: to be good at
étudier: to study
événement (m): event
évier (m): sink

F

fabriquer: to make
facilement: easily
facteur (m): postman
faire: to do, to make
faire attention: to pay
    attention
faire chaud: to be warm
    (weather)
faire des projets: to make
    plans
faire du camping: to go
    camping
faire la queue: to queue up
faire la vaisselle: to do the
    washing-up
faire les courses: to do the
    shopping
faire un pique-nique: to have
    a picnic
faire une promenade: to go
    for a walk
falaise (f): cliff
famille (f): family
farine (f): flour
fatigué: tired
fauteuil (m): armchair
femme (f): woman
fenêtre (f): window
ferme (f): farm
fermer: to close
fermier (m): farmer
fil (m): thread
fille (f): daughter
    une jeune −: girl
fillette (f): little girl
fils (m): son
fin (f): end
finir: to finish
fonctionnaire (m & f): civil
    servant
Formidable!: Great!
fou: crazy
fourchette (f): fork

fournir: to provide
français: French
frère (m): brother
frites (f pl): chips
froid: cold
fromage (m): cheese
fruits de mer (m pl): seafood
fumer: to smoke
   'défense de —': 'no
     smoking'
furet (m): ferret

G

gagner: to win; to earn
garçon (m): boy
gardien (m): goalkeeper
gare (f): (train) station
gâteau (m): cake
gauche, à —: on the left
geler: to freeze
gendarme (m): policeman
génial: great
gens (m pl): people
gentil: nice
girouette (f): weather vane
glace (f): ice-cream
golf (m): golf
gorge (f): throat
gourmand (m): greedy
   person
grand: big
Grande Ourse (f): the Plough
grange (f): barn
gratuit: free of charge
grimper: to climb
grippe (f): flu
gros: big
guerre (f): war
guichet (m): ticket office

H

habiller, s'—: to dress oneself
habiter: to live in
heureux: happy

hier: yesterday
histoire (f): story
hiver (m): winter
homme (m): man
horaire (m): timetable
hôtel de ville (m): city hall
huile (f): oil
huître (m): oyster

I

il y a: there is, there are
île (f): island
immeuble (m): block of flats
incroyable: incredible
informations (f pl): news
   bulletins
ingénieur (m): engineer
inquiet: worried
installer, s'—: to settle in
irlandais: Irish

J

jambon (m): ham
jardin (m): garden
jaune: yellow
jeter: to throw
jeu (m): game
jeunesse (f): youth
joli: pretty
jouer: to play
jouet (m): toy
joueur (m): player
journal (m): newspaper
journée (f): day
joyeux: happy
jupe (f): skirt
jus de fruit (m): fruit juice
jusqu'à: until

L

la (f): the
lac (m): lake
lait (m): milk
laiterie (f): creamery

langue (f): language; tongue
lapin (m): rabbit
laver: to wash
   se —: to wash oneself
le (m): the
lecture (f): reading
légumes (m pl): vegetables
lendemain (m): the next day
lentement: slowly
les (pl): the (plural)
lever, se —: to get up
liaison (f): connection
librairie (f): book shop
lier: to link
lieu (m): place
lire: to read
lit (m): bed
livre (f): pound
livre (m): book
loisirs (m pl): hobbies
long, le — de: along
longtemps: a long time
louer: to hire
lourd: heavy
luisant: gleaming
lumière (f): light
lunettes (f pl): glasses

M

machine à laver (f): washing
   machine
magasin (m): shop
maillot de bain (m): swimsuit
maintenant: now
mairie (f): town hall
maison (f): house
Maison des Jeunes et de la
   Culture (MJC) (m): youth
   club
malade: ill
malheureusement:
   unfortunately
Manche, la: the Channel
manger: to eat

manteau (m): coat
maquis (m): scrub, bush
marché (m): market
   à bon —: cheaply
marcher: to walk; to function
mari (m): husband
marquer un but: to score a
   goal
mas (m): house or farm in
   the South of France
matin (m): morning
matinée (f): morning
mauvais: bad
méchant: naughty
médecin (m): doctor
ménage (m): household
mener: to lead
menhir (m): standing-stone
mer, au bord de la —: at the
   seaside
Merci!: Thank you!
mère (f): mother
météo (f): weather forecast
métier (m): job, profession
mettre: to put
Midi (m): South of France
midi: noon
miel (m): honey
minuit: midnight
mi-temps (f): half (of match)
moi non plus: me neither
monde (m): world (i.e.
   people)
mondial: world (adjective)
monnaie (f): change
   (money)
monsieur (m): man
montagne (f): mountain
monter: to go up
montre (f): watch
montrer: to show
morceau (m): piece
moteur (m): engine
moto (f): motorbike

moule (f): mussel
mourir: to die
mouton (m): sheep
moyen (m): means

N

nager: to swim
naître: to be born
natation (f): swimming
neiger: to snow
neuf: new
niveau (m): level
Noël (m): Christmas
   joyeux —: Happy Christmas
noir: black
noix (f): nut
nom (m): name
nord: north
nourriture (f): food
nouveau: new
nuage (m): cloud
nuit (f): night

O

œil (m): eye
œuf (m): egg
oignon (m): onion
oiseau (m): bird
oncle (m): uncle
os (m): bone
ou: or
où: where
oublier: to forget
ouest (m): west
ours (m): bear
ouvrir: to open

P

pain (m): bread
paix (f): peace
panier (m): basket
pantalon (m): trousers
parce que: because
parler: to speak, to talk

parole (f): word; speech
partir: to go away
partout: everywhere
pas du tout: not at all
passer: to pass (by); to spend
   (some time)
pâté (m): liver pâté
pauvre: poor
payer: to pay
pays (m): country
pays de Galles, le: Wales
paysage (m): scenery
pêche (f): fishing
pêcher: to fish
pelouse (f): lawn
perdre: to lose
père (m): father
permis de conduire (m):
   driving licence
petit: small
peu de: a few of
   un —: a little
peut-être: perhaps
pharmacie (f): a chemist's
pièce (f): room
pierre (f): stone
piscine (f): swimming pool
placard (m): cupboard
place (f): market square
plage (f): beach
plan (m): map
planche à voile (f): sailboard
plein (de): full (of)
pleurer: to cry
pleuvoir: to rain
pluie (f): rain
plusieurs: several
poire (f): pear
poisson (m): fish
poivre (m): pepper
policier (m): policeman
pomme (f): apple
pomme de terre (f): potato
pont (m): bridge

port (m): port, harbour
porte (f): door
porter: to wear; to carry
poule (f): hen
poulet (m): chicken
pour: for, in order to
pourquoi?: why?
pousser: to push
pouvoir: to be able, can
premier: first
prendre: to take
prendre un bain de soleil: to sunbathe
près de: near
présenter: to introduce
prêt: ready
prier: to ask
printemps (m): spring
prix (m): price
prochain: next
professeur (m & f): teacher, professor
promener, se –: to walk
propre: clean
publicité (f): advertising
pull (m): pullover

Q

quai (m): platform, quay
quel?: which? what?
quel temps fait-il?: what's the weather like?
qu'est-ce qu'elle fait?: what's she doing?
qu'est-ce qu'il fait?: what's he doing?
qu'est-ce qu'ils font?: what are they doing?
qui: who, which
qu'est-ce que c'est?: what is it?
qui est-ce?: who is it?
quitter: to leave
quoi?: what?

R

raconter: to tell
ramasser: to pick up
rangée (f): row
rapide (m): express (train)
raquette (f): racket
rayon (m): shelf
récompense (f): reward
régaler, se –: to eat something delicious
regarder: to look at
remarquer: to notice
remercier: to thank
remplir: to fill
renard (m): fox
rencontrer: to meet
rendre: to give back
rendre, se – à: to go to
rendre visite à: to pay a visit to
rentrée (f): return (to school)
rentrer: to go home, to return, to go back
renverser: to knock over
repas (m): meal
répondre: to answer
réponse (f): answer
reposer, se –: to rest
réseau (m): network
ressembler à: to look like
restaurant (m): restaurant
rester: to stay
retour (m): return
retrouver: to find
réveiller, se –: to wake up
revenir: to return
rez-de-chaussée (m): ground floor
rideau (m): curtain
rire: to laugh
rivière (f): river
robe (f): dress
robinet (m): tap
roi (m): king

Roquefort (m): type of cheese
rôti (m): roast
rôtir: to roast
roue (f): wheel
rouge: red
royaume (m): kingdom
rue (f): street

S

sable (m): sand
sac (m): bag
sage: good, well-behaved
salle à manger (f): dining-room
salle de bains (f): bathroom
salle de classe (f): classroom
salon (m): sitting-room
Salut!: Hi!
salutation (f): greeting
sanglot (m): tear
sans doute: probably
sauf: except
sauvage: wild
savoir: to know
sec: dry
sel (m): salt
selon: according to
semaine (f): week
serpent (m): snake
serrer la main à: to shake hands with
si: if
siècle (m): century
singe (m): monkey
soeur (f): sister
soir (m): evening
sonner: to ring
sortie (f): exit
sortir: to go out
souliers (m pl): shoes
sourd: deaf
souris (f): mouse
sous: under

Glossary

souvent: often
sportif: sporty
stade (m): stadium
stage (m): training course
stylo (m): biro
suivant: following
sur: on
surtout: especially
Syndicat d'initiative (m):
    Tourist Office

T

table (f): table
    mettre la -: to set the
    table
tableau (m): painting;
    blackboard
tant pis!: too bad!
tante (f): aunt
tard: late
tarif, à – réduit: at a reduced
    rate
tasse (f): cup
téléphone (m): telephone
    un coup de –: a phone call
téléphoner à: to
    telephone
temps (m): weather
tendre: to stretch
tennis (m): tennis
terrain (m): pitch
terre (f): earth
tigré: tabby
timbre (m): stamp
tiroir (m): drawer
toit (m): roof
tomber: to fall

tortue (f): tortoise
tôt: early, soon
tourner: to turn
tout de suite: immediately
tout droit: straight on
tout: all, every, the whole
    C'est –?: Is that all?
trajet (m): trip
travail (m): work
travailler: to work
traversée (f): crossing
traverser: to cross
triste: sad
trop de: too much, too
    many
trottoir (m): footpath
trou (m): hole
trouver: to find
truite (f): trout

U

un (m): a, an
une (f): a, an
user: to wear out
usine (f): factory
utile: useful

V

vacances (f pl): holidays
vache (f): cow
vague (f): wave
valable: valid
valise (f): suitcase
veau (m): veal
vélo (m): bicycle
venir: to come
vent (m): wind

vérifier: to check
verre (m): glass
vers: towards
vert: green
veste (f): jacket
vêtements (m pl): clothes
vêtir, se –: to dress
viande (f): meat
vieux: old
ville (f): city, town
vin (m): wine
vite: quickly
vitesse (f): speed
vivre: to live
voici: here is
voilà: there is
voile (f): sailing
voir: to see
voiture (f): car
voix (f): voice
volet (m): shutter
voudrais, je –: I'd like
vouloir: to wish, to want
voyager: to travel
voyageur (m): traveller
vrai: true
vraiment: really
VTT, vélo tout terrain (m):
    mountain bike
vue (f): view

W

W.C., les: toilet

Y

y: there
yeux (m pl): eyes

Acknowledgments

The author would like to thank the following: Hubert Mahony, Editorial Director; Tess Tattersall, Managing Editor; Charlotte Fabian, Editor; Anna Scobie for photo research and Helen McMahon for the illustrations.

For permission to reproduce published material, grateful acknowledgment is made to the following:
Contes de la rue Broca by Pierre Gripari, La Table Ronde
© Éditions de La Table Ronde, 1967.

For permission to reproduce images, grateful acknowledgment is made to the following: Akimoff Licences, Ardea London, Bubbles Photo Library, Corbis, French Picture Library, Chris and Aine Gaffney, Getty Images, Image File, Images Of France, Inpho Photography, Stéphane Joahny, Katz Pictures Ltd, Kobal, Paule and Roger Lerou, Reuters, Rex Features, Robert Harding Picture Library Ltd, Sally Richard Greenhill Photo Library, Superstock, The Art Archive, The Irish Image Collection, The Travel Site, Tintin images © Hergé/Moulinsart 2003.

The publishers have made every effort to trace copyright holders, but if they have inadvertently overlooked any they will be pleased to make the necessary arrangements at the first opportunity.